O VALOR DO AMA-NHÃ

Ensaio sobre a natureza dos juros

EDUARDO GIANNETTI

9ª reimpressão

COMPANHIA DAS LETRAS

Copyright © 2005 e 2012 by Eduardo Giannetti

Grafia atualizada segundo o Acordo Ortográfico da Língua Portuguesa de 1990, que entrou em vigor no Brasil em 2009.

Capa
KIKO FARKAS / MÁQUINA ESTÚDIO
MATEUS VALADARES / MÁQUINA ESTÚDIO

Preparação
MÁRCIA COPOLA

Índice onomástico
RODRIGO PUELLES

Revisão
JULIANE KAORI
LARISSA LINO BARBOSA

Atualização ortográfica
VERBA EDITORIAL

Dados Internacionais de Catalogação na Publicação (CIP)
(Câmara Brasileira do Livro, SP, Brasil)

Giannetti, Eduardo
O valor do amanhã: ensaio sobre a natureza dos juros / Eduardo Giannetti. — 2ª ed. — São Paulo: Companhia das Letras, 2012.

Bibliografia.
ISBN 978-85-359-2041-3

1. Ensaios brasileiros 2. Filosofia 3. Juros 4. Valor (Filosofia) I. Título II. Título: Ensaio sobre a natureza dos juros.

11-14863　　　　　　　　　　　　　　CDD-199.81

Índice para catálogo sistemático:
1. Ensaios filosóficos brasileiros　199.81

Todos os direitos desta edição reservados à
EDITORA SCHWARCZ S.A.
Rua Bandeira Paulista, 702, cj. 32
04532-002 — São Paulo — SP
Telefone: (11) 3707-3500
www.companhiadasletras.com.br
www.blogdacompanhia.com.br
facebook.com/companhiadasletras
instagram.com/companhiadasletras
twitter.com/cialetras

Para Chris

Sumário

Prefácio e agradecimentos 9

PRIMEIRA PARTE
As raízes biológicas dos juros 15

1. Reprodução sexuada e mortalidade 17
2. A bioeconomia da senescência 22
3. A evolução da paciência: metabolismo 29
4. A evolução da paciência: comportamento 35
5. Tempo, troca intertemporal e juros 43

SEGUNDA PARTE
Imediatismo e paciência no ciclo de vida 51

6. A dilatação da dimensão temporal 53
7. A escolha intertemporal no ciclo de vida: infância e juventude 56
8. A escolha intertemporal no ciclo de vida: maturidade e velhice 63
9. O horizonte temporal relevante 70
10. Ciclo de vida, longevidade e finitude 78

TERCEIRA PARTE
Anomalias intertemporais 83

11. A textura do presente — uma digressão 85
12. Agir no presente tendo em vista o futuro 91
13. A subestimação do futuro: miopia 103
14. A superestimação do futuro: hipermetropia 109
15. Cálculo econômico e uso do tempo: tempo é dinheiro? 115

QUARTA PARTE
Juros, poupança e crescimento 125

16. O ser social e o tempo: primórdios 127
17. Origens sociais da solicitude perante o amanhã 132
18. Os determinantes da orientação de futuro 136
19. Poupança e acumulação: o enredo do crescimento 144
20. Variações do grau de impaciência: ética e instituições 153

Notas 163
Bibliografia 189
Índice onomástico 197
Sobre o autor 201

Prefácio e agradecimentos

O desejo incita à ação; a percepção do tempo incita o conflito entre desejos. O animal humano adquiriu a arte de fazer planos e refrear impulsos. Ele aprendeu a antecipar ou retardar o fluxo das coisas de modo a cooptar o tempo como aliado dos seus desígnios e valores. *Isto agora* ou *aquilo depois*? Desfrutar o momento ou cuidar do amanhã? Ousar ou guardar-se? São perguntas das quais não se escapa. Mesmo que deixemos de fazê-las, agindo sob a hipnose do hábito ou em estado de "venturosa inconsciência", elas serão respondidas por meio de nossas ações. Das decisões cotidianas ligadas a dieta, saúde e finanças às escolhas profissionais, afetivas e religiosas de longo alcance, as trocas no tempo pontuam a nossa trajetória pelo mundo.

Permita-me, leitor, tranquilizá-lo. Embora o meu tema — juros — possa parecer árido e altamente técnico à primeira vista, a ideia que anima este livro é de fato bastante simples. As trocas no tempo são uma via de mão dupla. A posição credora — *pagar agora, viver depois* — é aquela em que abrimos mão de algo no presente em prol de algo esperado no futuro. O custo precede o benefício. No outro sentido temos a posição devedora — *viver agora, pagar depois*. São todas as situações em que valores ou benefícios usufruídos mais cedo acarretam algum tipo de ônus ou custo a ser pago mais à frente.

Não importa qual seja a sua feição concreta em cada caso específico, essas duas modalidades de troca envolvem uma comparação entre valores presentes e futuros, ou seja, o valor daquilo que se paga (ou usufrui) agora, de um lado, e o valor daquilo que se espera alcançar (ou deverá ser pago) mais adiante, de outro. O termo de troca entre esses dois valores separados no tempo define a essência dos juros. O fenômeno dos juros é, portanto, inerente a toda e qualquer forma de troca intertemporal. Os juros são o *prêmio da espera* na ponta credora — os ganhos decorrentes da transferência ou cessão temporária de valores do presente para o futuro; e são o *preço da impaciência* na ponta devedora — o custo de antecipar ou importar valores do futuro para o presente.

O fio condutor do argumento desenvolvido no livro é a noção de que a realidade dos juros não se restringe ao mundo das finanças, como supõe o senso comum, mas permeia as mais diversas e surpreendentes esferas da vida prática, social e espiritual, a começar pelo processo de envelhecimento a que nossos corpos estão inescapavelmente sujeitos. A face mais visível dos juros monetários — os juros fixados pelos bancos centrais e aqueles praticados nos mercados de crédito — representa apenas um aspecto, ou seja, não mais que uma diminuta e peculiar constelação no vasto universo das trocas intertemporais em que valores presentes e futuros medem forças. A economia é parte de um todo. Muito do que se passa na atmosfera rarefeita das finanças guarda parentesco com situações e processos familiares em outras dimensões da existência. Como procuro mostrar em detalhe no livro, por meio de exemplos e situações da vida comum, limitar a categoria *juro* a "pagamentos devidos por empréstimos em dinheiro" seria como restringir a noção de *trabalho humano* ao circuito das tarefas realizadas a troco de um salário mensal. Os juros monetários são uma forma particular de juros, assim como o trabalho assalariado é uma forma particular de trabalho. Tomar a parte pelo todo seguramente não faz justiça à variedade, riqueza e fascínio do fenômeno.

O plano geral do livro, organizado em quatro partes de cinco capítulos cada, aborda, de quatro ângulos distintos e complementares, a questão dos termos de troca entre o presente e o futuro. Para facilitar a visualização da estrutura do argumento como um todo, apresento a seguir um mapa sinóptico do caminho percorrido.

A primeira parte ("As raízes biológicas dos juros") analisa e ilustra a ocorrência de trocas intertemporais — e portanto juros — no mundo natural. Nada surge do nada. A ideia aqui é mostrar como a realidade dos juros está inscrita no metabolismo dos seres vivos e permeia boa parte do seu repertório comportamental. Além dos exemplos colhidos nos reinos vegetal e animal, procurei examinar a moderna teoria biológica do envelhecimento como uma troca intertemporal do tipo "viver agora, pagar depois". A juventude, sugere o argumento, não é gratuita: ela resulta de uma antecipação de valores à custa de prejuízos futuros. A senescência dos organismos é a conta de juros decorrente do redobrado vigor e aptidão juvenis. Assim como a gravidade, a fotossíntese e as mutações genéticas, para lembrar fenômenos que independem da presença humana no mundo, os juros são parte da ordem natural das coisas (o que não implica, vale frisar, uma postura resignada e acrítica diante das coisas como elas são ou circunstancialmente estão).

De que modo o ciclo de vida afeta a nossa psicologia temporal? O objetivo central da segunda parte do livro ("Imediatismo e paciência no ciclo de vida") é elucidar o impacto das diferentes etapas do ciclo de vida — infância, juventude, maturidade e velhice — sobre a nossa percepção do tempo e preferências temporais. O argumento sustenta que a faixa etária exerce, ao lado de outros fatores, uma influência bem definida na fixação do peso relativo do amanhã nos pratos da balança intertemporal. Muito dependerá, entretanto, do horizonte de tempo relevante. O valor do futuro é função do que se pode esperar dele. A esperança de vida e as crenças e expectativas sobre o após-a-morte têm papel relevante na definição dos termos de troca entre presente e futuro. Quando os juros infinitos da bem-aventurança eterna estão em jogo, não há sacrifício ou renúncia que não pague a pena. O contrato implícito nas cinco grandes religiões mundiais — "obediência agora, salvação no porvir" — expressa essa realidade.

A terceira parte ("Anomalias intertemporais") enfoca o problema das armadilhas e ilusões de ótica no caminho da ação intertemporal consequente. Até que ponto vale a pena subordinar o presente ao futuro ou vice-versa? Duas ameaças simétricas rondam a determinação dos termos de troca entre presente e futuro. A *miopia* temporal envolve a atribuição de um valor demasiado ao que está próximo de nós no tempo, em detrimento do que se encontra mais afastado. A *hipermetropia* é a atribuição de um valor excessivo ao amanhã, em prejuízo das demandas e interesses correntes. Enquanto a miopia temporal nos leva a subestimar o futuro, a hipermetropia reflete uma subestimação do presente. Existirá um ponto certo — um equilíbrio estável e exato — entre os extremos da fuga *do* futuro (miopia) e da fuga *para* o futuro (hipermetropia)? A moderação, concluo, tem seu mérito, mas ela também precisa ser moderada. O que se busca não é o tépido equilíbrio — "jamais desejar algo além da medida" —, mas a arte da tensão profícua.

Finalmente, a quarta parte ("Juros, poupança e crescimento") aborda a questão dos juros e de suas implicações para o enredo do crescimento econômico a partir de um ponto de vista agregado ou coletivo. O que está por trás das variações no grau de orientação de futuro em diferentes formas de trabalho e organização social? Como entender as enormes discrepâncias nas preferências temporais e a dificuldade crônica de certas sociedades em promover a transferência ordenada de recursos do presente para o futuro? As respostas, creio, envolvem aspectos comportamentais e institucionais. Quando observamos padrões de conduta que caracterizam vastos grupos ou sociedades inteiras, isso é sinal de que fatores subjacentes e comuns a todos devem estar em jogo. Escolhas intertemporais que pareceriam à primeira vista arbitrárias ou surpreendentes se revelam inteligíveis quando examinadas à luz das condições sociais em que foram moldadas e às quais se encontram finamente ajustadas.

Como o leitor atento e sem pressa — essa grande utopia de quem escreve livros — não deixará de notar, *O valor do amanhã* retoma e aprofunda tópicos que investiguei em trabalhos anteriores. Os exemplos mais claros disso são a análise sobre a formação de crenças temporais nos capítulos 7 e 8 (tópico abordado em *O mercado das crenças*); a questão da exploração intrapessoal na relação entre o jovem (eu-agora) e o idoso (eu-depois), discutida aqui nos capítulos 12 a 15 (desenvolvendo um tema tratado em *Autoengano*), e, por fim, no capítulo 20, a interação entre "a qualidade dos jogadores" e "as regras do jogo" na definição de resultados econômicos (conforme um arcabouço sugerido originalmente em *Vícios privados*).

Mais que pontos de interseção isolados, entretanto, constato que há uma afinidade motivacional profunda unindo numa só trama todos esses trabalhos. Pois o fato é que o estímulo básico que me levou a embarcar em mais este esforço de pesquisa reproduz fielmente o mesmo impulso e movimento intelectual a partir dos quais também nasceram os demais livros: a ambição de oferecer uma reflexão teórica abrangente que, embora sem fazer referências explícitas ao Brasil, claramente reflete as experiências, preocupações e esperanças de um cidadão brasileiro enfronhado nas realidades e aspirações do seu país. Este livro não pretende formular receitas ou saídas para os nossos problemas econômicos, mas ele não se furta a responder a seu modo (na quarta parte) ao desafio de entender por que os juros no Brasil permanecem cronicamente altos.

*

A realização deste livro se tornou possível graças ao generoso apoio das Faculdades Ibmec São Paulo, onde passei a lecionar a partir de 2000. A concessão de um semestre sabático, livre das tarefas e obrigações da atividade docente, permitiu que eu me dedicasse integralmente ao trabalho de elaboração e redação deste projeto longamente acalentado. A Claudio Haddad, diretor-presidente do Ibmec, e aos colegas de faculdade que, como pesquisadores, souberam compreender minhas eventuais ausências em reuniões e outros afazeres do dia a dia acadêmico, gostaria de expressar o meu agradecimento pelo valioso apoio à concretização deste pequeno sonho.

Com a exceção do prefácio e das notas, este livro foi inteiramente escrito durante quatro meses de estadia (setembro a dezembro de 2004 e julho de 2005) na pousada Solar da Ponte, situada na bela cidade histórica mineira de Tiradentes. No ambiente sereno e acolhedor da pousada — fruto da feliz união do senso prático de John Parsons com o senso estético de Anna Maria —, encontrei o ambiente ideal que buscava para uma total imersão no trabalho. Aos amigos John e Anna Maria e a todo o pessoal do Solar — Ted, Marlene, Márcio, Pedro, Gerson, Selma, Giovanni, Carlos, Rodrigo e Tibira — desejo expressar a minha sincera gratidão pela generosa e cordial hospitalidade.

Os ares tiradentinos, posso dizer, são de enorme valia no meu processo criativo. É curioso. Não é que lá eu faça em poucos meses o que me consumiria anos na turbulência da metrópole. É que lá tenho a nítida sensação de fazer o que de outro modo *jamais faria*, mesmo que tivesse todo o tempo do mundo. (A reflexão de Paul Valéry sobre o "tempo livre", citada no final do capítulo 15 (p. 122), é talvez aquela que melhor permite desvendar o segredo dessa experiência.)

Versões preliminares dos dez primeiros capítulos do livro foram apresentadas e discutidas em seminários promovidos pelo Ibmec Cultura de São Paulo no primeiro semestre de 2005. Agradeço aos participantes desses seminários — muitos dos quais jornalistas, ex-alunos e profissionais de outras áreas de pesquisa — pelas perguntas e comentários feitos. A oportunidade de testar publicamente algumas das minhas ideias foi um exercício estimulante na revisão e aprimoramento do trabalho.

Diversas pessoas leram e comentaram, verbalmente e/ou por escrito, alguns dos vários rascunhos preparatórios do livro. Ciente de que seria impossível lembrar de todos os que me ajudaram a melhorar o argumento, fazer novas leituras, evitar passagens obscuras ou simplesmente persistir na jornada, gostaria de registrar o meu agradecimento a: Pérsio Arida, Roberto Viana Batista, Maria Emília Bender, Márcia Copola, Renê Decol, Claudio Haddad, Johannes Hirata, Harrison Hong, Mara Luquet, Alexandre Ferraz de Marinis, Marcelo Medeiros, Roberta Muramatsu, Antonio Carlos Barbosa de Oliveira, Fábio Pahim Jr., Fred Melo Paiva, Samuel Pessoa, Marcos Pompeia, Muhammad Ragip, Maria Cecília Gomes dos Reis, Ana Guitian Ruiz, José Alexandre Scheinkman, Luiz Schwarcz, Olavo Egydio Setubal, Roberto Luís Troster, Marcelo Tsuji e Sergio Werlang.

Gostaria, ainda, de fazer um agradecimento especial ao professor Antonio Delfim Netto, não só pelas diversas recomendações de leitura (os *New principles* de John Rae foram uma indicação preciosa), mas pela generosa permissão de utilizar sua formidável biblioteca de pesquisa. Sua assistente Beti, como sempre, prestou ágil e habilidosa ajuda na disponibilização do material bibliográfico.

Os grandes temas e problemas da vida não respeitam fronteiras acadêmicas e arranjos burocráticos do saber. Fernando Reinach (biólogo) e Jorge Sabbaga (médico), dois caros amigos dos tempos de Colégio Santa Cruz, aceitaram fazer uma leitura crítica da primeira parte do livro e me ajudaram a evitar pelo menos alguns tropeços embaraçosos. Se erros e imprecisões permanecem (espero que não), a responsabilidade é só minha.

"Palavras não pagam dívidas." Um estudo sobre os juros jamais poderia subestimar a verdade do verso shakespeariano. Mas palavras, assim espero, são capazes de comunicar sentimentos como gratidão e amor. É por isso que dedico este livro a Chris.

PRIMEIRA PARTE
As raízes biológicas dos juros

1. Reprodução sexuada e mortalidade

A vida é um intervalo finito de duração indefinida. A combinação desses dois elementos — a certeza da finitude e a indeterminação do caminho até ela — acarreta um mundo de implicações e possibilidades. O futuro nos interroga. A vida é breve, os dias se devoram e nossas capacidades são limitadas. A cada passo da jornada, com maior ou menor ciência e grau de deliberação, escolhas *têm* de ser feitas. Que peso atribuir ao futuro próximo e remoto diante dos apelos, acenos e premências do momento? O que valeria a pena escolher — pôr "mais vida em nossos anos" ou (quiçá) "mais anos em nossas vidas"? Como projetar os valores e desígnios de nossa existência para além de nossa finitude? O que nos aguarda, se é que algo humanamente inteligível, *do lado de lá*, isto é, do outro lado dessa misteriosa trama para a qual fomos chamados sem consulta prévia e da qual seremos, em hora incerta, compelidos a sair?

A origem da finitude biológica, tal como a conhecemos, tem endereço certo na história natural dos seres vivos: a reprodução sexuada.[1] No princípio era a imortalidade. O que não vive, é certo, não morre — as rochas não caducam e os gases não temem o amanhã. O que o processo evolutivo revela, entretanto, é que nem tudo o que vive está condenado a envelhecer, murchar e se extinguir. Ao contrário do que se poderia supor à primeira vista, a vida em si mesma não implica necessariamente a morte. Uma não é o avesso — automático e obrigatório — da outra. A vida é concebível sem a inexorabilidade da morte, e, de fato, assim parece ter sido durante o primeiro bilhão de anos em que a vida surgiu e se propagou sobre a Terra.

As primeiras formas de vida que existiram no planeta — uma linhagem de micro-organismos unicelulares que vai das bactérias (grego *baktérion*: "bastonete") às amebas, fungos e levedos — eram seres dotados de uma estrutura simples e rudimentar, além de extraordinariamente robusta. (Estima-se que as bactérias, espalhadas desde as geleiras polares até as profundezas sulfúricas dos oceanos, perfazem hoje cerca de metade da biomassa planetária.) Mas a maior peculiaridade dos organismos que povoaram originalmente a Terra — e dos quais *todos* os seres vivos são, em última instância, descendentes em linha direta — não é sua enorme capacidade de suportar variações ambientais. É o modo específico como realizam a função biológica vital da reprodução: a replicação do seu código genético e a transmissão dessa cópia de si mesmos às gerações seguintes.

O ponto é que esses seres primitivos se reproduzem não por meio de fusão, mas por *fissão* celular, ou seja: um dado organismo replica autonomamente o seu DNA e então se divide em dois clones, cada um recebendo uma cópia exata da mesma informação genética e, depois, repassando-a à geração seguinte e assim sucessivamente *ad infinitum*. Ao invés de dois seres distintos se juntando para gerar um, o que temos aqui é um mesmo organismo se dividindo em dois por meio de fissão ou cissiparidade.

A reprodução nesse caso não envolve sexo, isto é, a permuta ou combinação de informação genética efetuada por dois membros de uma dada espécie. O progenitor, ao dividir-se, é verdade, sai de cena; mas não há cadáver ou qualquer tipo de *débris* orgânico para alimentar os vermes e abutres. O vigor e a fecundidade originais se mantêm intactos ao longo das eras e, em casos excepcionais, como o da hidra de água doce, o organismo goza da faculdade de se regenerar e se reconstituir em novos seres integrais ao ser partido em pedaços. Assim, eles nunca morrem como os animais sujeitos à ação do "tempo [que] faz da vida uma carniça". Ao contrário do conhecido dito freudiano — "A morte é o alvo de tudo que vive"[2] —, a imortalidade foi a condição natural da existência em sua primeira e mais elementar manifestação.

Uma ressalva, porém, precisa ser feita (e um potencial mal-entendido, desfeito). Dizer que a imortalidade era a condição da vida em sua origem não significa dizer que os seres vivos estavam, portanto, sempre a salvo de percalços e acidentes de percurso, inclusive da morte acidental. Longe disso. As bactérias são imortais, mas isso desde que as condições ambientais sancionem a sua livre e desembaraçada reprodução. Na prática, é evidente, o mundo impõe severos limites.

Uma conjectura contrafactual simples ilustra bem isso. Uma bactéria comum pesa cerca de um trilionésimo de grama e consegue se dividir em duas a cada quinze minutos (96 duplicações/dia). Isso significa que, em pouco mais de um dia e meio de reprodução irrestrita, uma única bactéria seria capaz de gerar uma prole com um peso total equivalente ao do planeta Terra![3] Felizmente, o furor reprodutivo das bactérias (uma máquina de multiplicar capaz de levar qualquer agiota ao delírio) encontra um obstáculo à altura: o paredão malthusiano dos limites impostos pela escassez de espaço, alimento e outros recursos vitais. Trata-se, porém, não de "morte programada", ou seja, a morte natural causada por fatores inerentes ao organismo e que o alcança mesmo que ele viva num ambiente idílico de abundância e proteção, mas de "morte provocada" — a morte violenta causada, por assim dizer, *de fora para dentro* e que não teria lugar num mundo menos avaro e hostil que o nosso.

Se a finitude biológica, tal como a conhecemos, não é contemporânea da vida, então *como nasceu a morte*? A natureza é uma experimentadora inveterada. As mãos de ferro da necessidade jogam os dados do acaso por um tempo indefinidamente longo, e uma sucessão assombrosa de lances vão sendo premiados (ou não) no laboratório da vida. Alguns desses lances vingam e florescem, outros desaparecem sem deixar vestígio. Nem toda espécie chamada consegue se fazer escolher e nenhuma forma de vida goza de um direito inalienável de continuar a existir. Com o aparecimento, após longo e gradual processo evolutivo, de organismos mais complexos, o enredo da vida ganhou colorido e dramaticidade. A multicelularidade e a especialização celular prepararam o terreno para a reprodução sexuada: algo de novo sob o Sol.

Não é demais dizer: cada célula viva do nosso corpo traz consigo os efeitos e a memória entranhada de bilhões de anos de experimentação por parte de suas ancestrais.[4] O lance decisivo nessa trajetória foi a separação das células dos organismos vivos em duas categorias fundamentais definidas por sua função biológica: as células normais do corpo ou somáticas (grego *soma*: "corpo") e as células germinativas ou germens (latim *germen*: "semente"), encarregadas da função única e específica de transmitir a informação genética ou DNA do organismo para as gerações seguintes.

A partir dessa divisão — e intimamente ligada a ela —, a reprodução sexuada se torna uma condição *sine qua non* da propagação das espécies. Em contraste com o que ocorria na reprodução por simples fissão, a geração de um novo ser passa a depender agora de um processo mais complexo de enlace e fusão celular. Duas células germinativas de seres distintos, ou seja, dois corpos de sexos opostos da mesma espécie precisam encontrar um ao outro, acertar os ponteiros e termos da transação, fazer sexo e, então, reproduzir. "Nunca é sereno o curso do verdadeiro amor." Se para os organismos que se propagam por fissão celular a imortalidade, salvo acidentes de percurso, está dada de antemão, para todos os demais ela passa a depender da prática de sexo. *Soma* e *gérmen* deixam de ser, como na condição primeva da vida, uma única e mesma substância. E a cada um deles, em cada um de nós, a natureza reserva um futuro inteiramente distinto.

A reprodução sexuada vingou. Seu grande mérito, do ponto de vista biológico, foi promover a variação genética por meio da incessante mistura aleatória e recombinação dos genes das sucessivas gerações. Isso trouxe maior diversidade e capacidade adaptativa às condições mutáveis do ambiente, além de favorecer a reparação e eliminação de erros de cópia e defeitos genéticos que por acaso aflorem a cada novo rodopiar da roleta. A promiscuidade, não há dúvida, provou seu extraordinário valor no laboratório da vida. Mas a fatura veio junto. O experimento vitorioso da especialização celular e do sexo como meio de reprodução trouxe consigo uma sequela perturbadora do ponto de vista de seres, como nós, que se apegam à vida e concebem o amanhã: a morte como corolário da existência.

O fato é que as células somáticas, cada uma delas indistintamente, têm um prazo de validade restrito, ou seja, estão fadadas a perecer num intervalo de tempo finito (ainda que variável), e isso independentemente de qualquer circunstância ambiental que possa acelerar ou retardar o processo. A criopreservação celular, para dar um exemplo extremo, uma técnica que promove o congelamento do organismo por nitrogênio líquido a 196°C negativos, pode sustar a batida do relógio rumo à hora fatal que se aproxima, mas ele volta a clicar — e do ponto exato em que havia parado — assim que o efeito é suspenso. A seta pode ser imobilizada, mas jamais revertida.[5]

A *morte celular programada* está inscrita no desenho básico de fabricação do soma, ou seja, de todas as nossas células extragerminativas, e funciona como uma espécie de pena capital que cada célula do corpo se autoimpõe. O momento preciso da execução da pena é indeterminado, mas a sentença é irrecorrível e não admite nenhuma forma de indulto. Mesmo em condições ambientais impecáveis, as células somáticas têm um tempo de vida restrito. Sua capacidade de manutenção e autorreparo declina com o tempo, e o número de divisões celulares que perfazem é estritamente limitado. Do ponto de vista biológico, que não é seguramente o da nossa sensibilidade e senso comum, o soma participa do enredo da vida como um elenco coadjuvante que goza dos seus quinze minutos de glória e holofotes, mas que logo será afastado para um canto mais sombrio do palco e, por fim, compelido a retirar-se em definitivo de cena, graciosa ou convulsivamente, queira ou não queira. (O artifício da clonagem humana, é curioso notar, equivale a uma espécie de ardil ou embrião de complô, por parte do soma, visando permanecer em cena e roubar de vez o espetáculo.)

Ao contrário do soma, as células germinativas guardam propriedades que remontam às formas primárias da vida. Elas não estão sujeitas ao envelhecimento e são capazes de se reproduzir indefinidamente, desde que o ambiente ajude. Prova incidental disso é o fato de que os recém-nascidos gerados por progenitores de mais idade vêm ao mundo com o relógio biológico zerado, ou seja, em nada diferem, ao nascer, dos bebês gerados por pais muito jovens. O envelhecimento do soma é acompanhado por um declínio da aptidão reprodutiva: abrupto nas mulheres (menopausa) e gradual nos homens (apesar do Viagra). As células germinativas, no entanto, escapam da ação deletéria do tempo e conservam a sua condição de nascença. Nenhum bebê herda a idade dos pais. O fato espantoso é que, embora um ser humano adulto possua algo em torno de 10^{14} ou 100 trilhões de células em seu organismo, apenas um número diminuto delas (se é que alguma) dará sequência à linhagem da vida nas gerações seguintes.

O soma some do mundo com seu dono; os germens pulam fora e seguem viagem. *Quem usa quem?* A biologia inverte os termos da experiência comum. Não são o galo e a galinha que se servem do ovo para gerar o pinto; é o ovo que se serve temporariamente deles para fazer cópias de si mesmo. Terminado o serviço, o soma pode ser dispensado e abandonado à sua sorte. É fósforo riscado, excesso de bagagem, cápsula descartada de projétil. No roteiro da vida cabe aos germens — guardiães do DNA replicante — o papel principal. Discretos, sem barulho ou alarde, são eles que transmitem ao futuro o legado de sua herança.

Com o sexo nasce a morte. A partir de um dado ponto na história natural da vida, a forma de perpetuar a espécie passou a implicar a perecibilidade do indivíduo. O declínio e a morte do organismo — a extinção autoprogramada do soma — são fenômenos que surgiram e se espalharam *pari passu* com o advento e o predomínio da reprodução sexuada na linhagem evolutiva. A finitude biológica é o preço de uma aposta premiada. Ela é o custo natural da contribuição milionária do sexo — este assíduo, incessante e febril reembaralhar do carteado genético — para o laboratório da vida. Eros, quem diria, é o pai biológico de Tânatos.

2. A bioeconomia da senescência

"A natureza nos dá a vida, como dinheiro emprestado a juros, sem fixar o dia da restituição" (Cícero).[6] O passado é lenha calcinada. O futuro é o tempo que nos resta: finito porém incerto. O grau de indeterminação desse futuro, entretanto, não é total. Se é verdade que a cada momento mais coisas podem acontecer do que de fato acontecem, isso não significa que, por conseguinte, *tudo* seja então absolutamente possível. O tempo vindouro encerra múltiplas possibilidades, mas o território do factível não é desprovido de fronteiras, ainda que em muitos casos elas sejam difíceis de demarcar ou passíveis de futuro redesenho. O caos existe, aponta, mas não impera. A experiência revela que o subconjunto das coisas que de fato acontecem — o futurível trilhado — tende a obedecer em larga medida, pelo menos no que diz respeito à esfera da vida comum, a padrões de robusta e previsível regularidade.

A finitude biológica não predetermina a extensão e a qualidade da jornada. Embora cada membro de uma dada população tenha uma trajetória única e singular pela vida, a "lei dos grandes números" define regularidades que se aplicam ao conjunto das diferentes populações e demarcam os parâmetros básicos dentro dos quais cada um de seus membros deverá trilhar seu caminho. No mundo natural, como na vida em sociedade, o comportamento do *todo* tende a ser mais regular e previsível que o das *partes* que o integram. O que vale para todos baliza e comporta, ainda que não determine por completo, o trajeto das partes individuais. As etapas do ciclo de vida e o risco de morte por causas internas (não malthusiana) a que estamos sujeitos — processos naturais comuns a todos — ilustram bem essa realidade.

Para cada espécie animal existe uma *curva estatística de sobrevivência* que mede o risco de morte a cada ano adicional de vida em condições ambientais ideais. No caso dos mamíferos, por exemplo, a incidência da morte tende a ser elevada no início da vida (recém-paridos); cai e permanece baixa na juventude, quando se dá o chamado "acme atuarial da vida" (o ponto em que a probabilidade de viver mais um ano é a mais alta na vida da espécie); volta a subir a partir da meia--idade e, por fim, cresce exponencialmente até alcançar 100% da população (a maior longevidade registrada fixa o máximo intervalo de vida da espécie).[7] Enquanto o risco de morte natural de um rato tende a dobrar, em média, a cada quatro meses adicionais de vida, o dos humanos dobra em oito anos. Para um animal sujeito ao ciclo de vida, a probabilidade de morte não acidental atinge o ponto mínimo por volta do início da fase reprodutiva (puberdade), mas tende a aumentar com o tempo e crescer de forma pronunciada após a meia-idade (velhice). Acidentes de percurso à parte, as chances de uma mulher de 78 anos morrer no intervalo de um ano são 180 vezes maiores que as de uma mulher de dezoito anos. Apesar de uma pletora de alegações inflacionadas, fraudulentas ou não, o máximo intervalo de vida de um ser humano para o qual existe registro confiável é 122 anos e cinco meses.

O *como* e o *porquê* do envelhecimento intrigam a inteligência e a engenhosidade humanas. O primeiro passo na busca de respostas é semântico. O termo *envelhecer* é ambíguo. Ele denota "ficar mais velho", ou seja, a mera passagem dos anos sem qualquer conotação qualitativa de perda de vigor ou deterioração do organismo (uma jovem que atinge a menarca está "ficando mais velha"); mas ele é também usado no sentido técnico de um progressivo declínio das funções corporais, quer dizer, no sentido de avanço da senectude ou *senescência*. Quando o general De Gaulle se queixou de que "a velhice é uma calamidade", ou quando o camarada Trótski declarou sua perplexidade diante do que as tropas hostis do tempo faziam com ele — "A velhice é a mais inesperada de todas as coisas que acontecem a um homem" —, é evidente que ambos se referiam não ao simples transcorrer dos anos, mas à senescência propriamente dita. O fenômeno biológico relevante não é a dimensão apenas quantitativa do tempo que passa, mas os efeitos disso sobre a integridade e o vigor dos seres vivos.

A biologia da senescência — a mecânica exata do processo em âmbito celular nos diferentes órgãos do corpo — é um assunto altamente intrincado e ainda controverso entre os especialistas.[8] Alguns pontos relevantes, contudo, parecem claros. A senescência não é uma doença ou condição patológica, como a frieira, a enxaqueca ou o câncer. Ela é um processo perfeitamente natural da vida mortal (*pace* De Gaulle e Trótski), geneticamente programado e que independe, em larga medida, das variações do ambiente externo e do modo de vida dos indivíduos, tal como a segunda dentição ou a reprogramação hormonal da puberdade.

O ritmo e o desenrolar desse processo, contudo, está sujeito a variações e anomalias patológicas. Uma síndrome genética rara mas reveladora, denominada "progéria" (grego *progeros*: "prematuramente velho"), parece fazer disparar o relógio da senescência natural.[9] Aos quinze anos de idade — e sem passar pela puberdade — seu portador apresenta todos os sinais exteriores da velhice: pele enrugada, fina e transparente; ossos e músculos afinados; cabelos ralos e grisalhos; sentidos enfraquecidos e capacidade de autorregulação térmica do corpo avariada.

As vítimas dessa terrível anomalia, ainda sem cura, geralmente passam do berço ao túmulo, como num vídeo em *fast-forward*, em não mais que vinte anos.

A existência da progéria sugere que um dos mecanismos fundamentais da senescência, embora possivelmente não o único, seja algum tipo de programação genética análoga à da formação do feto e do crescimento infantil. Se o relógio do envelhecimento celular pode disparar dessa forma, então não é descabido imaginar que ele possa também vir a ser um dia retardado em seu afã.

Nenhum dos nossos antepassados diretos, não importa quão longe se busque, morreu na infância (impúbere). A progéria é uma síndrome raríssima porque todos os seus portadores morrem sem procriar e, portanto, ela não se propaga às gerações seguintes — some com a vítima. A senescência, ao contrário, é um fato comum e universal (para os que chegam lá, é claro), apesar de nociva — quando não calamitosa — do ponto de vista da capacidade de autopreservação do organismo. A razão por que ela vige e consegue se perpetuar no genoma das mais diferentes espécies, inclusive de répteis e anfíbios, é simples. Sua aparição no ciclo de vida do organismo é tardia. Ou seja: quando os efeitos debilitadores da senescência afloram, o animal já viveu os seus quinze minutos de glória e holofotes. A flor da idade ficou no pó da estrada, e o melhor dos fogos e projéteis reprodutivos são cartuchos queimados. A linhagem da vida seguiu por outro caminho.

É por isso que a senescência subsiste. Se ela desse o ar de sua desgraça mais cedo, como ocorre no caso da progéria, ela minaria a capacidade de sobrevivência e reprodução do organismo em idade crítica e, assim, estaria condenada a desaparecer (ou se tornar muito rara) por conta da pressão seletiva e do crivo excludente da seleção natural. Embora não patológica, a senescência guarda parentesco, nesse ponto, com doenças de manifestação tardia, como mal de Huntington (demência senil) e Alzheimer, que driblam o filtro da seleção natural e, desse modo, se hospedam e propagam no código genético.[10] Gostemos ou não do fato, a senescência sobrevive porque ela é, do ponto de vista evolutivo, *inócua*: irrelevante como um relógio avariado que alguém abandonou num quarto vazio mas que, por algum tempo ainda, continua a marcar as horas. "Toda vida, no fim, é um fracasso." A natureza não prima por um excesso de zelo e deferência para com nossos sentimentos morais.

A pergunta original, porém, permanece: por que os seres vivos senescem e decaem ao longo do tempo, em vez de continuarem vigorosos e prolíferos? O argumento dos efeitos tardios da senescência fornece parte da resposta: ela subsiste no código genético porque emerge *post festum*, isto é, passado o auge do ciclo reprodutivo. Uma coisa, no entanto, é fixar a *condição de possibilidade* de um fenômeno — a razão pela qual ele permanece existindo ao invés de desaparecer. Outra, mais difícil, é explicar *por que ele existe tal como existe*, ou seja, como o fenômeno adquiriu a sua atual configuração e por que ele ficou assim como se apresenta e não de outro modo. A biologia evolucionária não dá ainda respostas completas e detalhadas ao enigma da senescência. Alguns pontos, contudo, parecem bem assentados e merecem especial atenção tendo em vista a questão dos juros e das trocas intertemporais no mundo natural.

O intervalo da vida é um arco finito. A senescência é uma das etapas naturais desse arco. Ela reflete o fato de que a integridade e o vigor dos organismos não se distribuem de modo uniforme ao longo da vida, mas tendem a declinar de forma acentuada a partir de um dado período. O declínio das funções corporais obedece, portanto, a um padrão. Ao contrário de artefatos tecnológicos, como por exemplo um automóvel ou um fogão, que sofrem um processo *contínuo* de desgaste desde o instante em que começam a ser usados, o corpo animal cumpre um *ciclo* dentro do qual ele nasce, cresce, amadurece e alcança o seu acme atuarial ("flor da idade") antes de iniciar a curva descendente e embicar rumo à decrepitude.

No raiar do dia, o vigor de uma primavera de Schumann; no estertor, a palidez espectral de um vulto de Goya. Mas tudo isso, é claro, desde que acidentes inesperados ou xeques malthusianos não abortem antecipadamente a jornada — algo que no ambiente natural da vida, ou seja, nos milênios anônimos em que o corpo humano foi gradual e lentamente moldado, raramente deixava de acontecer. Embora corriqueiros nos zoológicos, animais velhos são um fenômeno pouco comum na natureza.

A hipótese básica da biologia evolucionária sobre a senescência é a de que esse ciclo de vida embute uma troca intertemporal. O princípio subjacente ao processo reflete uma variante da noção econômica de *trade-off* — o sacrifício de um valor como contraparte da obtenção de algum outro valor. O *trade-off* da senescência tem lugar no eixo do tempo e se desenrola no decurso dos anos. A relação entre juventude e velhice não é de simples justaposição ou sucessão temporal. Há um vínculo interno causal entre a uva que sai do berço e a passa que (com sorte) chega ao túmulo. A senescência resulta do fato de que nossos genes descontam o futuro e programam as células somáticas para dar o melhor de si no curto prazo, ou seja, nas etapas iniciais do ciclo de vida, ainda que isso implique custos e efeitos nocivos mais à frente. A plenitude do corpo jovem se constrói às custas da tibieza do corpo velho. Como resume o biólogo inglês William Hamilton, a máxima que preside o *trade-off* implícito no ciclo de vida é: "viver agora, pagar depois".[11] Um economista não diria melhor.

O que significa dizer que os genes *descontam o futuro*? Significa dizer que no uso de recursos escassos — no caso a energia necessária para o processo de manutenção, reparo e regeneração celular — o futuro importa *menos* que o presente. Não interessa o que pense o seu dono, o corpo é impaciente e se dispõe a pagar um ônus no futuro a fim de obter uma vantagem agora. Dois caminhos alternativos se oferecem: maior perecibilidade, porém com ganhos de curto prazo, ou maior durabilidade? No que valeria a pena investir, tendo em vista o imperativo de sobreviver e reproduzir?

Os valores extremos não funcionam. Se o organismo envelhecer e perecer rápido demais, ele pode produzir um fulgurante clarão mas corre o grave risco de queimar o pavio sem dar à luz, ou seja, sem procriar (a progéria é o caso extremo). Mas, se ele for para o polo oposto e investir maciçamente na construção de um corpo duradouro e imune às garras do tempo, ele corre o sério risco de usar os seus recursos em vão e resguardar-se para um futuro que pode jamais se materializar. Ao fazer isso, ele perde a oportunidade de maximizar os ganhos possíveis no curto prazo, enquanto é jovem, e se arrisca a perder todo o investimento feito, antes mesmo que este possa render os benefícios esperados em termos de maior longevidade e mais tempo para procriar.

A razão disso é clara: a vida no ambiente natural é extremamente arriscada e o perigo de morte acidental ou malthusiana — inimigos, predadores, doenças, fome, secas, raios, inundações etc. — nunca anda longe. Investir recursos, nessas condições, num soma de altíssima duração e capacidade de autorreparo, sacrificando possibilidades de uso e desfrute imediato, seria uma rematada extravagância — o equivalente biológico de treinar longamente em maratonas para correr nos cem metros rasos ou projetar um foguete interplanetário para servir como meio de transporte numa simples ponte aérea. Existem, decerto, usos mais profícuos desses mesmos recursos.

Daí que uma solução de compromisso — um ponto de equilíbrio — tenha aos poucos se firmado, para cada espécie, no infatigável laboratório da seleção natural. Se o horizonte de vida é incerto e restrito (não mais que trinta e poucos anos em média, se tanto, para o animal humano no ambiente ancestral), então não há tempo a perder. A durabilidade e a capacidade de autorreparo do soma — corpos joviais, rijos e esbeltos da puberdade ao túmulo — foram sacrificadas em prol de um padrão bem mais rentável e seguro no curto prazo: um ciclo de vida no qual vitalidade e aptidão reprodutiva redobradas na juventude e maturidade do organismo estão associadas à presença de "genes pleiotrópicos", quer dizer, genes que garantem efeitos benéficos imediatos mas ao custo de gerarem efeitos prejudiciais à vida anos mais tarde. A senescência é a contraparte dessa permuta. (Um excelente negócio, diga-se de passagem, dado que nas condições do ambiente ancestral, no qual chegar à velhice era um privilégio restrito a poucos, esse ônus terminava sendo mais virtual do que efetivo para a imensa maioria.)

Os ciclos associados às estações do ano obedecem a um ritmo ditado por causas externas. Eles resultam de uma adaptação dos seres vivos às condições mutáveis do ambiente (temperatura, luz solar, umidade etc.). Mecânica distinta preside o desenrolar do ciclo de vida. Embora fatores ambientais e modos de vida possam acelerar ou retardar na margem o processo — há quem prefira "mais vida em seus anos" do que o contrário —, o fato é que o ciclo de maturação, apogeu e progressiva debilidade dos animais decorre de uma programação genética que independe de variáveis externas (ambiente e conduta) para se impor como férrea necessidade. Um experimento mental proposto por Hamilton (levemente adaptado a seguir) põe em relevo a lógica da relação "benefícios antecipados, custos diferidos" implícita no *trade-off* da senescência:[12]

> ## O SURGIMENTO DA SENESCÊNCIA: UMA CONJECTURA
>
> Suponha o seguinte estado de natureza: um ambiente não restritivo (ausência de mortes por causas externas) em que vive e se reproduz sequencialmente uma população mortal porém imune à senescência (a probabilidade de morte por causas internas e a fecundidade dos indivíduos se mantêm constantes da maturidade fisiológica até o fim da vida). Eis que uma variação genética introduz uma característica nova em alguns membros dessa população: surge o *trade-off* entre juventude e senescência. Os indivíduos do grupo que sofreu a mutação redobram sua capacidade de sobrevivência e aptidão reprodutiva no curto prazo, ou seja, no princípio da vida madura, mas ao custo de uma perda equivalente de vigor reprodutivo e vitalidade nos anos finais da jornada.
>
> Como evolui uma espécie assim constituída? É possível demonstrar que, mesmo num ambiente não restritivo, a intensificação da fecundidade no início da vida madura levará essa variação genética a prevalecer com o tempo no conjunto da população. Os filhos dos que se reproduzem em maior número mais cedo serão mais numerosos em sua faixa etária e, por sua vez, procriarão mais cedo do que os filhos dos pais que preservam a fecundidade uniforme ao longo da vida. Depois de um número variável de gerações (determinado pelos parâmetros usados) ao longo do qual o efeito da antecipação da fecundidade se compõe por retroalimentação positiva, o *trade-off* da senescência dominará o genoma da população.
>
> Supondo agora que o ambiente seja ou por algum motivo se torne restritivo (existe um risco real de morte por acidentes, epidemias, fome, maremotos etc.), o tempo necessário para o novo equilíbrio será ainda menor. A maior probabilidade de morte prematura por causas externas reforçará os benefícios da juventude ("viver agora") e reduzirá os custos da senescência ("pagar depois"), dado que as debilidades da velhice se tornarão um ônus apenas virtual para todos os que perecerem antes de sua chegada. Antecipar compensa: a relação custo-benefício do *trade-off* é amplamente positiva do ponto de vista evolutivo. Se a criança é o pai do adulto, a velhice é filha da juventude.

O ciclo de vida corporifica uma troca intertemporal. Não se trata, é claro, de uma escolha consciente do nosso soma, ainda que opções pessoais e estilos de vida possam certamente acelerar ou retardar o processo. A senescência é fruto de um arranjo que se configurou de forma gradual ao longo das eras, por meio do efeito cumulativo dos êxitos relativos de diferentes soluções para o imperativo biológico de sobreviver e procriar. Como dinheiro emprestado a juros, para lembrar a metáfora ciceroniana que abre este capítulo, o corpo jovem toma recursos adiantados do corpo velho, faz a festa, canta a vida, lança os fogos e balões a que tem direito e empurra o ônus da dívida para o amanhã. A senescência é o custo associado à exuberância da juventude: o envelhecimento está para a morte como o juro está para o principal. A bioeconomia da senescência é o berço natural dos juros.

A novidade é que o ambiente ancestral deu lugar à civilização da ciência e tecnologia. O corpo humano é uma relíquia pré-histórica abruptamente trasladada para o mundo das vacinas e antibióticos, tomógrafos e genética aplicada. A senescência, que não passava de uma ocorrência rara nos milênios anônimos que antecedem a escrita e o nosso calendário, tornou-se um fenômeno de massa. Em 2020 seremos (com sorte) mais de 1 bilhão de pessoas no mundo com idade acima de sessenta anos (dois terços das quais nos países em desenvolvimento). Uma proporção diminuta desse contingente, é razoável supor, terá condições de viver de transferências governamentais ou da renda de juros sobre o capital poupado (herdado ou adquirido). A bomba está armada, o relógio batendo. Os desafios e repercussões da explosão da terceira idade, nem todos visíveis ainda no horizonte, devem permanecer conosco por muito tempo.

3. A evolução da paciência: metabolismo

Um ser incondicionado jamais precisaria fazer escolhas. Livre de quaisquer restrições cerceadoras, ele poderia (ou não) estar em todos os lugares ao mesmo tempo e/ou em todos os momentos do tempo sem sair do lugar. O espaço não o aprisionaria em suas três dimensões, nem a tirania do tempo o faria escravo de seu fluxo unívoco, inexorável e unidirecional. Um ser incondicionado jamais precisaria optar entre isto e aquilo, aqui e lá, agora e depois. Para ele — se assim desejasse, é claro — poderia ser: *tudo ao mesmo tempo em todo lugar antes, agora e depois*. É difícil conceber o que possa vir a ser isso, mesmo estudando as tradições místicas, praticando meditação ou ouvindo Bach. Mas é extremamente fácil perceber a extensão do fosso que separa o incondicionado de nossa prosaica condição sublunar.

A finitude biológica é sem dúvida um condicionante de primeira ordem. O que quer que se creia acerca do pré-nascer e do pós-morrer, o intervalo finito da vida é um fato que restringe enormemente o domínio do que é exequível fazer (ao menos nesta vida). Mas o imperativo da escolha, é importante notar, não se confunde com a condição mortal. Um ser que *durasse para sempre* e pudesse, por exemplo, retroagir ao que era antes, por meio de um *back-up* de si mesmo, sempre que defrontasse uma ameaça ou tropeço que se revelasse fatal, estaria ainda assim sujeito às restrições normais de espaço e tempo e, portanto, condenado a fazer escolhas. A imortalidade não o eximiria de, vez por outra, hesitar.

A grande diferença é que nesse caso o custo de oportunidade das escolhas feitas — o valor de tudo aquilo de que ele tem de abrir mão ao fazer uma dada opção — seria um tanto menor. Projetos de vida e aventuras ousadas poderiam ser perseguidos sem o fantasma da "vida inteira que podia ter sido e não foi". Se a vida de monge desapontasse, ele poderia se tornar um libertino; se o hedonismo trouxesse enfado, abraçaria a *vita contemplativa*; se a profissão escolhida perdesse o charme, ingressaria na política. Nenhuma ação, por mais temerária que fosse, o intimidaria. Se um gesto heroico de resgate, um *affair* passional ou uma dose de heroína terminassem mal, ele acionaria um *back-up* de si mesmo e retomaria o fio de sua vida do ponto em que desejasse. Zeragem automática.

Para um ser com a opção da imortalidade, o ônus de qualquer escolha seria módico (ao menos pelos nossos padrões). Mas ele não estaria desobrigado de escolher. Um ser que vivesse para sempre só poderia estar num único lugar de cada vez e não conseguiria fazer muitas coisas ao mesmo tempo. O fluxo temporal das coisas prosseguiria em seu curso, indiferente a ele. Até ele teria que cultivar a arte da paciência: pois, ainda que seus dias sejam infinitos, cada dia seguiria sendo estritamente finito, e só se vive um dia de cada vez.

Na vida mortal, é claro, o número de dias é finito, apesar de variável. A sobrevivência de curto prazo é um imperativo que nenhum ser pode se dar ao luxo de transgredir se quiser manter-se vivo. Qualquer que seja o peso relativo do amanhã, prevalece aqui uma sentença inapelável: "se não viver agora, não viverá amanhã". A soberania do presente, no entanto, não é irrestrita. Da maria-sem-vergonha ao carvalho milenar e da mariposa ao jabuti, cada espécie biológica tem um ciclo de vida próprio e, portanto, *um futuro a zelar*. Tanto seu metabolismo como seu comportamento guardam uma afinidade profunda com seu processo de amadurecimento orgânico e seu horizonte natural de vida. O jogo da vida — sobreviver e reproduzir — se desenrola no tempo. O máximo benefício aparente instantâneo pode trazer consigo a pena de morte. O custo de escolhas seriamente inadequadas pode acarretar danos irreparáveis ao indivíduo e, no limite, a extinção da espécie. A tensão entre presente e futuro — agora, depois ou nunca — é uma questão de vida ou morte que permeia toda a cadeia do ser.

Viver mais um dia, pelo tempo que for possível, e transmitir seu legado genético às gerações seguintes: os dilemas e encruzilhadas da troca intertemporal pontuam o trajeto de todos os seres vivos. Descontar o futuro ou poupar para o amanhã? O metabolismo de diferentes espécies vegetais e animais incorpora soluções engenhosas para a disjuntiva. A galinha, por exemplo, assim como as peruas e as fêmeas de alguns insetos e outros invertebrados, dispõe de uma espermateca ou glândula de armazenagem de espermas na qual ficam devidamente preservados, para uso futuro, os gametas masculinos que utilizará na fecundação. O custo de carregamento do estoque é amplamente compensado, do ponto de vista evolutivo, pela possibilidade de fertilizar um ovo por dia, por muitos dias, sem precisar encontrar, todo santo dia, um macho adulto que esteja disponível e inclinado a copular.[13] (A "produção independente" por inseminação artificial, como se vê, não deixa de ter um precedente no mundo galináceo.)

Outro exemplo é o acúmulo de gordura nos tecidos adiposos de diversos animais. A gordura funciona como uma forma de poupança precaucionária a que o metabolismo do animal recorre em caso de necessidade, ou seja, quando o glicogênio — a fonte normal de energia ou carboidrato para consumo corrente — se torna escasso. Embora essa gordura represente um custo em termos de maior peso e menor agilidade motora, ela propicia duas vantagens cruciais: permite ao animal realizar esforços físicos excepcionais sem precisar interromper a ação a fim de se reabastecer de alimento e constitui uma reserva de segurança para evitar grandes flutuações de consumo calórico em épocas de vacas magras. Desse modo, o organismo poupa nos períodos de bonança alimentar, sempre que a ingestão de calorias supera o gasto corrente, e colhe os frutos mais à frente, consumindo os recursos poupados (ou parte deles) por ocasião de uma despesa pontual concentrada ou de uma queda mais duradoura na renda calórica. (A obesidade em larga escala, como a senescência em massa, é uma disfunção de fabricação moderna, fruto do súbito traslado, em termos de tempo evolutivo, do animal humano à fartura de gulodices — açúcar e gordura — da mesa civilizada.)

Em situações particularmente agudas de privação alimentar, quando não há mais glicogênio ou gordura disponível, o organismo dispõe ainda de um derradeiro recurso: ele recorre aos músculos e outros órgãos do corpo como fonte de proteína e nutrição. O problema com essa solução de desespero é que ela embute um exorbitante custo diferido. Como parte das células musculares e nervosas canibalizadas pelo corpo faminto não mais se recompõem uma vez destruídas, o animal põe em risco e eventualmente dilapida de maneira irreparável a sua capacidade futura de agir e manter-se vivo. O organismo se torna, desse modo, um draconiano agiota de si mesmo — um Shylock autofágico que sacrifica o tempo vindouro em prol do meio quilo de tecido fibroso que salva o dia de amanhã. O curtíssimo prazo devora o longo; o já-já do desespero ofusca, arrasta e subjuga tudo o mais. A vida não admite solução de continuidade.

No reino vegetal, por seu turno, as variações recorrentes do meio ambiente — sempre uma grande escola — suscitam operações sofisticadas.[14] As oscilações cíclicas de calor, luz e regime pluviométrico cobram cuidados especiais. Considere, por exemplo, os desafios trazidos pela necessidade de alcançar mais uma primavera, ou seja, sobreviver durante a prolongada escassez de luz solar e recursos associada ao inverno em climas temperados. Aos primeiros sinais de alerta da aproximação da mudança, a vegetação dá início a uma sequência de processos preventivos visando minimizar as perdas e estragos potenciais. O desfolhar do outono e a retranca do inverno têm sua razão de ser. O custo energético de manter as folhas ativas, além do risco de graves danos causados por geadas e tormentas, superam os magros benefícios fotossintéticos de curto prazo prometidos pelo anêmico sol do inverno.

O surpreendente, porém, é que antes de dar início à operação desfolha a planta efetua uma medida presciente. Ela tem o cuidado de evacuar das folhas o grosso do seu conteúdo reciclável de modo a reabsorver as valiosas substâncias — nutrientes como sais minerais e nitrogênio — em seu metabolismo. Enquanto as plantas de ciclo curto (anuais) reciclam nas sementes a proteína recuperada das folhas, as árvores e vegetais de ciclo longo (perenes) estocam esse recurso no tronco ou caule para uso futuro.[15] Dessa maneira, elas conseguem suavizar o inevitável prejuízo imposto pela queda da renda solar no inverno, mas não sem antes formar uma poupança proteica que renderá juros e frutos adicionais a partir do momento em que, terminada a travessia da longa e avara noite invernal, as forças da vida ressurgirem da escuridão com a chegada da primavera. (Na floresta equatorial, ao contrário, esses mecanismos de ajuste e provisão para o amanhã não se fazem necessários: a ausência de estações bem demarcadas e a abundância de sol e chuva durante todo o ano garantem o sustento de cada dia.)

Os ares primaveris, entretanto, trazem consigo novos dilemas intertemporais. Nenhum sol matinal se prolonga por todo o dia. A mobilização de capacidade fotossintética é obra de fino ajuste. Como tirar o melhor proveito do vantajoso porém temporário incremento de energia solar nas estações propícias? As soluções, é claro, não resultam de nenhuma forma de deliberação, mas refletem a experiência acumulada de um gradual e milionário processo adaptativo. Assim como um exímio jogador de bilhar não está ciente das complexas fórmulas matemáticas que descrevem as suas brilhantes tacadas (e quem as conhece não se torna capaz de efetuá-las por conta disso), de igual modo a ausência de escolha e cálculo conscientes por parte das plantas em nada diminui a engenhosidade e sutileza das respostas metabólicas alcançadas.

Uma primeira decisão é: *quando?* A chegada da primavera desperta a árvore da clausura defensiva. Não há tempo a perder. Quanto mais cedo ela deflagrar o processo de foliação, maior será o tempo de absorção fotossintética de energia solar antes do próximo outono. Mas se as folhas nascerem cedo demais, correm o risco de uma pesada baixa: uma geada tardia, no contrapé da estação que se anuncia, pode provocar a destruição dos brotos e causar grave prejuízo. É uma perda evitável; porém, se a árvore retardar em demasia o processo de foliação, o custo da energia não captada pode se tornar proibitivo. O *timing* da operação é crucial. Há um *trade-off* entre retorno e prudência: máxima renda solar ou mínimo risco de sofrer uma geada devastadora? O que se ganha de um lado perde-se do outro. A solução precisa encontrar o ponto adequado — um ajuste fino, mesmo que não necessariamente o ótimo absoluto — na combinação entre eles. Um *modicum* de paciência compensa. "A impaciência", alertou Goethe em outro contexto, "é castigada dez vezes mais pela impaciência; deseja-se antecipar o resultado almejado mas ele se afasta ainda mais."[16]

A outra importante decisão intertemporal que se impõe nesse momento é: *o quê?* A produção de folhas é apenas uma de várias alternativas que demandam recursos escassos no despertar da primavera. O metabolismo da árvore precisa alocar o estoque de energia poupado desde o outono não só no processo de foliação, mas na produção de raízes, casca e flores, levando em conta ainda o fato de que cada uma dessas destinações consumirá no curto prazo recursos que poderiam ser empregados, mais à frente, no grande objetivo de longo prazo que é produzir frutas e sementes capazes de garantir a reprodução da espécie. Como chegar a uma disposição satisfatória de meios escassos que possuem usos alternativos?

A melhor alocação factível desses recursos entre as diferentes possibilidades de uso vai depender de inúmeros fatores ambientais, como clima, umidade, solo, densidade de insetos polinizadores, presença de animais que espalhem sementes etc. O ponto mais relevante, contudo, é que o uso de parte desses recursos no curto prazo não implica nenhum tipo de perda de longo prazo. Ao contrário, a operação pode render bons frutos, mas isso desde que ela redunde em ganhos adicionais, ou seja, numa quantidade *maior* de energia — juros capitalizados — que possa ser revertida, no momento oportuno, em prol do objetivo estratégico da reprodução.

O mesmo cálculo que levou à operação desfolha no outono funcionará agora, só que na direção contrária. Pois o gasto corrente em formação e manutenção das novas folhas será mais do que compensado, na primavera e verão, pela capacidade delas de captar a energia do Sol e transformá-la, por meio da fotossíntese, em carboidrato adicional para a produção de frutas e sementes mais à frente. Entre guardar os recursos "debaixo do colchão" e aplicá-los a juros convidativos na usina conversora que é a folhagem, a árvore abraça a segunda opção. A operação envolve *riscos* (geada ou tormenta extemporâneas), *perda de liquidez* (os recursos ficam por certo tempo indisponíveis) e *custos de transação* (operações desfolha e refoliação nas estações apropriadas). Se os juros capitalizados da aplicação feita, obtidos via captura de renda solar pelas novas folhas, não fossem, em média, altos o suficiente para cobrir os custos e riscos incorridos, a transação não se justificaria — os ares da primavera soprariam suas graças em vão.

Mas a astúcia intertemporal das plantas frutíferas não termina aí. Produzir sementes na quantidade certa não basta. É preciso ainda encontrar um meio de espalhá-las o mais amplamente possível pelo território em que possam germinar. As frutas são um dos raros — se não os únicos — alimentos de toda a natureza que não são parte do corpo de algum outro ser vivo que preferiria não ser mastigado e deglutido por terceiros.[17] Elas *clamam*, por assim dizer, por serem comidas e saboreadas, mas não sem antes fixar uma condição crucial.

Por que as frutas verdes ou passadas têm um gosto detestável e causam desarranjos na digestão dos animais que as ingerem? As árvores que dão frutos não se limitam a praticar a arte e o engenho da paciência em seu metabolismo — elas ensinam aos animais o *saber esperar*. A fruta madura é precisamente aquela cujas sementes se encontram no ponto certo para serem espalhadas por animais e insetos famintos. O sabor e a nutrição que ela proporciona são as recompensas que os vegetais frutíferos oferecem a todos aqueles que, agindo no momento propício, quer dizer, nem cedo nem tarde demais, involuntariamente contribuem para coroar seu ciclo reprodutivo. Quem usa quem? É o animal que se serve da fruta para saciar a fome ou é a fruta que seduz o animal a trabalhar por ela?

"Se os bois, os cavalos e os leões tivessem mãos e pudessem desenhar e esculpir como os homens", argumentou o filósofo e poeta pré-socrático Xenófanes ante os excessos de antropomorfismo religioso de sua época, "os cavalos fariam seus deuses como cavalos e os bois como um boi: cada um deles daria forma ao corpo das suas divindades conforme a imagem da sua própria espécie" (fragmento 15). No mesmo espírito dessa irreverente passagem caberia, talvez, especular sobre uma versão um pouco menos antropomórfica do mito bíblico da expulsão do paraíso, tal como retratado no Gênesis (3:1-24) — uma versão em que a ótica dominante fosse não a dos humanos, mas a das duas espécies de árvores que, por expressa ordem divina, deveriam ficar intocadas pelo homem no jardim edênico (hebraico *eden*: "delícia"): a árvore do conhecimento do bem e do mal e a árvore da imortalidade.

O grande problema das duas espécies de árvores proibidas do paraíso, é de se supor, residia em convencer Adão e Eva a provarem de suas frutas já maduras, que clamavam por serem saboreadas, e desse modo cooptá-los para a tarefa de dispersar as sementes e garantir sua reprodução. Apesar da interdição divina, a fruta do discernimento do bem e do mal logrou cumprir seu intento, ainda que com o favor da serpente. Mas a fruta da árvore da imortalidade não teve a mesma sorte. Sua espécie, presume-se, falhou no teste da replicação genética e terminou fadada à extinção. Quanto à escolha intertemporal do casal bíblico, ela salvou inadvertidamente uma espécie condenada e proporcionou algum prazer momentâneo ao jovem e inocente par. O preço? Difícil exagerar. Nada menos que a maior conta de juros de que se tem registro nos anais da criação. O estoque capitalizado desse débito é a integral do pecado original.

4. A evolução da paciência: comportamento

O comportamento é a continuação do metabolismo por outros meios. Viver no tempo implica enfrentar dilemas e explorar oportunidades intertemporais: a impaciência mata, mas o excesso de paciência também. O repertório de respostas evolutivas é inumerável, mas pode ser dividido em duas categorias básicas. As soluções *metabólicas* são aquelas inscritas na morfologia e fisiologia dos organismos. Elas pertencem, por assim dizer, ao *hardware* do soma das diferentes espécies, como a espermateca das galinhas, a gordura dos mamíferos e toda a parafernália da astúcia intertemporal dos vegetais. Os processos de maturação, senescência e morte — aspectos de nossa temporalidade biológica — habitam esse mesmo universo.

O complemento indispensável desses mecanismos automáticos do corpo é o conjunto de respostas *comportamentais* desenvolvido pelas diferentes espécies visando lidar com as ameaças e possibilidades da vida finita em condições de incerteza. A grande diferença da dimensão comportamental é sua maior flexibilidade. Em contraste com o *hardware* metabólico, verdadeira cláusula pétrea na constituição natural dos seres vivos, o *software* do comportamento apresenta menor grau de rigidez e está aberto a processos de mudança e aprendizado diante das condições mutáveis do ambiente. Essa maleabilidade, contudo, tem limites. A experiência revela que a natureza e a extensão da reprogramação possível variam de forma pronunciada entre as diferentes espécies, quando não entre membros de uma mesma espécie.

Apesar de conceitualmente distintos, metabolismo e comportamento guardam clara afinidade estrutural. O leque de condutas de uma espécie está finamente ajustado a sua morfologia, fisiologia e temporalidade biológica. As respostas de um animal aos dilemas e quebra-cabeças da intertemporalidade respeitam em larga medida os marcos definidos pelo modo peculiar como o tempo se manifesta em sua existência: a extensão do período de maturação até a idade adulta, o ritmo de senescência e o horizonte normal de vida. Ainda que com ampla margem de manobra e sujeita a constante experimentação, há uma forma de vida apropriada para cada espécie animal.

Assim como a pata de um mamífero pode ser usada para correr, agarrar uma presa, coçar a pele ou nadar, mas não se presta ao voo, de igual modo a forma de uma baleia-azul, que sobrevive mais de seis décadas, lidar com o futuro será radicalmente distinta da de um vaga-lume despreocupado de viver apenas mais um dia. Se o ciclo natural da vida humana sofresse, *per absurdum*, uma mutação que nos condenasse ao voo fugaz das moscas-varejeiras pela vida, teríamos que nos adaptar a essa nova realidade e passar a agir como o nosso microfuturo nos convidasse a fazer (alguns talvez já o façam). Um exemplo simples ilustra a força do horizonte de vida sobre nossa conduta: imagine um preso condenado à morte que, só para não quebrar o regime, escolhe um prato dietético como última refeição.[18]

Até que ponto um animal consegue *esperar* ou se dispõe a fazê-lo? Situações distintas eliciam ações distintas, mas o teor geral das respostas é bem resumido pelo provérbio de William Blake: "Aquele que deseja mas não age, fomenta pestilência".[19] Os animais, ao que tudo indica, assim como as crianças até quatro anos, tendem a viver intensamente o momento. O instinto (latim *in*: "rumo a" + *stinguere*: "espetar, esporear") é uma espora pontuda e teimosa que incita o comportamento a dar-lhe pronta e rápida satisfação. Um animal tentará tudo o que estiver a seu alcance para saciar suas premências. Ele agirá impelido pela intensidade de suas carências, medos e apetites, de um lado, e limitado pelo seu repertório de condutas e pelas ameaças e obstáculos com que se depara, de outro. Entre a sensação de uma necessidade, apreensão ou desejo, e a realização de uma ação visando a anulação dessa sensação, o intervalo de tempo tenderá a ser o menor possível. Quando o prazer está em jogo, *mais* é melhor que *menos*, *antes* é melhor que *depois*. Quando a dor finca os dentes, a equação se inverte: *menos* e *depois* é melhor. O aqui-e-agora é senhor da situação.

Mas nem só de impulsividade é feita a vida animal. As oportunidades e os dilemas da escolha intertemporal não só permeiam o cotidiano dos animais na natureza (como será ilustrado adiante), como vêm sendo sistematicamente propostos a eles por pesquisadores numa infindável bateria de testes e experimentos controlados buscando elucidar o modo específico como atribuem (ou não) valor ao que o futuro promete. A pesquisa científica nessa área tem seguido basicamente dois caminhos: o estudo da capacidade de espera ou paciência — "preferência temporal" — dos animais explicitada por meio de experimentos com estímulos materiais, e a análise dos efeitos causados por alterações bioquímicas e lesões pontuais no cérebro de animais submetidos a dilemas e situações recorrentes de escolha intertemporal.

Um pássaro na mão *ou* dois daqui a certo tempo? Protelar custa. Incerteza à parte, a resposta dependerá do *grau de impaciência* de quem escolhe e do *intervalo* entre as duas opções (quanto dura o "certo tempo"?). De pombos famintos e ratos sedentos a humanos viciados em drogas ou simplesmente sequiosos por dinheiro, a experimentação em torno desse tipo de escolha vem revelando a existência de um padrão de comportamento com grande presença e generalidade no mundo animal: o *desconto hiperbólico*. O experimento clássico nesse campo teve os seguintes parâmetros:[20]

> **A CAPACIDADE DE ESPERA DOS POMBOS: DESCONTO HIPERBÓLICO**
>
> Pombos famintos foram submetidos a escolhas repetitivas entre uma quantidade menor de alimento obtida mais cedo (QAC) e uma quantidade maior mais tarde (QAT). Cada rodada do teste, independentemente da opção do pombo por QAC ou QAT, tem duração de 40 segundos divididos numa Fase A de 30 segundos e numa Fase B de 10 segundos. Na Fase A é feita a escolha e na Fase B é liberado o alimento. Duas situações distintas de escolha intertemporal são apresentadas aos pombos:
>
> *Primeira escolha*: 2 segundos *antes do término* da Fase A, o pombo pode pressionar com o bico um entre dois botões de cores distintas para comer. O primeiro botão dá a ele 2 segundos de acesso ao alimento imediatamente após o início da Fase B, enquanto o segundo dá 4 segundos de acesso, mas somente 4 segundos depois do início da Fase B. Praticamente todos os pombos preferem QAC a QAT: a impaciência vence.
>
> *Segunda escolha*: a opção entre os dois botões tem as mesmas características, com uma diferença apenas. Ela foi antecipada para ocorrer 2 segundos *após o início* da Fase A, ou seja: à opção por qualquer dos botões segue-se um intervalo de 28 segundos antes do início da Fase B. Assim, a espera por QAC passa a ser de 28 segundos (eram 2 na primeira escolha) e a por QAT, de 32 segundos (eram 6). Nessas condições, mais de 80% dos pombos preferirá QAT a QAC: a paciência vence.

A reversão de preferência entre a primeira e a segunda escolha dá o que pensar. Tanto a soma dos benefícios (tempo de acesso ao alimento em cada opção) como o intervalo de espera adicional entre eles (quatro segundos) são rigorosamente iguais nas duas situações. E, no entanto, o aqui-e-agora domina a primeira escolha, levando os pombos a optar por *menos antes*, ao passo que, na segunda, a preferência recai sobre *mais depois*. Ou seja: o grau de impaciência mudou.

Os pombos não têm dificuldade de esperar para conseguir um ganho extra quando não existe recompensa iminente, mas sucumbem à veemência do impulso quando ela se avizinha. Quanto mais próximo o momento de desfrutar a prenda, maior terão que ser os juros — o valor da recompensa adicional esperada ou "suborno" — necessários para convencê-los a abrir mão da preferência por *menos antes*. A cigarra e a formiga coabitam, portanto, o cérebro do mesmo animal. E mais: a neurobiologia da escolha intertemporal vem mostrando, de forma cada vez mais refinada, que é possível atiçar (ou tolher) os circuitos neurais correspondentes a cada um dos dois personagens polares de Esopo por meio de intervenções cerebrais pontuais. Esses resultados podem ser obtidos através de dois procedimentos básicos: a lesão de áreas específicas do córtex orbitofrontal e/ou a manipulação dos níveis de presença e atuação do neurotransmissor serotonina na bioquímica do cérebro.[21]

Pombos e ratos, é claro, não estão sós. O desconto hiperbólico (grego *huperbole*: "excesso") descreve o formato da curva da impaciência em todas as situações em que a capacidade de espera cai acentuadamente em função da proximidade daquilo que se deseja. O valor do presente em relação ao futuro — o desconto do futuro — aumenta de forma desproporcional à medida que o momento de saciar uma necessidade ou desejo se avizinha. O remoto convida à espera; o imediato exige e cobra satisfação — é o afã da natureza prestes à repleção. O que parece tranquilo no conforto da distância — "Prazos largos são fáceis de subscrever; a imaginação os faz infinitos"[22] — torna-se tumulto e alvoroço no apuro do instante que clama por seus direitos. A cigarra e a formiga se alternam no governo da mente. Esse padrão de escolha descreve uma ampla gama de comportamentos no mundo animal e humano.

Instadas a optar entre $100 *hoje* e $130 daqui a *seis meses*, as pessoas em sua maioria ficam com o dinheiro à mão; mas se a opção for entre essas mesmas quantias, só que a primeira daqui a *um ano*, e a outra em *um ano e meio*, elas preferem esperar. Como será discutido no capítulo 13, muito da experiência intertemporal do animal humano, em áreas como dieta e saúde, poupança e previdência, religião e prática de esportes, fidelidade conjugal e pontualidade, tabagismo e uso de drogas, parece refletir padrões, dilemas e armadilhas característicos do desconto hiperbólico. "Dai-me a castidade e a continência, mas não já."[23] A oração-apelo do jovem Agostinho — ainda não era santo — deixa entrever bem mais que uma simples hipérbole retórica.

A experimentação controlada permite isolar, variar e medir os fenômenos. Graças a ela é possível observar, em condições idênticas e repetitivas, animais e pessoas fazendo escolhas entre valores homogêneos de magnitude variável que se tornam disponíveis em diferentes intervalos de tempo. Na natureza, é claro, nada é assim. No laboratório da vida, ou seja, nas condições que realmente importam para os seres vivos, as escolhas têm de ser feitas no calor da hora, em situações que nunca se repetem de modo exato e em condições de maior ou menor incerteza. As oportunidades perdidas podem demorar a voltar (ou nunca mais surgir), e as ameaças não neutralizadas (fuga ou enfrentamento) podem se revelar fatais. Nessas condições, a impulsividade faz todo o sentido evolutivo. Em condições de incerteza é natural que a veemência dos instintos não seja uniforme no tempo, mas aumente seu grau de intensidade em função da percepção de situações que permitam — ou cobrem — ação imediata.

O exemplo mais eloquente de desconto hiperbólico na natureza — verdadeiro quinto ato de um *Romeu e Julieta* de Tchaikóvski do reino animal — é o que se pode chamar de "reprodução explosiva" (*big-bang reproduction*) praticada por uma variedade específica de marsupiais australianos (*Antechinus stuartii*).[24] Esses mamíferos ovíparos adotam um método procriativo de altíssimo custo e risco, baseado em dois princípios radicais: *agora ou nunca* e *tudo ou nada*.

Ao se aproximar a estação reprodutiva, os níveis de testosterona e adrenalina no organismo dos marsupiais machos em idade madura alcançam picos elevadíssimos e eles ingressam numa fase de aguda excitação fisiológica, estresse e alta agressividade na competição por acesso às fêmeas. Enquanto uma parte desses machos termina morrendo em combates ferozes com os demais, os que sobrevivem e conseguem copular sucumbem na sua quase totalidade a uma pletora de mazelas fatais como úlceras estomacais, sistema imune debilitado, hemorragias e parasitas. As fêmeas não têm melhor sorte. No fim da estação reprodutiva, quase todas entoam fado semelhante ao dos machos, exauridas até a morte por alguns dias ou semanas de alucinada exaltação sexual. Nessa "atração fatal" em larga escala, perante a qual até mesmo Dioniso, o deus grego dos excessos e orgias, talvez enrubescesse, não há algozes e vítimas.

Os animais não cometem suicídio: a morte voluntária não pertence ao seu repertório de comportamento. Mas com frequência o imperativo capital da reprodução os induz a condutas que descontam o futuro de maneira pronunciada, quando não absoluta. Outros exemplos extremos na linha da reprodução explosiva, ainda que menos tempestuosos, são o polvo mediterrânico, que deposita seus ovos e depois os protege sem se alimentar até a morte; o salmão do Pacífico, que procria uma única vez, para em seguida morrer, e as aranhas do gênero *Adactylidium*, cujo embrião, além de ser chocado no corpo da mãe, a devora por inteiro ao nascer.

A reprodução sexuada, como vimos, implica a mortalidade do soma; a senescência é a conta de juros que o corpo jovem empurra para o corpo velho que ele será um dia. Mas o que essa família de exemplos revela é até que ponto pode chegar o desconto do futuro no comportamento animal. O custo envolvido nessas trocas intertemporais — o juro implícito na preferência pelo curtíssimo prazo em detrimento do longo — é o mais alto com que um ser vivo pode arcar: a vida no apogeu da maturidade e no pleno gozo de suas faculdades.

É duvidoso que estratégias de alto custo como essas tenham um futuro promissor no laboratório da vida, mas como entendê-las em termos evolutivos? No caso particular dos marsupiais australianos machos, adeptos da reprodução explosiva, há um paralelo que pode ser elucidativo. É comum em jogos de estratégia, como o xadrez por exemplo, o uso de um ardil que consiste no sacrifício imediato de algo valioso, sem razão aparente, tendo em vista um objetivo remoto. O jogador entrega, digamos, sua rainha, para em seguida aplicar um xeque-mate — uma troca intertemporal altamente vantajosa. O que ocorre com os marsupiais é uma curiosa inversão desse estratagema. Eles entregam o jogo — no caso a vida

— para ganhar a rainha! Mas ao fazerem isso, podemos indagar, eles ganharam ou perderam a partida? Seria difícil encontrar, no mundo natural, outra situação em que o *soma* e o *gérmen* de um mesmo organismo possam ter óticas tão diametralmente opostas sobre a lógica e o resultado final da partida.

O caráter excepcional dos extremos trai a prevalência do intermediário como norma estatística. Situações de *tudo ou nada* e *agora ou nunca* existem, mas são relativamente infrequentes na existência animal. O desconto hiperbólico admite uma gama infinita de gradações na inclinação da curva que o descreve, e os animais em geral relutam — o que é compreensível — em depositar todos os ovos na mesma cesta. A capacidade de espera, ou seja, a faculdade de inibir um comportamento impulsivo de modo a retardar a satisfação de um desejo até um momento mais apropriado pode ser apreciada em diversas situações de campo na vida animal.

Ela aparece de forma clara, por exemplo, nos elaborados rituais de cortejo por meio dos quais inúmeras espécies de insetos, aves, répteis e mamíferos preparam o caminho para a consumação do acasalamento. O investimento de entrada pode ser oneroso e até certo ponto arriscado, na medida em que expõe o animal ao ataque de predadores, mas é simplesmente incontornável quando o preço da precipitação (impaciência) é a rejeição e o fiasco. A exibição de dotes ornamentais e a ostentação de ativos vistosos que emprestam ao possuidor o seu lustro, sem falar nas fabulosas quantidades de recursos escassos que incorporam, pertencem a esse mesmo cenário. Como qualquer investimento de risco, os custos imediatos se justificam (ou não) pelos frutos que rendem.[25]

Terreno privilegiado da escolha intertemporal são também os cuidados com a prole. As medidas que precedem e preparam sua chegada, como a fabricação de ninhos no caso das aves, além dos cuidados que cercam o período de maturação dos filhotes (proteção e alimento), demandam cálculos e ações antecipadas no tempo. Nas regiões de inverno rigoroso, por exemplo, as aves enfrentam um delicado *trade-off* intertemporal na chegada da primavera. Por um lado, é importante que os rebentos nasçam o mais cedo possível a fim de alcançarem a maturidade antes da virada do outono; mas, por outro, se eles vêm cedo demais, o alimento de que necessitam nas primeiras semanas de vida (larvas e insetos) não estará disponível em quantidade suficiente. Os riscos e benefícios meneiam na balança. Obra de fino ajuste.

Finalmente, o vasto campo da procura, obtenção e poupança de alimentos não é menos fértil que os outros — procriação e cuidado da prole — para o exercício da arte da espera. As frutas, como vimos, são um convite à paciência (e não só no sentido cristão...). Ao avistar uma fruta quase madura, o animal se depara com um dilema intertemporal. A opção natural, é claro, seria aguardar até que ela estivesse no ponto certo. Mas a espera tem preço: o risco de que outro animal, mais afoito, apareça e lance mão dela primeiro. Uma fruta um pouco verde no estômago ou a mesma fruta, mais apetitosa, porém suspensa em promessa no pé? "Laranja madura na beira da estrada", recorda a sabedoria popular, "está bichada ou tem marimbondo no pé."[26]

O fato é que mesmo uma atividade por excelência impulsiva como a caça requer sua dose de cálculo, tino e paciência. O animal em seu habitat tem normalmente diante de si não apenas uma, mas um leque de alternativas de ação. Ao perseguir um tipo de presa, contudo, ele é forçado a abrir mão de outras opções.

Um leopardo africano, por exemplo, pode se alimentar de pequenos peixes que apanha, sem maior dificuldade, numa lagoa próxima, ou partir ao encalço de animais de porte, como antílopes e veados, o que pode consumir dias de espionagem e tocaia antes do bote. A escolha é: uma refeição rápida, barata e insípida (*"fast-food"*) ou um repasto em alto estilo, com redobrado valor calórico, porém trabalhoso na caça e incerto na presa? Pescar ou caçar em campo aberto? Maior retorno, maior risco. A configuração da combinação vitoriosa vai depender de uma avaliação preliminar do ambiente (a existência ou não, por exemplo, de indícios de presas potenciais nas redondezas) e do perfil e flutuações de ânimo da fera. O prazer e excitação da caça, é claro, podem fazer parte da equação.

Quando as vísceras murmuram e rosnam cobrando paga ao que lhes é devido, o tempo encolhe. A fome dá de comer à impaciência e o desconto hiperbólico pode rolar de um precipício. Mas o espectro da fome, alimentado pela memória de privação passada, também faz temer o amanhã. A impulsividade animal, é preciso lembrar, não é sinônimo de precipitação desmiolada ou ação temerária. A conduta defensiva perante as ameaças e incertezas do tempo vindouro pode ser um exercício de paciência e autodisciplina, mas pode igualmente se revelar tão impulsiva e irrefletida quanto o bote do leopardo ou o canto da cigarra.

O mecanismo da formação de gordura no corpo animal encontra um paralelo curioso no comportamento de certas aves e mamíferos com forte propensão a poupar e entesourar alimentos. O corvo quebra-nozes (*Nucifera columbiana*), por exemplo, é capaz de estocar uma grande quantidade de sementes em áreas distantes do seu local de moradia e a salvo da neve e das geadas durante o inverno. Isso permite que esse pássaro procrie mais cedo que outros no início da primavera e alimente a cria com a provisão poupada nos meses anteriores.[27] Os custos da operação são o trabalho antecipado e o cuidado de manter o estoque protegido de rivais e decomposição em local seguro. Os benefícios, no entanto, pagam a pena. Os juros auferidos se traduzem aqui no tempo adicional de que os filhotes dessa espécie dispõem para alcançar a maturidade antes da chegada do outono e inverno.

O caso mais extremo de entesouramento no mundo animal é o que ocorre na ordem dos roedores (*Rodentia*), cuja família inclui os ratos, preás, *hamsters* e esquilos. Movidos sabe-se lá por que trauma ou fome atávica, eles se dedicam com uma fúria aparentemente insaciável ao entesouramento de comida em seus esconderijos, mesmo que não tenham como dar a ela nenhum destino plausível. (Daí, incidentalmente, que o tabelião Vaz Nunes do conto "O empréstimo" de Machado de Assis, poupador inveterado que era, "roía muito caladinho os seus duzentos contos de réis".) Um *hamster* que pesa cem gramas, por exemplo, é capaz de acumular até 25 quilos de cereais em sua toca. Esse impulso irrefreável de entesourar — verdadeira mania compulsiva — ilustra à perfeição aquilo que Keynes batizou, ao classificar os motivos que nos induzem a poupar em vez de consumir, de instinto de "pura sovinice" (*pure miserliness*).[28]

Ao contrário da gordura, no entanto, o entesouramento não possui limite orgânico aparente: não gera obesidade nem prejudica a mobilidade animal. Não fosse esse o caso, podemos supor, seriam comuns roedores que pesassem mais que elefantes, baleias e hipopótamos. Temperamento de roedor em corpo de paquiderme: o insólito da união põe em relevo a realidade do ajuste entre *software* e *hardware* na constituição dos seres vivos. O comportamento é a continuação do metabolismo por outros meios.

5. Tempo, troca intertemporal e juros

Tudo o que vive habita o aqui-e-agora. O *aqui*, entretanto, não nos confina da mesma forma que o *agora*. No espaço podemos nos deslocar — a passo de lesma ou na velocidade do som — com razoável desenvoltura: acima e abaixo; à direita e à esquerda; adiante e para trás. A tridimensionalidade do espaço é uma lei fundamental da natureza.[29] Embora sem validade no universo da geometria e das supercordas (dotado, segundo se alega, de dez ou mais dimensões), ela seguramente condiciona a vida no âmbito da existência comum. É uma lei natural restritiva a seu modo, mas generosa na margem de manobra que confere a seus súditos.

O mesmo não se pode dizer do *agora*. Ao contrário do espaço, que permite ir e voltar, a dimensão tempo se impõe como um fluxo sem retorno. O agora é um instante que, ao ser nomeado, já não é. Ele não para nem volta — simplesmente segue adiante. A imagem das águas de um rio em movimento, sugerida pelo filósofo pré-socrático Heráclito, capta admiravelmente essa realidade: "Não se consegue pisar duas vezes no mesmo rio, pois as águas estão continuamente fluindo à frente" (fragmento 21). No espaço vamos (ou não) para lá e para cá; no tempo, *numa só direção*. O presente foge, o passado é irrecobrável, e o futuro, incerto. E pior. Gostemos ou não de encarar o fato, o fluxo do rio heraclitiano tem suas curvas e corredeiras, mas nos arrasta rumo a uma única e inexorável direção: senescência, decrepitude e morte. E isso, é claro, se nenhum acidente trouxer um naufrágio precoce. "O tempo é uma criança movendo as contas de um jogo; o régio poder é da criança" (fragmento 24).

Deslocar-se no espaço pode ser oneroso e arriscado (pense em Marte ou alpinismo), mas não agride nenhuma lei fundamental da física — é uma questão de técnica, habilidade e recursos. Com o tempo é diferente. A ideia de "viajar no tempo" — a espacialização do tempo que se tornou predileção ocupacional da ficção científica — esbarra em graves paradoxos e perplexidades. Se uma máquina do tempo permitisse a um ser vivo, por exemplo, voltar atrás e pisar duas (ou mais) vezes no mesmo rio, sua trajetória pela existência perderia os atributos da unicidade e da finitude. Ele e o mundo natural ao seu redor poderiam estar sempre começando de novo, a partir de um ponto qualquer do percurso. O leito de seus dias deixaria de correr por um único caminho e poderia se multiplicar em infinitos enredos incompatíveis entre si, como no conhecido paradoxo da pessoa que retorna ao passado e impede seus futuros avós de se conhecerem. O solo de sua existência colapsa sob seus pés!

A fantasia da viagem no tempo intriga e fascina, mas não leva a lugar algum. O agora é um animal distinto do aqui e que não se deixa domesticar com a mesma facilidade que ele, ou seja, pela sua simples redução à condição de dimensão adicional do espaço (como, aliás, o uso do termo *viagem* deixa entrever). Passado e futuro não são *lugares* a que possamos chegar a partir do presente. Como quer que sejam concebidas, as unidades do fluxo temporal não compartilham, como os pontos do espaço, da propriedade da concomitância. Existir simultaneamente seria negar a sua característica mais essencial, que é existir sucessivamente. O que pertence ao tempo, como as palavras de um texto, obedece à lei da sucessão: uma após a outra. A concomitância produziria apenas um absurdo e impenetrável borrão.

Embora útil na ficção científica, na lógica simbólica e na medição do tempo, a espacialização do tempo não faz jus à realidade do fenômeno. Os ponteiros de um relógio podem ser adiantados ou atrasados a bel-prazer no espaço do mostrador, como no horário de verão, sem que o fluxo do rio heraclitiano — o tempo real — se altere. O tempo espacializado, em suma, é o tempo castrado. Ele deturpa a dimensão temporal e lhe subtrai sua indomável, misteriosa e irredutível singularidade.

Mas isso não significa que o fluxo temporal seja, então, um regime de absoluto e total confinamento — uma fatalidade ou camisa de força imobilizadora e sem remédio, perante a qual os seres vivos possam apenas se curvar e suspirar resignados. O fato é que o *agora* não se revela inteiramente fechado à barganha e negociação, ainda que com uma margem de manobra restrita e por meio de uma operação seguramente distinta do voo livre e solto da espacialização do tempo. O régio poder da criança às voltas com as contas do tempo a que se refere Heráclito não é absoluto — existem brechas nas dobras de sua soberania. O procedimento que abre essa possibilidade e dá a ela uma dose de realidade na vida prática dos seres vivos não é uma quimera metafísica como a noção de transporte no tempo. É a *troca intertemporal*.

A troca intertemporal está para o tempo assim como, *mutatis mutandis*, o deslocar-se está para o espaço. Não se trata, é claro, de suspender, reverter ou dosar o fluxo temporal — isso não pode ser feito. A troca intertemporal consiste na ação de manipular de alguma forma a sequência dos eventos no tempo de modo a favorecer a realização de um dado fim. Ela representa uma tentativa, não necessariamente bem-sucedida, de contornar o efeito restritivo do fluxo temporal que nos confina ao *agora* e de colocá-lo, na medida do possível, a nosso favor. Quer dizer: trata-se de fazer do rio heraclitiano um potencial aliado — e não inimigo sabotador — de nossos objetivos, sejam eles mais imediatos ou remotos.

Um exemplo simples. Se eu desejo uma fruta que vejo ao meu alcance, basta deslocar-me até ela para apanhá-la. Nada mais trivial. Mas, se eu desejo obter mais à frente uma colheita de frutas, não posso deslocar-me no tempo para apanhá-las e trazê-las de volta ao presente. Uma troca intertemporal se faz imperativa. Será preciso agir no tempo de um modo específico, isto é, abrindo mão de algo de que disponho no momento (custo) em prol de algo que pretendo colher no futuro (benefício). O *agora* não deixa de ser agora — não há escape. Mas ele deixa de estar totalmente confinado ao aqui-e-agora. Presente e futuro passam assim a dialogar, negociar e redefinir os termos de sua relação. Passam a interagir por meio de minhas ações.

As trocas intertemporais no mundo natural não pressupõem nenhum tipo de razão deliberativa ou escolha *ex ante*. Elas configuram padrões selecionados *ex post*, isto é, processos metabólicos e regularidades comportamentais que, graças aos seus efeitos cumulativos benéficos — ou pelo menos não desastrosos —, se firmaram no laboratório da vida tendo em vista a sobrevivência e reprodução dos membros de uma dada espécie. Padrões claramente disfuncionais, como por exemplo a progéria e a reprodução explosiva, ficam retidos na peneira da seleção natural e tendem a ser excluídos da linhagem da vida. Nenhum padrão, entretanto, por mais bem-sucedido que tenha se revelado até o presente, tem um futuro garantido nessa arena. Mudanças aleatórias no meio ambiente podem implicar completas reviravoltas no desenrolar do processo. Cada padrão e solução encontrados estão sempre sendo testados de novo no laboratório da vida. A natureza pode ser pródiga, mas não faz concessões.

Antecipar custa, retardar rende. Os mecanismos da troca intertemporal na natureza pertencem a duas modalidades básicas. A *primeira* é "usufruir agora, pagar depois". O benefício é antecipado no tempo, ao passo que os custos chegam depois. É o caso, por exemplo, da relação entre vigor juvenil e senescência no ciclo de vida (p. 25); da fúria orgiástica dos marsupiais (p. 39), ou do animal impaciente que abocanha a fruta verde antes que algum aventureiro lance mão (p. 40). A *segunda* categoria de troca inverte os termos da primeira: "pagar agora, usufruir depois". Os custos precedem os benefícios. É o caso, por exemplo, da espermateca e da retenção de gordura pelo organismo animal (pp. 30-1); do cortejo pré-acasalamento e dos cuidados que cercam a chegada da prole (p. 40), ou do entesouramento compulsivo dos roedores (pp. 41-2).

Em certos casos, porém, o processo é mais complexo. A troca intertemporal envolve a comparação entre duas (ou mais) possibilidades alternativas que se definem no âmbito de uma mesma modalidade de operação. O que está em jogo aí são os benefícios e custos relativos de diferentes opções. É o caso, por exemplo, de dilemas intertemporais como o enfrentado pelas árvores no início da primavera (p. 31), pelos pássaros ao ajustar o momento em que seus ovos vão chocar (p. 39), ou pelos leopardos africanos ao optar entre *fast-food* e uma fina iguaria (p. 40). Em todos eles a troca tem lugar no âmbito do "pagar agora, usufruir depois". Os dilemas que precisam ser enfrentados são: *quanto de cada?* (a diferença entre os custos e benefícios esperados em cada alternativa) e *qual o risco?* Muitas vezes, a arte de agir no momento certo está para o tempo assim como a arte da dança está para o espaço.

Falar em *troca* intertemporal implica falar em termo de intercâmbio: a relação entre o que se pagou (custo) e o que se recebeu (benefício) numa dada transação. *Juro* e *desconto* são os vocábulos que denotam especificamente o termo de intercâmbio contido nas trocas intertemporais. A diferença entre eles é que, enquanto o juro computa os valores da troca *do presente para o futuro* (o valor adicional que se paga/recebe amanhã por aquilo que se tomou/cedeu hoje), o desconto faz a mesma operação, só que no sentido inverso, ou seja, do *futuro para o presente* (o valor daquilo que se pagará/receberá amanhã caso isso fosse pago/recebido hoje). Cada um é, portanto, a imagem simétrica invertida do outro: o juro olha a troca intertemporal *daqui para lá*, e o desconto, *de lá para cá*. O desconto é o juro no espelho.

Assim, para retomar os termos dos exemplos vistos acima, no "usufruir agora, pagar depois" o juro é o custo a ser incorrido mais tarde por se antecipar um benefício; ao passo que o desconto é o valor desse mesmo custo trazido ao presente, ou seja, caso ele tivesse de ser pago hoje. Analogamente, nas situações em que a lógica do "pagar agora, usufruir depois" prevalece, o juro é o benefício a ser desfrutado mais à frente em relação ao custo incorrido; ao passo que o desconto é o valor desse mesmo benefício futuro caso ele fosse desfrutado agora.

Disso decorre que *toda* troca intertemporal, não importa qual seja a sua feição concreta, traz implícita a ocorrência de juros. O juro é o que se paga por antecipar e o que se ganha por diferir um benefício. Ele reflete a relação de troca na comparação entre valores presentes e futuros em todas as situações nas quais se procura fazer do fluxo temporal um aliado de nossos objetivos imediatos ou remotos. O mesmo se aplica, é claro, nos casos em que a natureza tomou a dianteira e se encarregou de fazer isso por nós, gostemos ou não, como no exemplo da senescência.

Para concluir, uma nota cautelar. A existência de juros nas trocas intertemporais não implica que eles sejam passíveis de *mensuração numérica* ou que se possa precisar a *taxa de juros* da transação. A atribuição de valor numérico para os juros requer a existência de um denominador comum — um numerário — que permita comparar diretamente os custos e os benefícios envolvidos na antecipação ou diferimento de valores. Na prática, porém, são raras as ocasiões em que isso se verifica ou pode legitimamente ser feito. (Mesmo no mundo atual, como procurarei mostrar nos próximos capítulos, o circuito das relações de cunho estritamente monetário e dos mercados financeiros formais representa não mais que uma diminuta e peculiar constelação inserida no vasto universo das trocas e escolhas intertemporais na vida prática.)

No caso mais familiar dos empréstimos em dinheiro, o valor nominal dos juros pode ser computado sem maior dificuldade graças à presença de um numerário — a própria unidade monetária — que serve de métrica para a comparação. Se $100 agora equivalem a, digamos, $110 daqui a um ano, então o valor dos juros é $10, a taxa de juros é 10% ao ano, e $110 daqui a um ano tem um valor presente (descontado) de $100 (o que dá uma taxa de desconto de 9,09% ao ano).

Além da moeda fiduciária, a expressão numérica dos juros e a taxa de juros podem ser computadas, segundo a conveniência, com base no uso dos mais diversos numerários, como ouro e prata, cabeças de gado, unidades de prazer e desprazer (utilidade), horas de trabalho e unidades de energia (calorias) entre outros. O segredo da operação, em todos esses casos, é sempre o mesmo: reduzir tudo o que entra em cada prato da balança intertemporal — o antes e o depois da troca — a uma unidade comum e homogênea, apurar os valores e calcular a diferença quantitativa entre eles. O resultado é o valor nominal dos juros na unidade de conta escolhida, e a taxa de juros é a proporção (percentual) entre esse valor e o montante antecipado ou cedido.

O problema com esse procedimento é sua restrita aplicabilidade. São poucas, de fato, as situações em que todos os valores em jogo podem ser reduzidos a uma mesma unidade de medida e comparados. Na ampla maioria dos casos concretos não existe uma métrica que torne os custos e os benefícios quantitativamente comensuráveis. Como atribuir, por exemplo, valor numérico ao benefício que a galinha deriva da espermateca em relação ao custo de carregá-la e mantê-la? Como tornar comensuráveis, por meio de um numerário comum, o benefício da ingestão de uma fruta ainda verde *vis-à-vis* os custos de seu pior sabor e eventuais prejuízos à digestão?

No enredo de *O mercador de Veneza* de Shakespeare, para lembrar um exemplo do mundo financeiro, os juros transitam de um valor monetário preciso para um valor não monetário e indeterminado. A trama central da peça (retomada nas páginas 61-2 e 112) gira em torno de um contrato de empréstimo entre o empresário Antonio e o banqueiro Shylock. O contrato estabelece o montante cedido em dinheiro (3 mil ducados por três meses), a taxa de juros (uma dada percentagem do principal) e a garantia dada ao credor em caso de não pagamento do valor devido no prazo acertado: "meio quilo de carne" (*a pound of flesh*) extraído do corpo do devedor.[30]

Como Antonio é um próspero mercador colonial, dono de ricas embarcações e sólida reputação, tudo faz crer que a probabilidade de uma execução dessa draconiana cláusula de garantia — algo legalmente plausível no contexto da época[31] — seja praticamente nula. A negociação do empréstimo é ligeira: empresário e banqueiro assinam o contrato em clima alegre, quase jocoso (*merry sport*).

O pior, no entanto, acontece. Shylock, movido pela vingança, vai à Justiça de Veneza e exige o cumprimento do seu legítimo direito. Desse modo, embora a operação original definisse uma quantia precisa em dinheiro para o valor do principal acrescido de juros, a inadimplência de Antonio cria uma situação na qual os termos de pagamento da dívida se tornam numericamente indeterminados. Os juros não saem de cena. Mas como definir agora o exato valor (monetário?) do "meio quilo de carne" exigido por Shylock? Qual a taxa de juros da transação? Em que balança pesar o metal emprestado (os ducados eram moedas de ouro) e o valor da garantia cobrada — usar o peso da carne?! Seria como apurar o valor literário de duas peças teatrais comparando seu peso em papel...

O ponto relevante é que a ausência de uma medida numérica precisa e de taxas de juros definidas em nada altera a essência das trocas intertemporais. O que prevalece na prática é a afirmação de preferências temporais com base em *relações de grandeza*, isto é, comparações do tipo *maior que* e *menor que*. Uma relação de grandeza permite ordenar preferências temporais de forma definida, estabelecendo o que vale *mais* ou *menos* a pena entre as possibilidades existentes, ainda que não se possa dizer, precisamente e em cada caso, *quanto*. O crucial, portanto, não é a mensuração positiva, que pode ser inexistente ou obtida de maneira espúria por meio da redução forçada a um numerário comum, mas a magnitude comparativa — uma relação de grandeza determinada e precisa — que se revela mediante uma curta, direta e decisiva questão: *compensa*?

Desse modo fica perfeitamente claro que, se o empréstimo tomado por Antonio valia a pena para ele nos termos normais do contrato, tanto que ele o firmou de bom grado a fim de ajudar um amigo, isso sem dúvida deixou de ser o caso quando a garantia foi acionada. Embora não se possa dizer precisamente *quanto*, não há dúvida de que o valor da garantia cobrada era *muito maior* — infinitamente maior? — que o do principal da dívida acrescido de juros. De fato, Shylock chega a recusar, em determinado momento da peça, a oferta de uma quantia três vezes maior do que o valor original da dívida para dar o caso por encerrado. Para ele, portanto, a transação passou a valer *ainda mais* a pena! Haveria algum montante definido de dinheiro que o fizesse desistir do "meio quilo de carne" para saciar a sede de vingança?

Os juros no mundo natural, como no exemplo acima, não se prestam a ser computados em valores numéricos ou expressos em taxas percentuais. Eles refletem o termo de troca subjacente a todas as situações de permuta intertemporal em modalidades como "usufruir agora, pagar depois" e vice-versa. O tempo é o grande funil. Os processos metabólicos e os comportamentos embutem padrões determinados por relações comparativas de grandeza — *compensa ou não?* — e explicitam as preferências temporais dos seres vivos.

Nada garante de antemão o sucesso da operação. Os padrões de escolha intertemporal são avaliados *ex post* na arena competitiva do processo evolutivo. Os que se revelam satisfatórios na ótica da sobrevivência e aptidão reprodutiva tendem a se fixar e propagar: têm lugar reservado nas gerações seguintes. Os que ficam retidos na peneira da seleção natural têm seus dias contados. Pequenos diferenciais adaptativos, positivos ou negativos, tornam-se poderosos efeitos quando operam cumulativamente por milhares e milhões de anos.

Limitar a categoria *juro* a "pagamentos devidos por empréstimos em dinheiro" seria como reduzir a classe dos gols no futebol àqueles que forem marcados de bola parada: uma compreensão parcial e obtusa que não faz justiça à variedade, riqueza e fascínio do fenômeno. As árvores não estudam matemática financeira, as aves ignoram a teoria do portfólio, e os mamíferos desconhecem os princípios da gestão de riscos (sem falar, é claro, dos marsupiais). Nada disso, contudo, os impede de alcançar um engenho e uma sofisticação que nos parecem, em alguns casos, pouco menos que assombrosos no trato da troca intertemporal. Conhecer tentativamente *o outro*, por mais distante e alheio que ele dê a impressão de ser, é conhecer tentativamente *a si mesmo*. O saco de espantos da natureza parece não ter fundo.

SEGUNDA PARTE
Imediatismo e paciência no ciclo de vida

6. A dilatação da dimensão temporal

O desejo incita à ação; a percepção do tempo incita o conflito entre desejos.[1] A troca intertemporal no mundo natural resulta de uma seleção *ex post*. São padrões metabólicos e comportamentais cujos efeitos, repetidamente submetidos ao crivo da sobrevivência e aptidão reprodutiva no processo evolutivo, provaram o seu valor no laboratório da vida. Com a entrada do animal humano em cena, o enredo das trocas intertemporais deixa de ser integralmente determinado de fora, ou seja, pelos efeitos cumulativos das vantagens e desvantagens que confere. Uma nova e revolucionária porta se abre: a escolha *ex ante*. À realidade da *troca* junta-se agora a possibilidade da *escolha* intertemporal.

A novidade é clara e pode ser diretamente verificada por qualquer um. A dieta é um prato cheio. Uma vez ingerido o doce, a formação de gordura no tecido adiposo do corpo é algo que *nos acontece*: nada pode ser feito. O soma cuida de si. Comer (ou não) o tal doce, entretanto, é algo que *fazemos*: uma decisão que, ao contrário dos processos metabólicos imunes à nossa vontade e escolha conscientes, parte de nós. Trata-se aqui de uma ação passível de deliberação e aberta, em princípio, à interferência dos estados mentais de quem decide se vai (ou não) comer — suas crenças, preferências e juízos de valor. A percepção consciente do tempo cinde a unidade natural do desejo. O doce atrai; o espectro da obesidade assombra. Desfrutar ou abster-se? Aquele que deseja mas não age (ou retarda a ação), distancia-se de si mesmo: pondera, calcula, compara e elege um amanhã.

Espaço privilegiado da escolha intertemporal é o mundo do trabalho. Como veremos em maior detalhe na quarta parte, com o advento da agricultura, o avanço da divisão do trabalho e a generalização das trocas mediadas pelo dinheiro, o animal humano deixou de viver, por assim dizer, "da mão para a boca". Toda a atividade produtiva passou a ser, de forma crescente, o circuito dos meios, ou seja, um território regido pela suspensão do impulso de gratificação imediata dos desejos em prol da satisfação futura de outros fins — uma operação nem sempre aprazível a que os italianos chamam, sintomaticamente, "*fatica*" ("fadiga") e nós, brasileiros, "batente".[2] Abre-se assim um hiato — que com o tempo se tornou um vasto, intrincado e por vezes ameaçador sistema de trocas comerciais e financeiras de âmbito planetário — separando, de um lado, aquilo que se faz no presente para ganhar a vida (trabalho) e, de outro, aquilo que efetivamente se almeja para poder viver (satisfação das necessidades e desejos). Desse divórcio entre os meios e os fins nasce o universo da racionalidade na vida prática.

O animal humano que a natureza produziu não se resignou à sua condição natural. Ele se distanciou gradualmente de suas pulsões instintivas e passou a submetê-las, de forma mais ou menos deliberada e sistemática, ao filtro de suas escolhas e visões do amanhã. O pano de fundo dessa mudança radical foi a ampliação da percepção do tempo — um extraordinário alargamento da faculdade de imaginar o futuro e reter na memória a experiência passada visando conhecer e modificar o amanhã. A progressiva conquista da dimensão temporal levou a uma crescente abstração do momento vivido: ao refreamento da tirania do aqui-e-agora e ao lugar de honra que passado e futuro vieram a ocupar em nossa vida mental. Memória e expectativa — realidades virtuais — passaram a modular o apelo das certezas sensíveis e desejos circunstanciais. A imaginação desbravou o futuro, povoou de temores e esperanças o tempo vindouro e colonizou o infinito. A "outra vida" dos religiosos e metafísicos, não menos que a "posteridade" de poetas, criadores e mártires seculares, são pontos extremos desse processo.

Abstrair o aqui-e-agora significa habitar em pensamento *o que não é*: interiorizar-se. Do mais caprichoso e rarefeito devaneio juvenil à mais austera dedução matemática, todo o universo da interioridade subjetiva pressupõe um recuo do império dos sentidos e uma suspensão da imediatidade do instinto. O ser humano, como nota Paul Valéry, torna-se desse modo herdeiro e refém do tempo — "o animal cuja principal morada está no passado ou no futuro". Um ser que age, na maior parte das vezes, sem nenhum alvo ou motivo concretamente visível, "como se estivesse mirando outro mundo, como se estivesse respondendo à influência de coisas invisíveis e de seres ocultos". Um animal, em suma, que "sente continuamente a necessidade daquilo que não existe".[3]

A realidade e a força de nossa capacidade de abstrair o presente podem ser claramente evidenciadas pelo seu colapso. Sensações intensas de dor e de prazer, como é fácil notar, absolutizam o momento e obliteram a percepção de passado e futuro: a tirania do aqui-e-agora volta a reinar soberana. A vivacidade da sensação suga e sequestra o foco de nossa atenção consciente, eliminando qualquer vestígio de perspectiva na percepção temporal. A voragem do êxtase e a irritação da dor restauram no animal humano o desejo uno e o primado de um presente quase absoluto. "Uma pequena ardência sentida", afirma Locke, "nos impulsiona com mais força do que grandes prazeres prospectivos nos atraem ou cativam."[4]

A fome ilustra bem isso. Viver não admite solução de continuidade. Se você estiver passando fome, sem perspectiva de refeição à vista e com o estômago ardendo no vazio, não há ganho prospectivo ou prêmio de juro que o faça abrir mão de alimentar-se agora. Um bocado de arroz, desde que imediatamente disponível, valerá mais que um fino banquete, regado a vinho, mas só no mês que vem. O preço da espera, não importa a promessa de juros, seria fatal. Um mendigo esfomeado a quem se dá a chance de uma refeição boca-livre vai se entupir de comida e, ainda por cima, enfiar o que puder nos bolsos. Quando outra vez? A guerrilha da vida é, para ele, o pão nosso de cada dia — um dia de cada vez.

No extremo oposto desse mesmo eixo, vale notar, é compreensível que os adeptos da meditação e da espiritualidade busquem evitar fortes oscilações hedônicas e prefiram um ideal de vida assentado não no *máximo de prazer*, mas na *ausência de dor*. Tanto o prazer como a dor tendem a atrair sobre si nossa atenção consciente e absolutizar o momento vivido. Isso faz deles inimigos naturais de qualquer postura contemplativa que almeje a transcendência do mundo dos sentidos e o encontro com a eternidade. Daí que o prazer seja encarado, em algumas tradições filosóficas e religiosas orientais, não como um valor positivo, mas como algo a ser evitado, assim como a dor e o desconforto: "Do prazer advém o pesar, do prazer advém o medo; aquele que se livra do prazer não sente pesar nem temor" (*Dhammapada*, 212).[5] Nem o orgasmo nem a cólica renal se coadunam com a meditação sobre a eternidade.

Hedonista ou asceta, epicurista ou estoico, romântico ou utilitarista — quaisquer que sejam os seus valores, eles terão que ser distribuídos no tempo. O maximizar agressivo do prazer, por exemplo, implica valorizar o presente, isto é, agarrar e desfrutar ao máximo o momento que se oferece, ainda que isso possa representar algum custo ou dor de cabeça mais à frente. O minimizar defensivo da dor e desconforto, ao contrário, recomenda uma postura de completa imparcialidade na distribuição de valor entre presente e futuro: o que se almeja é a arte de neutralizar o apelo de qualquer desejo, não importa quão veemente, que possa porventura sacrificar ou pôr em risco a tranquilidade e a paz de espírito futuras. As combinações possíveis entre essas duas estratégias puras são certamente múltiplas — nenhuma vida humana tem a coerência de uma doutrina ética. Mas as armadilhas, autoenganos e surpresas no caminho de cada uma delas, como será visto nos capítulos 13 e 14, não ficam atrás.

Uma coisa, entretanto, é a discussão normativa dos prós e contras de diferentes formas de vida à luz de suas implicações no tocante à escolha intertemporal. Outra, muito distinta, é buscar entender os determinantes dessas escolhas, ou seja, como se formam e se alteram as preferências temporais reveladas por nossas ações e projetos de vida. O tema é sem dúvida vasto e complexo, perpassando inúmeras áreas especializadas da pesquisa acadêmica — da neurobiologia à psicologia, da história à teoria econômica, da antropologia à sociologia da cultura. Sem pretensão de esgotar o assunto, creio que valeria a pena, no entanto, examinar um aspecto específico da questão dos determinantes das preferências temporais na vida prática, tendo em vista sua especial relevância para a análise das relações entre escolha intertemporal, juros e ética pessoal: o papel do ciclo de vida.

7. A escolha intertemporal no ciclo de vida: infância e juventude

O ciclo de vida descreve um arco de formação, auge e declínio: infância e juventude; maturidade; velhice e decrepitude. A relação entre essas etapas, como vimos (pp. 25-8), não é de mera contiguidade no tempo, mas embute uma troca intertemporal: "viver agora, pagar depois". Os genes descontam o futuro e o corpo jovem prospera às custas do corpo velho. Quais são os efeitos desse fato biológico sobre o processo de formação de crenças e escolhas intertemporais? Como o ciclo de vida influencia a percepção do tempo e como ele molda e altera as nossas preferências temporais? De que modo a psique e a conduta do animal humano tendem a reagir e lidar com os desafios, oportunidades e ameaças do arco finito de duração desconhecida que é a vida? Existiriam padrões comuns, ou seja, regularidades e tendências capazes de conferir maior inteligibilidade e coerência à imensa pluralidade de situações culturais e trajetórias individuais?

"Nascer: findou o sono das entranhas." O recém-nascido tem todo o futuro pela frente, mas não dispõe do equipamento cerebral e mental para concebê-lo. Vive a imediatidade do instinto, sob a égide de seus estados viscerais. A sobrevivência do bebê humano — um dos mais frágeis e desamparados seres da natureza — depende de uma sofisticada rede de proteção que não só garanta seu sustento por vários anos (ao contrário dos chimpanzés e gorilas, ele não é capaz de se alimentar por si logo que desmama) como consiga ainda mantê-lo constantemente a salvo de si mesmo, dada sua notória falta de medo e senso de perigo. A virulência na expressão de carências e desconfortos viscerais é sua grande arma na luta pela vida.

(Difícil não lembrar, nesse contexto, a definição sugerida por Hobbes do *homem mau* como uma criança de colo em corpo adulto: "Se não dermos a elas tudo que pedem, elas serão impertinentes, e chorarão, e às vezes até baterão em seus pais, e tudo isso farão por natureza [...] um homem perverso é quase a mesma coisa que uma criança que cresceu e ganhou força e se tornou robusta, ou um homem de disposição infantil". Ao que Diderot, bem-humorado, emendou: "Imagine um bebê de seis semanas com a imbecilidade mental apropriada à sua idade e a força e as paixões de um homem de quarenta. Obviamente, ele vai golpear o pai, violentar a mãe e enforcar a babá. Ninguém que se aproxime dele estará seguro".)[6]

No polo oposto ao do recém-nascido — no limiar da porta de saída do arco da vida — o moribundo vive uma situação análoga. "Quando se está morrendo", relata alguém que viu e viveu a experiência de perto, "está-se ocupado demais para pensar na morte: todo o organismo se dedica a respirar."[7] O aqui-e-agora do sobreviver minuto a minuto tiraniza a mente e comprime a percepção do tempo ao presente absoluto. Se é verdade que "quanto mais próximo um ser humano está da natureza, menos passado e futuro figuram em sua mente", então o recém-nascido e o moribundo ocupam as fronteiras dessa dupla atemporalidade que (ao que parece) demarca o tempo mortal: o pré-nascer e o pós-morrer. A seta do arco da vida — flecha do tempo — é unidirecional. Os extremos, porém, se tocam. Para o moribundo, assim como para o recém-nascido, o passado e o futuro não existem como realidades subjetivas. A diferença é que, para o primeiro, isso corresponde, talvez, a uma verdade objetiva no tocante ao porvir.

Até que ponto uma criança é capaz de *esperar*? A paciência, como qualquer pai e qualquer mãe sabem e todo adulto possivelmente recorda, não é o forte da psicologia infantil, ainda que nenhuma criança seja proto-hobbesiana tempo integral. O que é menos conhecido é que os atributos da escolha intertemporal na infância — em diferentes idades e circunstâncias — vêm sendo investigados de modo sistemático por meio de uma fabulosa bateria de testes que visa elucidar seus principais elementos e mecanismos. O experimento clássico nesse campo de pesquisa — exaustivamente replicado e variado — teve os seguintes parâmetros básicos:[8]

A CAPACIDADE DE ESPERA DAS CRIANÇAS: UM EXPERIMENTO

Uma criança pequena é introduzida numa sala e apresentada a um adulto que lhe convida a escolher uma entre duas alternativas antes de se retirar. Se ela decidir tocar a qualquer momento um sininho que está ao seu alcance, o adulto retorna à sala naquele exato instante e ela ganha uma unidade do confeito de que ela mais gosta. Mas, se ela não tocar o tal sininho e aguardar até que o adulto reapareça por si mesmo, então ela receberá como prêmio não uma, mas duas unidades do confeito. O adulto se retira e deixa a criança a sós, com as duas opções de confeitos no seu campo visual mas sem que ela tenha como pegá-los. Se a criança não tocar o sininho, o adulto espontaneamente retorna à sala após um intervalo máximo de vinte minutos.

O dilema é claro: *menos antes* ou *mais depois*? A espera promete: 100% de juros reais em vinte minutos, ainda que a duração do prazo só se torne conhecida *ex post*. O resultado, qualquer que seja, dependerá de dois fatores principais: (a) da força do apelo à espera, ou seja, da intensidade e do brilho da expectativa do *mais depois* na mente da criança, e (b) da sua capacidade efetiva de espera, ou seja, de sua força de vontade e competência prática para não ceder ao impulso de ficar com o *menos antes*, mas aguardar e obter o prêmio/juro desejado.

Na prática, o resultado empírico do teste se revela fortemente ligado à idade. Ao passo que as crianças com até quatro anos invariavelmente tocam o sininho, embora com diferenças no lapso de tempo transcorrido antes de fazê-lo, a proporção das que se dispõem a esperar até o final do experimento (vinte minutos) atinge cerca de 60% para as que têm doze anos de idade. É no período formativo dos quatro aos doze anos, portanto, que o equipamento cerebral e mental da escolha intertemporal amadurece e começa a se fazer mais atuante, pelo menos potencialmente, na vida do animal humano.

A experimentação controlada não é o laboratório da vida. O que surpreende, porém, é verificar que ela parece capaz de prever com razoável grau de sucesso aspectos relevantes da trajetória futura dos indivíduos. Estudos longitudinais com crianças que participaram nos "testes de gratificação postergada" indicam que a capacidade de espera em idade pré-escolar está correlacionada com resultados de longo prazo em suas histórias de vida. As crianças que, já a partir dos quatro anos, revelaram maior disposição e aptidão à espera obtiveram notas mais altas no ensino médio, maior taxa de acesso à universidade e melhor desempenho acadêmico. Na idade adulta, elas apresentaram outros traços pessoais e sociais correlatos, como menor incidência de tabagismo e abuso de drogas, menor índice de delinquência e de conflitos familiares sérios.[9]

Esse padrão estatístico, é evidente, pouco nos diz sobre cada indivíduo concreto e sua irredutível singularidade. Além disso, o que vale para o ambiente sociocultural anglo-americano, onde foi realizada a imensa maioria dos estudos, não se aplica necessária e linearmente a outras culturas e sociedades. Nem todos os sistemas educacionais valorizam de igual modo a capacidade de refrear a impulsividade e pelejar na competição por recompensas remotas. Uma lição de caráter geral, entretanto, parece clara: pequenas diferenças no início da jornada — a disposição de esperar alguns segundos ou minutos adicionais para obter um ganho extra na satisfação de um desejo — podem se compor dramaticamente ao longo dos anos, em inúmeras situações e dilemas do cotidiano, de maneira a produzir discrepâncias palpáveis nas trajetórias futuras de vida. Pequenas causas, grandes efeitos: "uma sequência de pequenos atos de vontade conduz a grandes resultados" (Baudelaire).

Brincar ou estudar? Não é à toa que pais e mestres costumam interceder, às vezes de forma desajeitada ou pouco eficaz, com ameaças e promessas ("chinelo e chocolate"). É a voz rarefeita do futuro querendo se fazer ouvir e respeitar no presente. Se o paternalismo é condenável na relação entre adultos, o que de resto nem sempre é um ponto pacífico, a impaciência infantil faz dele a regra do jogo na relação entre adultos e crianças. O castigo prospectivo equivale à conta de juros a pagar (posição devedora); o mimo ou recompensa é a receita esperada de juros pelas metas alcançadas (posição credora).

A elevada impaciência infantil, aos olhos dos adultos, decorre da combinação de uma tíbia faculdade de figurar mentalmente o amanhã (antevisão) e uma baixa capacidade de resistir ao apelo de estímulos e impulsos circunstanciais (autocontrole). A resultante é uma forte propensão a desfrutar o momento e descontar o amanhã. A razão é simples: o equipamento cerebral e mental da criança não está ainda de todo constituído.

Coisa inteiramente distinta, no entanto, é o fenômeno da impaciência *juvenil*. Existem jovens, é verdade, que vivem como velhos, assim como velhos que teimam em viver como jovens. Mas o que fica implícito na identificação de ambas as situações é que, embora o tempo subjetivo nem sempre afine com o ciclo biológico, existe uma noção clara e amplamente compartilhada acerca do que significa jovialidade.

A reprogramação hormonal da puberdade assinala a passagem da infância à juventude. No exato momento em que o equipamento básico da escolha intertemporal, responsável pelas faculdades de antevisão e autocontrole, encontra-se finalmente pronto e apto a atuar de forma mais plena, a natureza nos reserva uma deliciosa surpresa. Ela faz eclodir um coquetel de hormônios (derivado do verbo grego *hormân*: "pôr em movimento, excitar") no metabolismo do animal humano: testosterona e estrogênio.

"A juventude", sintetiza lapidarmente o duque de La Rochefoucauld, "é uma longa intoxicação: ela é a razão em estado febril."[10] O enredo da vida ganha *pathos* e vibração. O coração se agita, e os nervos se inflamam. Eletricidade e alvoroço. Importantes apostas — decisões de longo alcance — terão que ser feitas à luz de expectativas sobre o amanhã. A infância é o prefácio da obra — página virada. O melhor está por vir.

O raiar da juventude coincide com uma ampliação do horizonte temporal. O resultado, porém, é assimétrico. O passado é quase nada; o futuro é tudo. O tempo à frente parece se espraiar para muito além do que a vista alcança ou consegue divisar. O contraste com a perspectiva da velhice é bem retratado por Schopenhauer:

> Encarada do ponto de vista da juventude, a vida é um futuro indefinidamente longo, ao passo que na velhice ela parece um passado deveras curto. Assim, a vida no seu início se apresenta do mesmo modo que as coisas quando nós as olhamos através de um binóculo usado ao contrário; mas, no seu final, ela se parece com as coisas tal como são vistas quando o binóculo é usado do modo normal. Um homem precisa ter envelhecido e vivido bastante para perceber quão curta é a vida.[11]

O uso parcimonioso do tempo — e também do dinheiro, como nota Aristóteles — não é um atributo juvenil.

O jovem, portanto, ainda que naturalmente impulsivo e entregue às demandas e apelos do momento (sua visão generosa do tempo favorece isso), tem a faculdade da antevisão. Ele figura em sua mente um amanhã. O futuro, entretanto, o que é? Uma abstração, um romance por ser escrito, uma película virgem a ser filmada e roteirizada com a câmera da imaginação. O passado — quase nada — é lenha calcinada; o futuro — vastas possibilidades — é promessa de combustão. Ao contemplar a vida que tem inteira pela frente, o jovem procura rechear o vácuo do futuro com a fantasia. Ocorre que sua antevisão do amanhã é tudo menos um esforço frio e sóbrio de encarar limites, aceitar a existência de *trade-offs* ou fixar probabilidades minimamente objetivas. Aos olhos de um jovem — e por razões compreensíveis —, conceber o futuro, imaginar tudo o que a vida lhe promete e reserva, não é exercício de previsão — é *sonho*.

Alguns, é claro, voam mais alto que outros. Quando o juízo decola, Ícaro despenca. "Como acredita o homem, em sua juventude, estar tão perto de seu objetivo!", exclama Hölderlin. "É a mais bela de todas as ilusões com a qual a natureza ampara a fraqueza de nosso ser." A confissão do poeta, ainda que representando um ponto extremo, traduz uma experiência que, em diferentes graus e contextos, é provavelmente comum a todos. Daí que, como dirá Machado de Assis com a fina mordacidade de sua verve, "um dos ofícios do homem é fechar e apertar muito os olhos a ver se continua pela noite velha o sonho truncado da noite moça". Se é verdade que os homens, como sugere David Hume, "têm em geral uma propensão muito maior para superestimarem a si próprios do que para se subestimarem", o que dizer então dos jovens? O pai da teoria econômica, Adam Smith, tutor e professor de jovens universitários, responde: "Em nenhuma fase da vida humana o desprezo pelo risco e a esperança presunçosa de sucesso se encontram mais ativos do que naquela idade em que os jovens escolhem sua profissão".[12]

A psicologia temporal da juventude abriga, portanto, dois vetores dominantes. De um lado, a *impulsividade*: o vigor dos sentidos e a veemência dos afetos na flor da idade reforçam o apego ao momento e suas oportunidades de desfrute imediato. De outro, o *otimismo*: a perspectiva de um tempo indefinidamente longo à frente e a disposição sonhadora diante do que a vida promete — se não a todos, ao menos a si próprio — reforçam a confiança no futuro pessoal.

"Sonhe como se for viver para sempre; viva como se for morrer amanhã." A fórmula atribuída ao (jovem) ator James Dean não precisa ser sugerida ou prescrita aos jovens. Pois ela traduz de forma impecável a percepção espontânea do tempo e a subjetividade características do modo de ser juvenil: a existência como uma sucessão de dias e momentos isolados a serem vividos intensamente, um por vez, e um futuro pessoal auspicioso — venturoso e feliz — que se desenrola a perder de vista no horizonte à frente. Quem pediria mais?

A resultante desses dois vetores, do ponto de vista da escolha intertemporal, é clara e unívoca como uma flecha. Ambos conspiram em uníssono na mesma direção: uma forte preferência pelo presente em relação ao porvir, ou seja, uma elevada taxa de desconto do futuro. O efeito do primeiro vetor — a impulsividade — é imediato. A atração pelo prazer e a aversão à dor atam-nos ao presente. Quaisquer que venham a ser suas consequências posteriores, entregar-se com ímpeto e abandono ao momento que passa e se oferece — uma vocação natural da juventude — significa *ipso facto* atribuir um valor maior ao aqui-e-agora do que ao amanhã. Diante das "pernas de louça da moça que passa", em nome do que esperar? O carnaval aí está. É a lógica do *carpe diem* horaciano.[13]

O mecanismo e o efeito do segundo vetor — a confiança no futuro — são mais sutis, mas não menos operantes. A impulsividade é a força do presente na ação. A antevisão de um amanhã melhor — próspero e vitorioso — é um convite a antecipar no tempo, isto é, a procurar usufruir ou tirar partido *desde já* do que o futuro promete. Isso tem lugar na imaginação, é claro, mas também — na medida do possível — na ação. Essa "medida do possível" atende pelo nome de *crédito*, termo derivado do verbo latino *credere*: "confiar, acreditar". "Ter crédito" significa, portanto, ser merecedor de confiança, ou seja, de que acreditem naquilo que se promete ou penhora fazer.

A lógica dessa operação transparece de forma cristalina na trama de *O mercador de Veneza*. O jovem e impetuoso Bassanio está enamorado de Portia, uma jovem, linda e solteira aristocrata, herdeira de um fabuloso dote. Acontece, porém, que ele precisa de recursos de que não dispõe para poder cortejá-la e sobrepujar seus rivais. A saída é tomar um empréstimo. Mas como obter crédito sem ter o que dar em garantia? Entra em cena o amigo e protetor, Antonio: um rico empresário do comércio colonial ultramar que aceita intermediar a operação. Como todo o seu capital está naquele momento aplicado em embarcações comerciais que só retornarão a Veneza no futuro, ele toma um empréstimo em seu próprio nome, oferece uma garantia que supõe supérflua, apenas para cobrir a remota hipótese de inadimplência, e transfere o dinheiro ao jovem amigo. Devidamente dotado, Bassanio entra na disputa, vence os rivais e desposa Portia. O mercado financeiro bancou (indiretamente) seu sonho de fortuna e amor; mas os mares traiçoeiros deixaram o amigo Antonio à mercê do sonho de vingança de Shylock.

O palco é o espelho da vida. Impulsividade e otimismo: o jovem Bassanio enamorado personifica a psicologia temporal da juventude. A paixão arrebatadora por Portia — ainda que não alcance os píncaros delirantes de um Romeu — não pode esperar. O raciocínio em que se apoia o seu pedido de crédito é irreparável. A antevisão de um grande futuro afeta a preferência temporal dos indivíduos. Se você tem a perspectiva de uma vida próspera e larga, por que abrir mão agora de coisas que serão gritantemente mais abundantes e fáceis de obter no futuro? Ao contrário. O que a lógica recomenda, nesse caso, é precisamente o caminho oposto: antecipar as benesses e a renda esperada futuras de modo a tirar proveito delas agora, ou seja, enquanto elas são mais escassas e, portanto, relativamente mais valiosas. O *crédito* é o instrumento dessa antecipação, e o *juro* é o preço que deverá ser pago, mais à frente, pelo que se importou do futuro. Quanto maior a confiança que se tem no amanhã, maior o juro que se estará disposto a pagar para antecipar e desfrutar desde já suas promessas.

Como o exemplo de Bassanio demonstra, a impaciência juvenil tem sua lógica: sua temerária aposta (salvo o "pequeno detalhe" que por pouco não degringolou em tragédia) *vingou*. O raciocínio em si é impecável; o perigo real não está aí. Ele se aloja não na cadeia lógica da operação de antecipar recursos, mas nas premissas em que ela está assentada — as crenças saturadas de sonho e desejo que geram e alimentam as grandes apostas juvenis. A fórmula impulsividade + antevisão onírica do futuro pessoal — viver cada dia como se fosse o último + sonhar como se fosse imortal — é um campo minado de armadilhas e desenganos. O mercado formal de crédito, no entanto, como veremos a seguir, é apenas um aspecto particular ou microcosmo de uma realidade que perpassa as mais diversas dimensões da vida prática. O principal ativo à disposição dos jovens — o capital que a natureza adiantou do corpo velho e pôs desde já nas mãos deles — é sua própria juventude.

8. A escolha intertemporal no ciclo de vida: maturidade e velhice

A idade varia e nem todos a alcançam, mas chega o dia em que a longa intoxicação da juventude reflui. Os ânimos serenam, e a febre da razão retrocede. O mundo sempre foi assim ou se tornou agora, só para mim, tão distinto do que parecia ser? A convivência com filhos (ou sobrinhos) pequenos e a presença de pais idosos (ou falecidos) é um fator de mudança: a percepção do tempo deixa de ser tão unilateral quanto na juventude. Fui criança, serei velho. Começa um balanço de saldos, danos e perspectivas. Paralelamente, o otimismo espontâneo diante do amanhã começa a ceder e dar lugar a uma ponta incômoda de apreensão. A voz da sobriedade se faz ouvir: "É difícil lutar contra o desejo impulsivo; o que quer que ele queira, ele adquirirá ao custo da alma" (Heráclito). Alguns despertam, a contragosto, para essa nova etapa da vida com uma inconfundível sensação de ressaca na mente. "E agora, José?"

Considere, de início, um exemplo extremo. O jovem Baudelaire dissipou em festas, caprichos, presentes e amantes a substancial herança que recebeu dos pais. Quando o dinheiro acabou, ele se endividou até perder o crédito e ser financeiramente interditado. Simultaneamente a isso ele adquiriu primeiro o hábito e, depois, a dependência do uso de drogas. A fuga dos credores e a batalha para se livrar do vício se tornaram um ofício cotidiano em sua vida. Ao olhar para trás, no despertar amargo de uma manhã apática, o que viu?

> *A juventude não foi mais que um temporal,*
> *Aqui e ali por sóis ardentes trespassado;*
> *As chuvas e os trovões causaram dano tal*
> *Que em meu pomar não resta um fruto sazonado.*[14]

O capital da juventude não foi melhor gerido que a herança paterna. Os Baudelaires anônimos — "Ninguém me ama, ninguém me quer/ Ninguém me chama de Baudelaire", queixava-se um poeta marginal que conheci na juventude — desaparecem sem deixar vestígios, alguns arrancados do solo da existência no fulgor da primavera. O próprio poeta, no entanto, foi capaz de colher magníficos frutos que ainda restavam ocultos em seu combalido pomar. Às vezes é preciso morrer antes de morrer para que a semente de uma obra possa germinar. Juventude dissoluta: *Flores do mal*. Como o *dandy* falido se reinventou Baudelaire?

A saída encontrada foi fazer de sua rica experiência com as armadilhas e desenganos da escolha intertemporal a matéria-prima de sua criação literária. O tema percorre como um raio a obra madura do artista. "A atração pelo prazer ata-nos ao presente; os cuidados com a nossa salvação elevam-nos ao futuro." Ao refletir sobre os exorbitantes custos diferidos (juros) embutidos no recurso às drogas — o desastroso atalho rumo ao "paraíso artificial" —, ele concluiu: "É o castigo merecido da prodigalidade ímpia com que se fez tão grande dispêndio de fluido nervoso". O viciado em drogas é um agiota de si mesmo. Baudelaire não alcançou reconhecimento em vida: o leilão de venda dos direitos autorais de suas obras completas nem sequer permitiu cobrir o valor das dívidas que deixou ao morrer. Mas o valor de seu legado poético não se deixa medir pela moeda comum do mercado. Ele desafiará pela eternidade o seu também imortal inimigo: "O tempo [que] faz da vida uma carniça".[15]

A *maturidade* ocupa, no arco da vida, uma posição equidistante entre a juventude e a velhice. Ela representaria idealmente um segmento marcado pelo equilíbrio de forças ou tensão profícua, como propõe Aristóteles, entre os excessos da primeira e as deficiências da segunda: confiança excessiva × temor; credulidade × incredulidade; magnanimidade × mesquinhez; intrepidez × fraqueza de ânimo.[16] Na prática, é evidente, nem sempre a idade adulta corresponde ao ideal aristotélico de maturidade. Idealização à parte, porém, a condição madura parece de fato *modular* tendências e vieses característicos da atitude e percepção juvenis em relação ao tempo.

As três principais mudanças são: (a) uma perspectiva menos assimétrica de passado e futuro e uma consciência mais definida de finitude; (b) uma antevisão menos irrealista ou sonhadora do que a vida reserva, e (c) uma maior capacidade de articular e integrar na mente os diferentes momentos e etapas da vida em vez de encará-los como simples sucessão de situações isoladas e desconexas. Ligados a essas mudanças, dois outros fatores parecem influenciar a formação de preferências temporais na idade adulta: o abrandamento da impulsividade (especialmente masculina) causado pela estabilização hormonal na virada dos vinte para os trinta anos de idade e os compromissos materiais e afetivos decorrentes da paternidade/maternidade.

O efeito de todas essas alterações na percepção do tempo e na condição motivacional e familiar dos indivíduos é uma *redução do grau de impaciência*, ou seja, uma maior consideração pelas necessidades relativas do futuro em face das demandas e apelos do presente.

A lógica do raciocínio segue essencialmente os passos daquela desenvolvida para o caso da juventude, porém com o sinal invertido. Se você tem toda uma vida de vitórias e realizações pela frente e espera aumentar sua renda no futuro, nada mais natural do que tomar um empréstimo (ou consumir despreocupadamente sua herança e vigor juvenil). Mas, se você já acumulou alguns reveses na vida prática, se você começa a se dar conta de que a velhice é (com sorte) um fato inexorável da existência mortal e se você possui dependentes que precisarão de você por muitos anos ainda, então chegou a hora de passar a dar o devido peso ao amanhã, mesmo que isso implique alguns sacrifícios no presente. A maturidade deprime a propensão a descontar o futuro.

Do atletismo à criação artística, nos mais diversos campos de realização humana o padrão se repete: a voz da maturidade procura se fazer ouvir recomendando atenção aos *termos de troca* entre presente e futuro implícitos nas escolhas intertemporais de crianças e jovens. O juro incorrido, insinua o alerta, pode se revelar fatal — ele responde por boa parte dos lotes (vagos e ocupados) no cemitério das ambições arruinadas. A eficácia desses conselhos é duvidosa, mas as ciladas a que aludem não param de se multiplicar. Como já se disse (e vale repisar): "O erro repete-se sempre na ação, por isso deve-se incansavelmente repetir a verdade em palavras".[17]

Quando um jovem estudante escreveu ao seu tio, David Hume, solicitando conselhos sobre como se preparar para uma carreira nas letras e humanidades, o filósofo escocês respondeu a ele por meio de uma breve parábola: "Um homem cavalgava com grande sofreguidão e levava o cavalo ao limite da exaustão. A certa altura da viagem, ele parou por um instante para perguntar a alguém que passava quanto tempo faltava até o lugar de destino. 'São duas horas se você for mais devagar', respondeu-lhe um camponês, 'mas serão quatro se você continuar com tamanha pressa'". "Para um jovem que se aplica às artes e às ciências", anotou Hume num caderno pessoal de leituras, "a lentidão com que ele se forma para o mundo é um bom sinal."[18] Os lampejos efervescentes do talento e da inspiração prometem atalhos e feitos meteóricos, mas o estudo profícuo e refletido pede calma, não pressa. Devagar pode ser mais veloz.

Um exemplo curioso — que se tornou agudamente atual em nossos dias — é oferecido por Aristóteles na *Política*. O fato que chamou a atenção do filósofo foi a constatação de que os meninos que venciam as provas olímpicas nas competições infantis quase nunca se tornavam grandes campeões na idade adulta. O que estaria por trás desse fato até certo ponto intrigante e como evitá-lo no futuro?

> Até a época da puberdade, os exercícios [físicos de crianças e jovens] devem ser leves, e devem ser evitadas as dietas rigorosas ou os esforços violentos que possam vir a prejudicar o crescimento adequado do corpo. Os efeitos nocivos de um treinamento prematuro e excessivo são marcadamente evidentes. Nas listas dos campeões olímpicos existem apenas dois ou três casos em que a mesma pessoa, tendo sido vitoriosa na competição adulta, tinha vencido também na infantil; e a razão é que o treinamento feito demasiado cedo e os exercícios compulsórios que isso acarreta resultaram em perda de energia.

Escolhas têm consequências: imediatas e remotas. A impaciência pode se tornar o mais cruel e exigente agiota. Quando se força o tempo biológico a apressar demais o passo e antecipar recursos para uso imediato, os juros incorridos na operação podem arruinar uma promissora carreira, se não a própria vida. É o que mostra, em nossos dias, a prática disseminada do abuso de anfetaminas e anabolizantes (hormônios esteroides sintéticos) visando apressar a formação de massa muscular e melhorar, a curto prazo, o desempenho atlético. Os juros embutidos nessa operação de aceleração de resultados que promete um atalho ao "paraíso artificial muscular" são, entre outros, a esterilidade e a impotência sexual, e a depressão. Um famoso ciclista britânico, morto prematuramente pelo abuso de anfetaminas, ainda delirava, em seu leito de morte, como se pilotasse sua bicicleta rumo a nova e espetacular vitória.[19]

Assim como no esporte, a miragem do atalho ronda o processo de criação artística. O recurso às drogas é um apelo por vezes sedutor. O começo costuma ser extático (capital antecipado), mas o final, patético (bancarrota). "Eu sabia muito bem dos riscos", refletiu Thomas de Quincey sobre sua relação com o ópio, "mas desgraçadamente subestimei a sua urgência e gravidade" — um equívoco que acabou conduzindo-o não ao "paraíso no bolso do colete", como pareceu de início, mas a um inferno de dependência, esterilidade literária e atrofia da vontade.[20] Mas a questão do uso do tempo no processo de criação vai muito além da barganha faustiana das drogas. A gestação de uma obra de arte não é algo que se possa acelerar ou retardar como o ritmo de uma corrida esportiva ou uma linha de montagem. Ela tem uma temporalidade própria que exige, entre outras coisas, capacidade de espera e maturação paciente. É o que frisa de forma eloquente Rainer Maria Rilke nas *Cartas a um jovem poeta*:

> Deixe a seus pensamentos sua própria e silenciosa evolução sem a perturbar; como qualquer progresso, ela deve vir do âmago do seu ser e não pode ser reprimida ou acelerada por coisa alguma. Tudo está em levar a termo e, depois, dar à luz. Deixar amadurecer inteiramente no âmago de si, nas trevas do indizível e do inconsciente, do inacessível a seu próprio intelecto, cada impressão e cada germe de sentimento e aguardar com profunda humildade e paciência a hora do parto de uma nova claridade: só isto é viver artisticamente na compreensão e na criação. Aí o tempo não serve de medida: um ano nada vale, dez anos não são nada. Ser artista não significa calcular e contar, mas sim amadurecer como a árvore que não apressa a sua seiva e enfrenta tranquila as tempestades da primavera, sem medo de que depois dela não venha nenhum verão. O verão há de vir. Mas virá só para os pacientes, que aguardam num grande silêncio intrépido, como se diante deles estivesse a eternidade. Aprendo-o diariamente, no meio de dores a que sou agradecido: a paciência é tudo.[21]

"A paciência é tudo"? Compreende-se a recomendação do poeta como um corretivo necessário à natural impaciência e às urgências mal resolvidas da juventude. Mas não mais que isso. *Nada é tudo*, inclusive a paciência. Pois a verdade é que sem uma dose razoável de impaciência nada chegaria a ser feito neste mundo. Os ares da primavera soprariam suas graças em vão pela floresta dormente, e os frutos da criação humana penderiam para sempre inacabados e imaturos no pé. A espera tem sua hora, mas as horas não nos esperam. "Fugazes fogem os anos, e não há como evitar as rugas e as injúrias da velhice" (Horácio). Se é verdade que "o verão há de vir" para os mais jovens, o fato é que para outros, não há como escamotear, o verão já se foi.

Na língua francesa a diferença é sutil: *le bel âge* é a juventude; *un bel âge* é a velhice. Que diferença não faz um artigo indefinido! A chegada da velhice não coincide com a ocorrência de um fato marcante, como a reprogramação hormonal da puberdade, embora a menopausa para as mulheres e o climatério e os sinais exteriores da senescência para todos sejam indicações claras de que o outono da vida — a chamada "terceira idade" — deixou de ser o prospecto longínquo que pareceu um dia. Quais seriam os efeitos dessa realidade, na maior parte das vezes não muito bem-vinda, sobre a nossa percepção do tempo e preferências temporais?

Antevisões do futuro dependem da retina em que se operam. A juventude tem a vida à sua frente e um passado delgado pelas costas. A velhice sabe — ou, se não sabe, desconfia — que o tempo que lhe resta é não apenas finito mas curto (ao menos nesta existência) e que nem tudo na vida sai exatamente, para dizer o mínimo, como se antecipou no começo da jornada. Embora extenso na métrica objetiva do calendário, o *passado* lhe parece curto no olhar retrospectivo da subjetividade. Embora indeterminado em sua duração objetiva, o *futuro* lhe parece opressivamente estreito no olhar prospectivo do tempo com que se pode de fato contar. O exercício mais ou menos consciente da "contagem regressiva" se torna um hábito mental insinuante, por vezes difícil de ser evitado, quando se sabe que a jornada está mais próxima do seu término que do seu início. Daí que a velhice, em contraste com a juventude, seja marcada por uma atitude de maior zelo e parcimônia na gestão do tempo. Verdadeira ou falsa (ninguém sabe efetivamente quanto ainda lhe resta de vida), a percepção da escassez relativa de tempo tende a elevar o valor que se atribui a ele e estimular um uso mais atento e econômico do seu fluxo.

O teor da antevisão do futuro também se altera. Enquanto aos olhos ainda frescos e expectantes da juventude o vácuo do porvir tende a ser preenchido pelo sonho, o mesmo não ocorre às retinas fatigadas dos mais velhos. O peso da experiência acumulada — boa parte dela possivelmente feita de decepções e dissabores — e o horizonte mais restrito à frente tendem a reforçar o elemento de pessimismo e apreensão quanto ao amanhã. O *quando* e o *como* da hora fatal que se avizinha, mesmo que mantidos sob quarentena entre as preocupações da velhice, e a perda gradual de vitalidade associada ao avanço da senescência não inspiram uma visão cor-de-rosa do que o tempo nos reserva. Não é à toa, portanto, que, como observa Aristóteles, a memória costuma dominar a esperança entre os mais velhos, fazendo do exercício da reminiscência — imagine uma senhora entrada em anos contemplando as fotografias de sua mocidade — uma de suas ocupações prediletas. "Eles derivam prazer de rememorar."[22]

Além do maior zelo no uso do tempo e do receio do futuro, é preciso considerar os efeitos da bioeconomia da senescência (pp. 22-8): a conta de juros do capital que a natureza, sem nos pedir licença, adiantou do corpo velho em prol do corpo jovem. Desse *trade-off* resultam um progressivo esgarçamento dos sentidos e uma perda geral de vitalidade instintiva e vigor dos afetos. Se a juventude é vivida, em larga medida, sob a égide da impulsividade, a velhice tende a ser caracterizada pela maior propensão ao calculismo e à prudência na ação.

Isso se manifesta não apenas nos cuidados com a saúde, ou seja, na preservação da integridade do organismo e na gestão da energia vital disponível, como na atitude perante o dinheiro. "À medida que envelhece", observa Keynes, "a maior parte das pessoas passa a amar mais o dinheiro e a segurança, e menos a criação e a construção."[23] Isso resulta, em parte, de um raciocínio indutivo — "[os mais velhos] sabem pela sua experiência que adquirir é difícil e malbaratar é fácil" (Aristóteles) —, mas, sobretudo, do temor diante das ameaças e incertezas do futuro. A pobreza na velhice é um mal potencializado: infortúnio sobre infortúnio. Conforto e segurança se tornam, nessa etapa do ciclo de vida, requisitos de primeira ordem. Quanto tempo poderá durar a vida que resta e quanto podem custar os cuidados e terapias que se fizerem necessários?

Ao mesmo tempo, porém, a capacidade de gerar renda já não é a mesma na velhice e, pior, pode em breve cessar por completo. É por isso que, como assinala Schopenhauer, "na velhice nos tornamos ainda mais apegados ao dinheiro do que éramos na juventude, pois ele provê um substituto para a nossa vitalidade em declínio".[24] O capital financeiro poupado contrabalança, na medida do possível, o capital vital depreciado. Por outro lado, contudo, é preciso levar em conta dois fatores que atenuam esse quadro: a essa altura da vida os filhos em geral já deixaram o ninho e ganharam voo próprio, podendo inclusive prestar auxílio em caso de necessidade, e as preocupações associadas a um futuro remoto (poupar para a velhice) já não precisam tirar o sono de ninguém — o temido amanhã é hoje.

A velhice, como se vê, é um campo de forças complexo. Do ponto de vista da escolha intertemporal, ela abriga vetores que apontam para direções conflitantes. *Por um lado*, o peso relativo do amanhã diante dos apelos do momento *declina*. Isso deriva de uma consciência mais definida da finitude biológica; um encurtamento do horizonte à frente ("contagem regressiva"); uma redução das obrigações ligadas ao sustento e educação de dependentes familiares e, por fim, o simples fato de que não é mais preciso constituir um estoque de poupança tendo em vista um futuro distante. Se tudo isso é o caso, há de se perguntar o idoso: por que abrir mão dos prazeres e possibilidades que o dia oferece? Em nome do que cuidar de um improvável amanhã em vez de desfrutar com leveza e abandono, enquanto a vida permite, os anos que restam? A velhice, assim entendida, revigora a propensão a descontar o futuro.

Por outro lado, contudo, ela abriga vetores que atuam na direção contrária, ou seja, intensificando a disposição a *valorizar* o amanhã em detrimento dos apelos e oportunidades do momento. Isso decorre da indefinição quanto à duração e à qualidade do tempo que ainda pode restar ("E se eu chegar aos cem?"); dos cuidados redobrados de saúde e dieta que a velhice naturalmente requer; da redução da impulsividade e da menor veemência dos desejos ligados aos sentidos; da sensação de ansiedade e vulnerabilidade diante de um futuro que pode parecer ameaçador, e, por fim, do maior apego ao dinheiro e da inclinação calculista no uso de recursos escassos (inclusive o tempo). Se tudo isso é o caso, pondera o idoso, melhor não ceder aos encantos do momento, de qualquer modo efêmeros e traiçoeiros, mas gerir com redobrada prudência os ativos disponíveis (saúde e finanças), tratando de se precaver contra os riscos e armadilhas que o destino reserva. A velhice tenderia, assim, não a estimular, mas a deprimir nossa propensão a descontar o futuro.

Portanto, em contraste com o que se verifica na infância, juventude e maturidade, a resultante do impacto da velhice na escolha intertemporal parece ser indeterminada. As forças em jogo atuam de modo conflitante, impelindo a mente para direções opostas, sem que se possa identificar com clareza uma tendência definida que governe o processo de formação das preferências temporais.

Esse resultado, se verdadeiro, ilustra a proposição (atribuída a Freud) de que "é apenas na lógica que contradições não podem existir". Ou como dirá, em outro contexto, Hume: "Esses princípios da natureza humana, afirmarão vocês, são contraditórios; mas o que é o homem senão um amontoado de contradições!".[25] Na prática, é claro, o ciclo de vida e a velhice são partes de um todo. Sua influência se junta e articula a uma vasta gama de fatores — como educação, temperamento, ambiente cultural e situação socioeconômica — na fixação das escolhas intertemporais concretas de cada indivíduo. O que se buscou aqui foi essencialmente isolar o seu efeito e determinar, se possível, para que lado ele ajudaria a pender a balança em que presente e futuro meneiam. A velhice constitui — e não só nesse ponto, como veremos nos próximos capítulos — um caso à parte.

Alfonso X, rei de Leão e Castela, entusiasta e patrono da pesquisa em astronomia no século XIII, costumava dizer que, caso o tivessem consultado, podia ter dado alguns bons conselhos por ocasião da criação do Universo.[26] Um humanista filantropo em nossos dias, ao contemplar os desencontros da escolha intertemporal no ciclo de vida, poderia sentir-se tentado a emular o rei castelhano. Um ponto em particular despertaria a sua atenção. Enquanto o jovem, na flor da idade, tem tudo para desfrutar a vida mas precisa zelar pelo seu futuro, o idoso, por seu turno, dispõe de toda a liberdade para gozar cada dia como se fosse o último mas já não tem a energia e o elã da juventude para tanto. Ou seja: quem pode não deve e quem deveria já não pode. Bem melhor seria o mundo, ponderaria ele, se nos fosse dada a serenidade da velhice para as escolhas de longo alcance da juventude e, na outra ponta, o vigor e a disposição à entrega dos jovens para o *grand finale* da velhice. Eis um conselho que talvez não tivesse feito má figura no laboratório de projetos e *design* da criação. "Deus é um cara gozador."

9. O horizonte temporal relevante

O ciclo de vida afeta, ao lado de outros fatores, nossa percepção do tempo e a tônica dominante das escolhas intertemporais que fazemos. Enquanto a infância e a juventude tendem, por diferentes motivos, a reforçar a propensão a viver o momento e descontar o futuro, a maturidade tende a exercer um efeito moderador sobre essas inclinações. Já a velhice, como vimos, está situada entre um puxar de forças opostas bastante equilibrado. A resultante final, ao que parece, não é determinada.

De uma forma geral, portanto, a influência das diferentes fases do ciclo de vida sobre as nossas preferências temporais parece guardar estreita afinidade com o padrão de troca intertemporal embutido no arco definido pela formação, apogeu e declínio do corpo. Ao "viver agora, pagar depois" da juventude e início da fase adulta, seguem-se o balanço de contas e a gestão de saldos e danos da maturidade. É sobre a maturidade que incide também o imperativo, nem sempre acolhido na prática, do "pagar agora, viver depois" que amealha o pé-de-meia da velhice prospectiva. Não é à toa que as pesquisas sobre bem-estar subjetivo indicam que a faixa etária com a maior proporção relativa de pessoas que se declaram infelizes ou insatisfeitas com a vida está situada justamente na fase entre os trinta e quarenta anos de idade.[27] O futuro pesa.

O ciclo de vida incorpora uma *troca*, mas não é uma *escolha* intertemporal. Ele é uma realidade essencialmente biológica, fechada ao nosso desejo e deliberação conscientes, e que se impõe independentemente — quando não à revelia — da vontade humana. Se o ciclo de vida fosse dócil e obediente aos nossos desígnios, é altamente provável que as crianças em geral acelerassem a chegada da puberdade (não obstante os insistentes apelos dos pais em contrário). Na outra ponta, não é difícil imaginar que praticamente todas as pessoas iriam bloquear (ou ao menos retardar) os avanços da senescência. Seria o fim da geriatria como ramo da medicina e a falência da indústria da "eterna juventude" (vitaminas, *spas*, cremes, dietas, elixires, academias, cosméticos, terapias etc.) como ramo especializado de negócios — e engodos — na divisão social do trabalho.

Nada disso significa, é claro, que nossas escolhas intertemporais sejam inócuas ou irrelevantes. Ao contrário. É somente por meio delas que podemos lidar de uma maneira inteligente com as realidades, oportunidades e desafios das diferentes etapas do ciclo de vida. É a faculdade da escolha intertemporal que nos permite tomar distância, colocar em perspectiva o fluxo temporal da vida e, desse modo, procurar submetê-lo, ao menos em parte, aos nossos propósitos e projetos. Pôr mais vida em nossos anos ou mais anos em nossas vidas? Nossas escolhas, não importa quão deliberadas ou irrefletidas, podem acelerar ou retardar o desenrolar natural do ciclo de vida. E o mais importante: são elas que definirão a estrutura básica e o teor do enredo que confere sentido ao arco de nossa existência.

A escolha intertemporal é uma troca voluntária que uma pessoa faz consigo mesma: *antecipar custa, retardar rende*. Os dois movimentos envolvem perdas e ganhos em tempos distintos. Ao adiantar no tempo o desfrute de algum valor, o indivíduo se compromete a pagar por isso mais tarde; ao postergar no tempo o desfrute de algum valor, ele espera colher algum benefício adicional no futuro.

O resultado de cada uma dessas modalidades de transação, é importante notar, não está dado de antemão. Ele vai depender dos termos de troca, ou seja, dos juros implícitos na permuta intertemporal. O sucesso ou fracasso da operação não decorre do sentido temporal da troca — antecipar ou retardar —, mas do valor relativo e conteúdo específico daquilo que figura em cada um dos pratos da balança, ou seja, o que está sendo efetivamente permutado. A inexistência de uma moeda comum para medir todos os valores em jogo em nada altera a realidade dos juros. O que importa é a grandeza comparativa dos valores e a relação de preferência revelada pelo ato de escolha.

Bassanio, por exemplo, antecipou recursos a fim de cortejar Portia, e o resultado do investimento feito — no fundo, uma temerária aposta juvenil — compensou amplamente o custo da operação (ainda que por muito pouco o desfecho não tenha sido trágico). Os atletas mirins retratados por Aristóteles, ao contrário, estão metendo os pés pelas mãos: ao antecipar no tempo o processo de sua constituição física e atlética, eles terminam queimando o filme de um futuro *prima facie* promissor. Não há nada de inerentemente errado, portanto, no ato de transferir recursos do futuro para o presente, comprometendo-se a pagar um certo valor, mais adiante, por isso. São a natureza da antecipação e a relação entre as vantagens e os custos que ela acarreta que determinarão o resultado líquido da troca. A questão é saber se o valor desfrutado antecipadamente compensa de algum modo o ônus dos juros a serem pagos mais tarde.

No sentido oposto, a ação de postergar o desfrute de algum valor em nome de ganhos ou benefícios a serem colhidos mais à frente nada nos diz sobre o resultado da troca. O rentista Shylock, por exemplo, cedeu os recursos solicitados por Antonio, mas, tomado pela ganância e por uma furiosa sede de vingança, terminou perdendo bem mais que os juros normais esperados pelo empréstimo. Já os jovens poetas que, acolhendo a sábia recomendação rilkiana, resistem à tentação de se envolumarem logo na primeira floração juvenil e retardam sua estreia literária até que os frutos da criação estejam devidamente sazonados, colhem os benefícios de sua perseverança, talento e paciência. O "calafrio do ridículo evitado" integra o saldo dos juros advindos dessa espera. Como observa Baudelaire, nos "Conselhos aos jovens literatos": "A poesia é uma das artes que mais rendem; mas é uma espécie de investimento cujos juros só nos cabem tarde — em compensação, chegam bem vultosos".[28]

Em cada situação particular, portanto, trata-se de saber se o custo de antecipar justifica o benefício ou, alternativamente, se o benefício esperado de postergar justifica o custo. A arte da escolha intertemporal reside na capacidade de identificar oportunidades nas quais é possível colocar o tempo trabalhando a nosso favor, ou seja, como aliado ou sócio de nossos objetivos.

O problema, no entanto, é que pode existir um sério conflito de interesses entre as partes contratantes. O ponto de vista do jovem — *a vida desde o início* — não coincide com o ponto de vista do idoso que ele (com sorte) um dia será — *a vida desde o fim*. Pior: nada garante que eles não terminem se opondo frontalmente. É plausível supor, por exemplo, que o jovem prefira "mais vida em seus anos", enquanto o velho preferisse "mais anos em sua vida" (ou vice-versa). Quem decide? Quem julga? O jovem, é inevitável, detém nas mãos o poder das decisões de longo alcance: é prerrogativa sua. Mas o velho detém a perspectiva de uma vida que se completa e a faculdade de avaliá-la não à luz de sonhos e promessas, mas do percurso efetivamente trilhado. Pertence a ele somente a prerrogativa da palavra final.

Qual o valor do futuro? Qualquer que seja a resposta, o primeiro passo é ter alguma noção do que se entende especificamente por "futuro". Qual é — ou deveria ser — o horizonte de tempo relevante? Quantos lances à frente cumpriria ter em mente a cada novo lance da partida? O solo do presente é o marco zero. Mas, a partir dele, até onde mirar? A fome de futuro da imaginação humana parece insaciável — índice da força do nosso apego à vida e apetite por mais. O céu é o limite.

Considere, de início, o insondável enigma — a *vexata quaestio* por excelência — do após-a-morte. Todas as principais religiões mundiais — cristã, judaica, islâmica, budista e hindu — trabalham com variações de uma mesma e dupla hipótese: a morte biológica não é o fim definitivo de tudo e o destino *post-mortem* de cada um de nós será determinado por tudo aquilo que fizermos (ou deixarmos de fazer) em nossa jornada terrena. A vida tal como a conhecemos não passa de um prelúdio ou rito de passagem rumo a formas de existência que transcendem o mundo dos sentidos e o corpo mortal. À renúncia e virtude nesta vida correspondem recompensas e delícias na outra. Os bons colherão os frutos (juros auferidos) ao passo que os maus arcarão com o ônus (juros devidos) de seus atos, pensamentos e omissões. Os prêmios e castigos que pendem nos pratos da balança não são de pouca monta. Por dependerem de premissas inteiramente hipotéticas, calcadas na pura disposição de crer, eles costumam ser tão eloquentes e hiperbólicos quanto a mente humana é capaz de conceber.

Supondo que essa hipótese seja verdadeira (e não um mero instrumento de controle e reforço da ordem social), o que seria razoável fazer? O raciocínio é imediato. Quando o que está em jogo é nada menos que a bem-aventurança ou o tormento *eternos*, descontar o futuro — preferir uma vida em pecado agora à salvação no porvir — equivaleria a uma rematada falta de senso. Perto da gravidade dessa barganha, tendo a eternidade como moeda de troca, todas as escolhas intertemporais restritas ao horizonte estreito de nossa vida mundana — saúde, educação, relações afetivas, finanças etc. — não passariam de mera brincadeira de criança. E mais: dependendo dos termos de troca entre presente e futuro (os juros da transação), a própria existência terrena deixa de ter qualquer valor relevante, a não ser como meio ou instrumento do que virá.

A natureza essencialmente econômica do contrato "renúncia agora, paraíso depois" não passou despercebida dos primeiros teólogos cristãos. "Se a falta de alguns prazeres da vida for sentida", aconselha Tertuliano aos mártires prospectivos, "lembrem-se de que é próprio dos negócios sofrer perdas tendo em vista maiores lucros." Analogamente, são Valério exortava os primeiros cristãos à total renúncia, muitas vezes por meio da morte certa nas mãos dos algozes romanos, invocando um *trade-off* intertemporal: "O homem sábio apressará com ardor o caminho do martírio, pois ele enxerga que abrir mão da vida presente é parte da conquista da vida eterna".[29] Quando a recompensa futura esperada é infinita, não há sacrifício ou renúncia que não pague a pena. Ao se comparar tudo o que a vida terrena promete a quem nela transita, de um lado, e o paraíso beatífico por toda a eternidade, de outro, como hesitar? A morte antecipada — desde que "santa" — se torna a solução racional da equação intertemporal.

A essa conclusão chegaram, por exemplo, os adeptos de diversas comunidades cristãs nos primeiros séculos de nossa era. Se a peregrinação terrena é um vale de lágrimas e a bem-aventurança infinita é o prêmio dos que se entregam de corpo e alma ao chamado da fé, então por que adiar o momento da eterna e merecida recompensa? A proliferação do martírio e a prática do suicídio coletivo se tornaram uma ameaça de tal ordem ao rebanho que as autoridades religiosas se viram compelidas a intervir. Somente a partir daí, no século IV d. C., é que se declarou o suicídio um "pecado mortal", capaz de condenar à danação eterna quem o pratica. (Por um caminho semelhante, ao que parece, o islamismo foi levado a proscrever o suicídio, não obstante os episódios isolados de "martírio" que, aos olhos atônitos da humanidade incrédula, não são mais que terrorismo travestido do halo de uma "guerra santa".) A violenta subida nos juros — nesse caso "as labaredas do inferno" — foi a saída encontrada para esfriar a impaciência e o ardor dos fiéis.[30] O paraíso requer paciência.

A preocupação com o após-a-morte não se limita, é claro, aos credos organizados. Ela é tão antiga quanto a consciência da finitude no animal humano e diz respeito a todos, do mais cético ao mais místico, ainda que com graus variáveis de intensidade. Na manhã do dia em que Sócrates foi executado — relata Platão no *Fédon* —, ele conversou pela última vez com os amigos e se propôs a mostrar a eles "com que boa razão, segundo me parece, um homem que verdadeiramente dedicou sua vida à filosofia se sente confiante quando está prestes a morrer e esperançoso de que, quando estiver morto, obterá enormes benefícios no outro mundo".[31] A busca incessante do saber e do aprimoramento da alma seria não só a melhor vida terrena ao nosso alcance, mas o melhor preparo para o que nos reserva o após-a-morte. Embora a filosofia, como a verdadeira religião, não se preste a ser cultivada *tendo em vista* os juros da bem-aventurança *post-mortem* — o que só poderia desvirtuar sua prática e finalidade —, eles estariam lá, como derradeira dádiva ou bônus a coroar uma existência bem conduzida.

O problema da preocupação com o após-a-morte não é a busca de respostas — um impulso quase irrefreável de quem se sabe mortal. O que causa espanto é a crença de que temos acesso a qualquer tipo de conhecimento minimamente válido sobre o que o após-a-morte nos reserva, ou sobre a relação (se é que alguma) entre o nosso futuro póstumo e aquilo que fazemos de nosso viver. Pois o fato é que nada podemos saber a respeito — absolutamente nada. Nem as coisas "inesperadas e inconcebíveis" de que fala Heráclito; nem o "nada definitivo", que não haveria por que ser temido, de que nos fala Epicuro ("Enquanto existo, a morte não é; mas, quando estiver morto, nada serei, logo a morte não existirá para mim").[32] Nosso grau de desconhecimento sobre a questão é de tal ordem que não há nenhuma razão válida para *crer* ou *descrer* no que quer que seja, nem mesmo para a crença pseudocientífica de que a morte é o nada definitivo.

O que causa estranheza, de fato, não é a busca de alguma resposta satisfatória, mas a convicção arraigada com que se alimentam e promulgam crenças substantivas a esse respeito, não só entre os adeptos mais exaltados dos credos oficiais como entre aqueles que, com fervor contrário, se lançam à tarefa de "arrancar essa fé pela raiz" (Nietzsche), como que munidos da certeza de que a morte é o fim definitivo de tudo. Se não cabe à esperança fazer o ofício da verdade, o mesmo se aplica à descrença e ao desencanto. Se "convém suspeitar de todas as doutrinas que são favorecidas pelas nossas paixões",[33] o que é salutar, análoga cautela deveria modular a disposição contrária. Uma crença não é falsa por ser confortadora, assim como ela não se torna verdadeira por ser espinhosa. Independentemente das preferências que possamos ter sobre o nosso destino *post-mortem*, o ponto neutro no eixo do acreditar — a suspensão da crença — não se confunde com nenhuma forma de certeza subjetiva amparada no simples desejo de crer ou descrer. O negar pode ser tão dogmático como o afirmar.

Poucos fenômenos revelam com tanta força e clareza os limites de uma abordagem estritamente científica da existência e os riscos de uma fé deslocada no que a ciência pode oferecer quanto o mistério da vida autoconsciente que cessa. A ciência pode dar perfeitamente conta da morte biológica de um ser vivo — um acidente vascular cerebral, um vírus, um tumor. Em qualquer dos casos, nada além de um fato corriqueiro, entre infinitos outros, na mecânica absurdidade do mundo natural a que pertencemos. Mas ela nada nos diz ou pode dizer sobre a morte que mais interessa, ou seja, o mistério e o sentido — se é que algum — de chegar a existir, apegar-se à vida e perecer. Os porquês da ciência elucidam mas não saciam: permitem prolongar a vida e eliminar equívocos, mas estão confinados à superfície causal dos fenômenos. Os porquês que verdadeiramente importam vão além. Eles são éticos e existenciais.

Afirmar que a morte é (ou não) o fim definitivo de tudo é extrapolar o domínio daquilo sobre o que a razão científica pode legitimamente se pronunciar. Nem por isso, é claro, a busca perde o apelo ou deixa de fazer sentido. O que é certo apenas é que, nesse caso, a dúvida encerra mais conhecimento que o falso saber seguro de si. A suspensão da crença, no entanto, nem sempre é um estado aprazível. Daí que o ignorar que ignora a si mesmo — a ignorância de segundo grau — com frequência busque na força da convicção aquilo que a lógica fria e a honestidade intelectual lhe sonegam. "A obstinação e a convicção exagerada", alerta Montaigne, "são a prova mais evidente da estupidez."[34] Onde há fumaça arde a fogueira — o calor da crença trai a falta de luz.

O valor do futuro depende do que se pode esperar dele. Portanto: se você acredita *de fato* em alguma forma de existência *post-mortem* determinada pelo que fizermos em vida, então todo cuidado é pouco: os juros prospectivos são infinitos. O desafio é fazer o melhor de que se é capaz da vida mortal sem pôr em risco as incomensuráveis graças do porvir. Se você acredita, ao contrário, que a morte é o fim definitivo de tudo, então o valor do intervalo finito de duração indefinida da vida tal como a conhecemos aumenta. Ela é tudo o que nos resta, e o único desafio é fazer dela o melhor de que somos capazes. E, finalmente, se você duvida de qualquer conclusão humana sobre o após-a-morte e sua relação com a vida terrena, então você contesta o dogmatismo das crenças estabelecidas, não abdica da busca de um sentido transcendente para o mistério de existir e mantém uma janelinha aberta e bem arejada para o além. O desafio é fazer o melhor de que se é capaz da vida que conhecemos, mas sem descartar nenhuma hipótese, nem sequer a de que ela possa ser, de fato, tudo o que nos é dado para sempre.

O horizonte de tempo relevante para a escolha intertemporal depende da imaginação humana — das expectativas que formamos acerca do amanhã (vida terrena, posteridade e além). Mas não é só. Essas expectativas de futuro, por seu turno, não se formam no vazio. Elas se alteram no decorrer do tempo e são influenciadas por fatores ligados ao ambiente cultural mais amplo e às circunstâncias objetivas em que vivemos. O horizonte de nossas escolhas intertemporais tende a refletir, em larga medida, o horizonte de nossa época. No mundo moderno, marcado pela crescente secularização, pela incorporação das conquistas científicas e tecnológicas e pelo predomínio da motivação econômica na vida social, duas tendências principais parecem afetar as expectativas de futuro dos indivíduos. São elas: (a) o aumento expressivo da esperança de vida ao nascer e (b) a surda e obstinada tentativa de suprimir ou expulsar a morte do nosso campo de atenção consciente.

O que quer que nos aguarde do outro lado da vida (se é que algo inteligível em termos humanos), uma coisa é certa: o animal humano, salvo poucas exceções, claramente deseja prolongar ao máximo sua existência neste mundo. No ambiente ancestral, os idosos eram muitas vezes reverenciados como detentores da memória grupal, mas chegar à velhice era privilégio de poucos. Se a vida seguramente não era tão cruel e amarga como no estado de natureza hobbesiano — "solitária, pobre, imunda, embrutecida e curta" —, ela tendia a ser, de fato, um tanto curta pelos nossos padrões; o desejo de viver mais — muito mais! — era claro e inequívoco. No caso dos índios sul-americanos, por exemplo, a promessa de "imortalidade" aos que se convertessem e se fizessem obedientes foi uma das principais armas utilizadas pelos colonizadores cristãos a fim de cooptar as lideranças tribais para o projeto de catequização e controle social.[35] É provável que um terrível mal-entendido no tocante à natureza da longevidade prometida — os juros da conversão — tenha sido o ardil da operação.

O aumento da esperança de vida ao nascer é sem dúvida uma das mais contundentes e brilhantes conquistas do mundo moderno. Ainda em 1885, é surpreendente notar, de cada 1 milhão de pessoas nascidas no país mais desenvolvido da época (Inglaterra), somente 502 mil alcançavam os 45 anos de idade e 161 mil chegavam à marca dos 75. De lá para cá, o ritmo do progresso é estonteante. Pouco mais de um século depois, o total dos que alcançam os 45 anos de idade é 964 mil, enquanto os que atingem os 75 anos são 613 mil (três em cinco). Esse mesmo padrão se repete agora — e com maior velocidade, apesar da AIDS e outros percalços — em escala planetária.

No mundo, a esperança de vida ao nascer passou de cerca de 53 anos em 1960 para 67 anos hoje em dia. Isso significa que ela aumentou mais em quatro décadas do que nos 4 mil anos precedentes. Quem nasce atualmente vive *em média* catorze anos (5113 dias) a mais do que alguém nascido nos anos 1960 e aproximadamente o dobro do que era comum até o início da revolução industrial do século XVIII. Em 2020, a população de idosos com mais de sessenta anos deverá ser maior do que era a população mundial total em 1820.[36] A velhice se tornou um fenômeno em larga escala, sem precedente na história humana, e não veio só. A expansão do horizonte temporal externo tem o seu reverso — a face menos luminosa da moeda —, que é a contração do horizonte interno. Ao adiamento da morte no eixo objetivo do tempo corresponde a tentativa de extirpá-la do nosso mundo subjetivo.

"Vivemos, de modo incorrigível, distraídos das coisas mais importantes" (Guimarães Rosa). A lembrança da morte — não como conceito intelectual, mas como um sentimento agudo de nossa inexorável extinção pessoal — não é uma experiência aprazível para quem se apega e dá valor à vida entre os vivos. A morte limita nossas possibilidades e põe em sombria perspectiva as preocupações e vãs agitações que preenchem os nossos dias. Ela é um espelho que reflete as "frágeis criaturas efêmeras" que estamos condenados a ser. Daí que a imortalidade seja, em quase todas as religiões, o atributo divino por excelência. A consciência antecipada da finitude e a convivência com a morte dos que nos são queridos sempre trouxeram sofrimento e ansiedade ao ser humano. O que distingue a nossa época, entretanto, é a quase metódica e sistemática recusa em encarar e atribuir a devida atenção a essa realidade e lidar com suas implicações.

No mundo moderno, baseado no domínio da natureza pela técnica e na valorização do cálculo utilitário, a morte e o morrer são realidades profundamente incômodas — grandes bocas descarnadas a escarnecer e tragar indiscriminadamente nossos corpos e sonhos de onipotência. A vida prática se organiza para que nada prejudique a sua máxima eficiência operacional e "tudo funcione como se a morte não existisse". Os moribundos, que um dia foram o elo possível com um misterioso além, "são agora requisitados a sair na ponta dos pés", sem alarde ou rumor.[37] Tudo o que lembre a morte precisa ser isolado e mitigado para que não venha a perturbar a rotina dos vivos. Uma observação lateral de Keynes, ao analisar a psicologia do empreendedor, vai inadvertidamente ao cerne dessa postura. Ao contemplar o risco de uma eventual perda do seu investimento, o empresário de pronto o afasta da mente, "assim como um homem são põe de lado a expectativa da morte".[38] Suprimir da vida mental a mera lembrança — expectativa? — da morte se torna, desse modo, índice e sinônimo de saúde psíquica.

O fato espantoso é que, apesar de toda a pretensa valorização da razão fria e de uma postura de completa objetividade diante das coisas, o ideal moderno é viver sob o mais metódico e fantasioso escapismo. É viver como se a morte *não nos dissesse respeito*. No ambiente moderno, secularizado e tecnicamente aparelhado, a experiência do "morrer antes de morrer" — a elaboração subjetiva e madura da inevitabilidade da própria morte — foi estigmatizada como uma espécie de anomalia ou morbidez a ser banida do campo de atenção consciente. Na caverna *high-tech* do alheamento, sob o bombardeio de estímulos da grande metrópole, a sombra do efêmero ofusca a luz do mistério. A lâmpada elétrica apaga o céu noturno e o entretenimento eletrônico embala a morte-em-vida em que a consciência da morte adormece. O homem moderno cruza velozmente os ares, mas não mira o cosmos. Ele acumula anos adicionais de vida, mas evita pensar na eternidade — terror soberano —, que o apavora. Sendo a morte e sua sombra os principais "defeitos" da vida — todo o resto, supostamente, a técnica e a razão remedeiam —, tudo se passa como se bastasse ignorá-las para que elas também nos ignorassem.

10. Ciclo de vida, longevidade e finitude

O ciclo de vida, a senescência e a morte do organismo são fatos biológicos. O modo de lidar com as diferentes fases da vida, o aumento geral da longevidade e a tentativa de suprimir a consciência da morte são fatos sociais. Com o avanço da ciência e da técnica, a fronteira entre os processos autonômicos da biologia — aquilo que *nos acontece* — e os que estão sujeitos à nossa escolha e vontade conscientes — aquilo que *fazemos* — pode vir a se deslocar. O progresso da genética e da neurociência, em particular, promete expandir o domínio do exequível e incorporar ao reino do que é passível de deliberação processos e disfunções que sempre estiveram fora do nosso controle.

Graças a uma espécie de progéria às avessas, por exemplo, o relógio biológico do soma poderá vir a ser retardado em seu tiquetaquear. Algumas doenças de manifestação tardia no ciclo de vida poderão, em futuro próximo, se render ao avanço de novas terapias genéticas. Chegará o dia, talvez, em que a posteridade sentirá surpresa ao constatar que vivêssemos, como agora, à mercê de forças e contingências tão alheias e contrárias aos nossos desejos. Espanto ainda maior, contudo, ela provavelmente terá ao se dar conta da maneira como, em diversos casos, procurávamos lidar com essa situação, ou melhor, *não lidar* — simplesmente virando-lhe as costas e fingindo que ela não nos dizia respeito.

"O homem se esquece de que é um morto que conversa com mortos."[39] A morte, não obstante, virá — é uma questão de tempo. A reprodução sexuada, como vimos, trouxe consigo a inescapável finitude do soma. Avaliar as causas e implicações da obstinada fuga dessa realidade avassaladora é uma tarefa penosa e arriscada — um terreno escorregadio de conjecturas e palpites onde tudo brota mas nada se firma ou deita raízes. Se o fenômeno da recusa da morte é em si elusivo e difícil de ser empiricamente evidenciado — embora nem por isso, creio, menos real —, interpretá-lo é vagar a esmo em denso breu. Atenho-me, portanto, ao essencial. Dois pontos, ainda que genéricos, parecem plausíveis.

O *primeiro* concerne à origem da recusa: como entendê-la? Viver é bom. O que vive luta por permanecer em vida. A aversão e o terror que a morte inspira podem ser melhor aceitos quando acreditamos de boa-fé que ela não é o fim definitivo de tudo: existe "outro mundo" que confere sentido a estar vivo agora e morrer amanhã. (Os primeiros cristãos, como vimos, mal podiam esperar.) Mas o que acontece quando a crença — e até mesmo a esperança — nesse "outro mundo" após a morte não mais se sustenta no solo do acreditar?

O quadro se complica. Pois não é somente o pós-morrer que perde qualquer sentido. O mais terrível dessa perda é que ela projeta sua sombra retroativa sobre a própria vida. Se a morte não tem mais sentido (ou pelo menos aquele que imaginávamos que tinha), qual pode ser o sentido de estar vivo agora? E o que fica de tudo o que empenhamos, sonhamos e construímos em vida? O sentimento de vazio em relação ao presente, acompanhado de vertigem ante o porvir, é inescapável. Como lidar com ele? A imaginação humana odeia o vácuo. Se crer em algo, o que quer que seja, não é mais possível, a saída mais óbvia é *fugir*. O bálsamo do esquecimento, como uma acolhedora e bem-vinda auto-hipnose que oblitera a raiz do desconforto, constitui a reação espontânea da mente diante da dor. "Isso não é comigo."

O *segundo* ponto trata das implicações dessa postura. "Nem o Sol nem a morte podem ser olhados fixamente", observa La Rochefoucauld.[40] É verdade: alguma coisa difícil de ser identificada e nomeada em nosso aparelho perceptivo e mental resiste surdamente a mirá-los de frente. (A ideia de pensar na própria morte abriga um curioso paradoxo: ela me convida a presenciar como espectador, ou seja, como um ser vivo entre os vivos, o meu total aniquilamento desta vida.) Mas nem por isso, é claro, o Sol e a morte se deixam ignorar pelos vivos. Pois o fato simples é que eles em nada dependem de que se creia ou pense neles para permanecerem soberanos em suas órbitas. Não é porque um condenado à morte é levado ao local da execução com os olhos vendados que a pena capital deixa de existir para ele.

Até que ponto é possível banir *de fato* a consciência da morte, negando a ela qualquer direito de cidadania em nossa vida mental? Não há como saber. O risco é que tentativas demasiado violentas de fazê-lo suscitem reações subterrâneas e compensatórias, assim como a supressão dos impulsos sexuais parece nutrir todo tipo de perversões e fantasias desgovernadas. Se a obsessão pela morte constitui um quadro doentio, o mesmo talvez se possa dizer da pretensão contrária de promover uma completa "depuração" da vida mental de suas marcas e vestígios. Se isso é correto, um primeiro desafio é elucidar o *modus operandi* e os efeitos dessa atitude na psicologia e conduta individuais. Não se pode descartar a hipótese — embora seja difícil detalhá-la e evidenciá-la empiricamente — de que negar a realidade da morte tenha como consequência não o efeito esperado, mas o seu oposto: um recrudescimento de nossa ansiedade perante a finitude da vida e o fomento de ações compulsivas alimentadas por fantasias obscuras de imortalidade.

O que fazer? O rol das negativas é mais claro que o das afirmativas. Virar as costas para o problema e fingir que ele não nos diz respeito não o resolve (talvez o agrave). O ideal moderno de vida — a ambição de ganhar e consumir sempre mais, ao passo que se permanece indefinidamente jovem, esbelto e distraído — não se sustenta. Essa postura empobrece a nossa existência, reduzindo-a a uma espécie de corrida de obstáculos veloz e tecnicamente sofisticada mas rumo a lugar nenhum. Ao mesmo tempo, ela se choca frontalmente com duas realidades incontornáveis — ao menos por bom tempo ainda — da condição humana: a senescência e a finitude.

O aumento da longevidade, em particular, acaba fazendo da pretensão de perpetuar a juventude e obliterar a consciência da morte algo ainda mais precário e insustentável do que normalmente seria. A ilusão de que ser jovem e sentir-se imortal é a condição normal da vida é mais fácil de ser mantida quando a vida tende a ser breve. Quer dizer: quando se está em pleno gozo do vigor juvenil ou do início da maturidade e quando o horizonte normal de vida é relativamente curto, isto é, não mais que os trinta ou quarenta e poucos anos para a imensa maioria, como era o caso no ambiente pré-moderno, embora poucos cressem nisso ao pensar no seu próprio caso. Se a vida termina *antes* que a senescência tenha a chance de atropelar e ferir gravemente nossas fantasias juvenis, isso não tem, é claro, o dom de torná-las menos ilusórias; mas isso significa que elas não caducaram ou perderam seu prazo de validade durante a nossa vida. É a vantagem — ou consolo — de morrer no apogeu.

Situação completamente distinta, contudo, é a que se apresenta no ambiente moderno de alta longevidade e envelhecimento em larga escala. O horizonte temporal agora beira os setenta ou oitenta anos de idade, e isso não só para um ou outro gato-pingado que teve a sorte de não morrer perto do ápice biológico, mas como norma estatística. Nosso corpo, entretanto, é uma relíquia pré-histórica herdada do ambiente ancestral e está adaptado, como vimos, ao horizonte de vida bem mais incerto e restrito que então prevalecia. Isso significa que, por mais saudáveis que sejam nossos hábitos e condições socioambientais, a senescência virá e reinará. Em contraste com o que ocorria no ambiente pré-moderno, seus efeitos e sequelas nos acompanharão, com maior ou menor intensidade, por um bom pedaço da vida. A conta de juros a pagar inerente ao ciclo de vida do animal humano deixou de ser alguma coisa apenas virtual para a maioria.

Paralelamente, *ter sido jovem* altera a nossa percepção do tempo e do ciclo de vida. O amanhã já não parece tão longo quanto foi um dia, a "contagem regressiva" se insinua nos interstícios da mente, e a confiança no porvir esmorece. Diante de tudo isso, a tarefa de afastar a morte e sua sombra do campo de atenção consciente, e procurar por todos os meios manter acesas as ilusões juvenis de invulnerabilidade e vida eterna, passa a ser uma empreitada hercúlea, quando não patética. O ideal moderno de vida agride realidades primárias da condição humana e se revela profundamente incompatível com a própria longevidade que ele estimula e tornou viável. O fato simples é que, se o critério de sucesso (ou o sentido) de nossa existência for definido segundo esse ideal, então a vida humana nunca poderá ser mais que uma batalha vã, perdida antes mesmo do seu início. E só o que restaria a fazer, no espichado outono de uma prolixa longevidade, em meio a *flashbacks*, passeios turísticos e arroubos nostálgicos, seria juntar nossa voz ao lamento de Hölderlin:

Ó Juventude, que eu conheci tão diferente!
Não há orações que outra vez te tragam, nunca mais!
Não há caminho que me leve atrás? [41]

A juventude não retorna, e a velhice será longa. Aceitar isso não é resignar-se a uma existência acomodada em condição indolor de conforto — "casado, fútil, quotidiano e tributável". É buscar uma relação menos desequilibrada e mais afinada com o arco da vida tal como nos é dado vivê-lo no ambiente moderno. Mesmo que fosse em tese desejável, a equação moderna do ciclo de vida não fecha: há um descasamento insanável — talvez insano — entre alta longevidade, fantasias juvenis que sobrevivem longamente à própria juventude e negação da finitude. A velhice, em suma, precisa ser reinventada. Mas, para que isso aconteça, será preciso que as etapas anteriores da vida sejam também repensadas.

Um fato em particular — o aumento expressivo da esperança de vida ao nascer — cobra atenção e cuidados especiais. Tanto para o indivíduo como coletivamente, as implicações da diferença entre viver quarenta e viver oitenta anos em média são profundas e difíceis de ser avaliadas na totalidade de suas ramificações. O que parece claro, porém, é que viver por mais tempo demanda uma preparação adequada a essa realidade — um repensar de valores e formas de vida e um conjunto de providências práticas que dizem respeito à maturidade e à velhice mas deveriam se fazer presentes desde as etapas formativas da infância e juventude.

Quando a jornada é longa e o tempo no caminho sujeito a fortes mudanças, cuidados adicionais se fazem necessários. Se existe uma educação para o sexo, por que não pensar em algo semelhante para a morte — uma educação visando aprimorar nossa capacidade de elaborar e assimilar esse destino que, afinal, é comum a todos? Analogamente: se há toda uma preocupação, legítima, em equipar os jovens para ingressar no mundo do trabalho e vencer no mercado profissional, por que não prepará-los para a arte de bem envelhecer?

A supervalorização da condição jovem encurta a infância e faz da vida uma emboscada em que nos surpreende a senescência. O crepúsculo não é a razão de ser do dia que passa, mas pode se revelar o seu coroamento. O que disse Goethe sobre a sua velhice — "O que desejamos na mocidade, temos em abundância na velhice"[42] — deveria se tornar cada vez mais, como o aumento da longevidade, uma experiência compartilhada de vida.

O ponto central é que a maior longevidade precisa vir acompanhada de uma ampliação compatível no horizonte de tempo relevante para as nossas escolhas intertemporais. Uma vida mais longa cobra maior atenção às necessidades *materiais* e *espirituais* de cada etapa do percurso. Ela confere redobrada importância à esfera das escolhas intertemporais e ela aumenta o potencial de conflito entre os nossos interesses de curto e longo prazo, isto é, entre o ótimo local (aqui-e--agora) e o ótimo global (o arco da vida como um todo).

Como será examinado e discutido nos próximos capítulos, o exercício da escolha intertemporal — a faculdade de agir no presente tendo em vista o futuro — é uma arte sutil e ardilosa, repleta de surpresas e armadilhas. Os termos de troca entre presente e futuro são com frequência enganadores: juros que parecem módicos *ex ante* podem se revelar extorsivos *ex post* (ou vice-versa). A exploração *intrapessoal* no ciclo de vida pode ser tão real e nociva para um indivíduo quanto as piores formas de exploração *interpessoal*. A vida desde o início, com suas apostas, esperanças e sonhos, pode se revelar estranhamente alheia aos olhos da vida desde o fim.

TERCEIRA PARTE
Anomalias intertemporais

11. A textura do presente — uma digressão

O passado e o futuro são abstrações: construções mentais que povoam a memória e a expectativa humanas. O presente é a fronteira móvel entre eles — o intervalo que separa *o que foi* e *o que será* no fluxo de nossa experiência. Do presente podemos dizer, portanto, que ele é o nome da morada de tudo *o que é*. Nem o antes nem o depois, mas o durante incessantemente renovado. Assim como o próximo e o distante só se definem a partir de um ponto no espaço, o passado e o futuro só podem ser concebidos a partir de um ponto no tempo. Esse ponto é o presente: o eterno *aqui-e-agora* em que transitamos pela vida e a partir do qual tão somente nos é dado manter contato com o mundo.

Embora menos abstrata e mais colada à experiência comum, a noção de presente traz também sua dose de abstração. Do que é feito o aqui-e-agora em tempo real? Qual a textura dessa divisa deslizante entre passado e futuro a que chamamos "presente"? Nem tudo é o que parece. Considere, de início, o universo dos sentidos — tudo aquilo que o nosso aparelho perceptivo capta, processa e revela sobre a realidade que nos cerca. O que poderia, à primeira vista, ser mais real — concreto e imediato — que isso? As certezas sensíveis dão cor e concretude ao presente vivido. Na verdade, porém, como será examinado a seguir, o que nos parece concreto e imediato abriga um mundo secreto de abstrações. O presente vivido é fruto de uma sofisticada mediação. O real tem um quê de ilusório e virtual.

Os órgãos sensoriais que nos ligam ao mundo são altamente seletivos naquilo que acolhem e transmitem ao cérebro. O olho humano, por exemplo, não é capaz de captar todo o espectro de energia eletromagnética existente — a totalidade do que seria em tese passível de ser visto —, mas opera dentro dos limites de uma pequena faixa intermediária chamada "espectro visível". Os segmentos que extrapolam essa faixa — cerca de 98% do total — são ignorados e não encontram aceite em nosso aparelho visual. A esse universo pertencem, entre outros, os raios ultravioleta: situados fora do espectro visível do olho humano, eles são, no entanto, captados pelas abelhas, para cuja sobrevivência são cruciais. Graças ao uso de lentes que refratam as ondas eletromagnéticas emitidas pelo calor, é possível divisar com clareza o movimento de corpos e veículos em meio ao breu da noite. A distinção familiar entre calor e luz — assim como entre massa e energia, segundo a fórmula de Einstein — não é parte da realidade objetiva. Ela é fruto da constituição dos nossos sentidos.

Seletividade análoga preside a operação dos demais sentidos. O ouvido humano é capaz de detectar vibrações sonoras entre vinte e 20 mil ciclos por segundo — o "espectro audível". Todos os sons que circulam aquém ou além desses dois limites, como as ondas hertzianas que animam os aparelhos de rádio e o som dos apitos que apenas cães e alguns poucos animais conseguem escutar, escapam da teia do nosso equipamento auditivo. O mesmo vale para o paladar, olfato e tato: cada um atua dentro de sua respectiva faixa de registro, ainda que o grau de sensibilidade dos indivíduos varie, na margem, de acordo com idade, herança genética, treino e educação. Há mais coisas entre o céu e a Terra do que nossos cinco sentidos — e todos os aparelhos científicos que lhes prestam serviços — são capazes de detectar. "Dos cem prismas de uma joia, quantos há que não presumo." O aqui-e-agora da certeza sensível reflete a configuração e a seletividade peculiares dos nossos órgãos sensoriais.[1]

Aquilo de que o nosso aparelho perceptivo nos faz cientes não passa, portanto, de uma fração diminuta do que há. O mundo dos sentidos que dá textura ao presente não é mais que um pequeno arquipélago no insondável mar aberto do perceptível. A seletividade dos órgãos sensoriais do animal humano resulta de um processo evolutivo e tem sua razão de ser. As informações sensíveis a que temos acesso, embora restritas, não comprometeram nossa sobrevivência no laboratório da vida. Longe disso. Os imensos benefícios práticos dessa filtragem espontânea podem ser avaliados por meio de uma conjectura sobre os efeitos prováveis de sua ausência.

Suponha que uma mutação genética reduza drasticamente a seletividade natural dos nossos sentidos. O que aconteceria se tivéssemos de passar a lidar subitamente com toda uma gama extra e uma carga torrencial de percepções sensoriais (visuais, auditivas, táteis etc.) com as quais não estamos habituados? O ganho de sensibilidade seria patente. O oculto irromperia do exílio da invisibilidade; os sons do silêncio rasgariam a mordaça; os odores furtivos emergiriam da clandestinidade. A teia das inter-relações entre os fenômenos mais distantes e *prima facie* desconexos ganharia uma assombrosa densidade. "Se as portas da percepção se depurassem", sugeria William Blake, "tudo se revelaria ao homem tal qual é, infinito."[2] Mas seria apenas isso? O que poderia resultar de um franqueamento radical dos sentidos?

O grande problema é saber se estaríamos aptos a assimilar o formidável acréscimo de informação sensível que isso acarretaria e fazer dele um uso apropriado. O ponto crucial é que existe uma adequação profunda entre a constituição do nosso aparelho perceptivo, de um lado, e nossa capacidade de processamento e utilização de impressões sensoriais, de outro. Ao ganho de sensibilidade corresponderia um custo: a ruptura de uma importante e finamente ajustada harmonia estrutural.

O mais provável é que essa súbita mutação — a desobstrução das portas e órgãos da percepção — produzisse não a revelação mística imaginada por Blake, mas um terrível engarrafamento cerebral: uma sobrecarga de informações acompanhada de um estado de aguda confusão e perplexidade do qual apenas lentamente conseguiríamos nos recuperar. Imagine o que significaria, para dar um só exemplo, ter de processar mentalmente todas as ondas sonoras (celulares, rádios, TVs etc.) que cruzam inauditas o nosso caminho. Em breve surgiriam aparelhos protetores — uma nova família de filtros e viseiras sensoriais — visando restaurar a harmonia perdida. É a brutal seletividade dos nossos sentidos que nos protege da infinita complexidade do Universo. Se o muro desaba, o caos impera. A função protetora dos órgãos sensoriais é pelo menos tão importante quanto a receptora. A ordem que percebemos no mundo — e que nos permite agir com razoável eficácia no tempo — é devida em larga medida à estreiteza de nossa experiência sensível. Dela depende a arte da escolha intertemporal.

A realidade percebida pelos sentidos é uma fração da realidade perceptível. Mas isso não é tudo. Se a experiência do *aqui* é restrita, a sensação do *agora* tem também um quê de ilusória. A correnteza ligeira do tempo nos dá a impressão de que estamos em contato com o mundo em tempo real, ou seja, de forma imediata e no exato instante em que as coisas acontecem. A rigor, contudo, isso jamais é o caso. A sensação de instantaneidade das nossas certezas sensíveis não passa, no fundo, de uma construção dos sentidos — uma ilusão simplificadora. Pois o fato é que existe sempre uma defasagem de tempo, com duração variável mas valor necessariamente positivo, separando *o que é*, de um lado, e *aquilo de que chegamos a nos dar conta*, de outro. Se o instantâneo absoluto de qualquer fenômeno do mundo sensível existe, nós jamais travaremos contato direto e imediato com ele. O presente nomeia o inacessível. Há um sentido preciso — ainda que pouco relevante na vida comum — em que o agora vivido é inescapavelmente passado.

A distância no espaço põe em relevo a defasagem no tempo. Assim como a morte, aponta La Rochefoucauld (p. 79), o Sol não pode ser olhado diretamente. Mas há outro sentido — ainda mais literal — em que essa proposição é verdadeira. A luz do Sol que os objetos refletem e que podemos ver todos os dias leva cerca de oito minutos e dezoito segundos para atingir a superfície da Terra. Quer dizer: se tentarmos mirar "o grande astro que ninguém ousa encarar" usando um filtro para proteger a retina, o que veremos é um astro anterior ao agora existente, ou seja, o Sol tal como ele era cerca de oito minutos atrás. O mesmo vale, é claro, para a luminosidade e o calor que a energia solar espalha pelo planeta. Maior a distância, maior o hiato: o brilho da segunda estrela mais próxima de nós demora algo em torno de quatro anos e quatro meses para se tornar visível aos nossos olhos. Daí que a visão do céu estrelado nos põe em contato não com o cosmos como ele é agora, mas com eventos transcorridos há milhares e milhões de anos.

> ## A TERRA VISTA DO ESPAÇO-TEMPO
>
> Uma implicação curiosa disso é pensar na Terra vista do espaço. Assim como as luzes de uma estrela morta permanecem brilhantes e visíveis no céu por muito tempo, podemos imaginar a luz refletida da Terra captada por um telescópio situado em algum ponto do Universo. O fato surpreendente é que, dependendo da posição exata e da acuidade desse telescópio, seria possível presenciar de novo qualquer evento já ocorrido na superfície de nosso planeta. O primeiro dia da Terra; a colisão do meteoro que deflagrou a era glacial; o terremoto de Lisboa; a queda do Muro de Berlim; um beijo inesquecível à beira-mar — todos esses acontecimentos podem em tese ser visualizados "ao vivo" por um observador devidamente situado e aparelhado, assim como podemos ver da Terra eventos celestes que ocorreram milênios atrás. Por estranho que pareça, tudo o que aconteceu alguma vez sob o Sol está acontecendo ainda (ou prestes a acontecer) em algum ponto do Universo. Isso não quer dizer, é claro, que os fatos estejam a se repetir, como num "eterno retorno" nietzschiano. O rio de Heráclito segue o seu curso, sem abrir concessões. Isso significa apenas que aquilo a que chamamos "presente" — e que nos é dado "presenciar" — depende do lugar que ocupamos no espaço.[3]

Tempo e espaço são interdependentes. Se o Sol pestanejasse neste exato instante, nós demoraríamos mais de oito minutos para perceber isso. A megadistância estelar, no entanto, apenas magnifica e confere proporções salientes a uma realidade que, em menor escala, permeia toda a nossa experiência do mundo sensível.

Entre a ocorrência de um evento no mundo físico e nossa percepção consciente dele existe um intervalo — ou "tempo de reação" — que envolve pelo menos três etapas distintas: (1) a transmissão do sinal externo (visual, auditivo etc.) até o órgão pertinente; (2) a detecção e transferência dos impulsos nervosos que ele gera para o cérebro, e por fim (3) o processamento e a decodificação desses impulsos até a formação de uma imagem ou representação mental consciente — a sensação de estarmos vendo ou sentindo alguma coisa. E mais: se esse sinal externo cobrar algum tipo de resposta motora, como por exemplo correr, pular ou morder, podemos adicionar mais dois períodos ao tempo de reação: (4) a identificação e interpretação do estímulo recebido, e (5) a ação propriamente dita, por meio da ativação do sistema muscular adequado.[4]

Nas condições normais da vida, é evidente, o tempo de reação não passa de uma magnitude desprezível, em geral milésimos de segundo, e que pode ser desconsiderada sem prejuízo. É isso que sustenta a ilusão de instantaneidade da nossa experiência pré-reflexiva do presente e confere verossimilhança a essa ilusão. A realidade, porém, é mais sutil. O tempo é ínfimo, mas real e mensurável. A psicofísica da detecção de sinais nos condena a "viver no passado" — o assim chamado "presente" não passa, no melhor dos casos, de um limite que os nossos sentidos perseguem e tangenciam assintoticamente, sem jamais alcançar de fato. Defasagem perpétua.

O presente dos sentidos é o passado do mundo sensível. Do ponto de vista prático, a implicação relevante desse fato é a resposta que ele suscitou nos seres vivos. Se o tempo de reação nos prende irremediavelmente ao passado, o fluxo de informações sensíveis e a experiência acumulada no laboratório da vida fornecem a matéria-prima para transpormos, em certo sentido, as grades desse confinamento. Assim como outras espécies animais, os homens aprenderam a superar a defasagem temporal diante do que vai pelo mundo externo desenvolvendo as faculdades indutivas: a capacidade de inferir, prever e agir antecipadamente em relação ao que acontecerá em seguida. O imperativo de lidar com a *falta* de tempo de reação num vasto leque de situações da vida comum — as ameaças, oportunidades e emergências que cobram pronta resposta — estimulou nos seres vivos a capacidade de simular o futuro e adquirir certas aptidões. Um exemplo simples ajuda a elucidar o ponto.

Imagine um goleiro prestes a defender um pênalti. Se o tempo de execução da cobrança fosse em câmera lenta, ele poderia esperar o chute e observar a velocidade, altura e direção da bola *antes* de escolher a melhor forma de apanhá-la. Na prática, é óbvio, nada disso é factível — agir assim apenas tornaria o gol ainda mais provável. O lance ocorre num piscar de olhos e não há tempo hábil para qualquer tipo de resposta corporal pautada e calibrada pela observação do trajeto efetivo da bola. O que fazer? A solução é agir com base num modelo pré-simulado de cobrança. Em vez de esperar para só reagir à luz do chute, o que seria fatal, antecipar-se mental e fisicamente a ele. Ou seja: fixar com atenção a bola, escolher de antemão um lado da meta para saltar e, na hora H, fazer uma espécie de mímica de defesa de um pênalti imaginado. Trata-se, em suma, de tentar driblar a falta de tempo de reação diante do chute efetivo fazendo uma *aposta* num modelo prefigurado de cobrança, o que não exclui, é claro, ajustes e improvisos no calor do instante. Um bom goleiro é aquele que *aposta bem*, isto é, acerta com mais frequência o trajeto futuro da bola.

O exemplo do pênalti não é um caso isolado. Ele ilustra um padrão de ação temporal que é recorrente não apenas no mundo dos esportes ultrarrápidos (tênis, boxe, pingue-pongue etc.) e da performance artística de um virtuose (pense num ágil *pas de deux* ou num movimento *prestissimo* de um quarteto de cordas), mas também nas diversas situações da vida prática que demandam e pressupõem a destreza de agir no presente com base em prefigurações e microantecipações do futuro quase imediato (operação de máquinas complexas, linhas de montagem, condução de veículos etc.). Treino, destreza e concentração são o nome do jogo. Variações mínimas no tempo de reação fazem às vezes toda a diferença. Um átimo de cochilo ou distração pode se revelar fatal.

O fato é que toda inferência de base indutiva se vale da crença na uniformidade da relação entre atos e consequências e contém um elemento de previsão e expectativa sobre o futuro à luz da experiência passada. A primeira vez que uma criança encosta a mão no fogo ou corta o dedo com uma lâmina, ela só reage *depois* que a sensação de dor eletrifica o seu sistema nervoso e se torna um estado mental consciente. A partir daí, no entanto, ela começa a aprender por si que não há um segundo a perder. Treinada pela experiência da dor em situações análogas, a criança passa a reagir por antecipação, ou seja, afastando a mão do perigo *antes* que a sensação de dor precise aflorar à consciência e disparar o sinal de perigo.[5] A prática da presciência compensa. A arte de prefigurar o futuro quase imediato, antecipar-se ao que está prestes a acontecer e agir prontamente com base nisso é parte do repertório comportamental de qualquer ser vivo que deseja preservar a vida e bem viver.

12. Agir no presente tendo em vista o futuro

"Somente por meio do tempo o tempo é vencido" (T. S. Eliot).[6] O passado e o futuro dialogam e se relacionam por meio de nossas ações. O goleiro se posiciona para defender um pênalti; uma jovem hesita entre estudar e ir ao cinema; um casal decide ter filhos; o *board* de uma empresa pondera a conveniência de um empréstimo para expandir a fábrica; um professor pleiteia uma licença para escrever um livro; uma mulher saudável marca um *check-up*; um adulto de meia-idade resolve que é hora de começar a poupar e planejar a velhice — os desafios e dilemas da arte de agir no presente tendo em vista o futuro não só ocupam uma fatia importante do nosso dia a dia, como tendem a permear boa parte dos nossos sonhos e momentos de insônia.

A escolha intertemporal é uma via de mão dupla: antecipar ou retardar? Importar valores do futuro para desfrute imediato (posição devedora) ou remeter valores do presente para desfrute futuro (posição credora)? Se as escolhas do presente determinam em larga medida o nosso futuro, o futuro sonhado determina, ao menos em parte, as escolhas que fazemos no presente.

Agir no presente tendo em vista o futuro: o que isso pressupõe? De um ponto de vista lógico, a operação de lidar com o amanhã por meio de ações realizadas no presente pode ser decomposta em *três* elementos básicos. O primeiro é a *antevisão*: o futuro imaginado. A pergunta aqui é: o que se espera alcançar? O segundo é a *estratégia*: a identificação de um caminho que leve ao futuro imaginado. A pergunta é: como chegar lá? E o terceiro é a *implementação*: o enquadramento da conduta para que ela reflita a estratégia definida e conduza de fato ao fim almejado. A pergunta é: o caminho está sendo consistentemente trilhado? As anomalias intertemporais são provocadas pela interferência de fatores, como por exemplo distorções de percepção, erros de estratégia ou inconsistências dinâmicas de implementação, que afetam algum desses componentes isoladamente ou uma combinação deles.

Essa divisão tripartite da ação intertemporal, vale frisar, não tem propósito descritivo. O que se busca, antes, é decompor os passos lógicos envolvidos na ação intertemporal. A proposição central aqui é de que *toda* ação intertemporal, não importa quão calculada ou impulsiva, traz em si uma combinação — nem sempre harmoniosa ou consistente — desses três elementos, e que isso independe do fato de estarmos mais ou menos cientes disso ao realizar tal ação.

O objetivo deste capítulo é examinar o processo de formação de crenças sobre o futuro em diferentes esferas da vida prática e apontar algumas das principais ilusões de ótica (antevisão) e armadilhas (estratégia e implementação) que costumam aparecer no caminho da ação intertemporal consequente. Nos capítulos 13 e 14 discutiremos a ocorrência de duas anomalias intertemporais — miopia e hipermetropia — normalmente associadas a termos de troca (juros) abusivos na relação entre presente e futuro.

Do átimo à eternidade, o futuro é o tempo que nos resta. A competência para agir no presente tendo em vista o futuro não nasce pronta no animal humano e não se distribui de maneira uniforme entre os indivíduos. Diferentes formas de organização social (como veremos na quarta parte) implicam formas marcadamente distintas de lidar com o amanhã. A formação de um primata inteligente — capaz de abstrair o momento, fazer escolhas de longo alcance e agir com eficácia no tempo — é obra de um lento e custoso processo de educação e preparação: o trabalho anônimo e contínuo de sucessivas gerações de seres humanos sobre si mesmas. Na trajetória de cada indivíduo, como vimos (pp. 56-62), a faculdade de antever o futuro e o autocontrole necessário para agir no tempo dependem de um equipamento cerebral e mental que se constitui nas etapas formativas do ciclo de vida. Os resultados obtidos em testes de gratificação postergada revelam que é por volta do início da puberdade que a capacidade de espera do animal humano se encontra enfim pronta e apta a ser usada.

A disposição de usar essa faculdade, entretanto, varia de forma significativa entre os indivíduos. Como explicar essas diferenças? Não existe resposta simples. A formação de preferências temporais em distintos campos da vida prática — saúde, educação, carreira profissional, finanças, relações afetivas, previdência, práticas religiosas — é um assunto de extraordinária complexidade e que deverá continuar desafiando a engenhosidade humana por muito tempo ainda. Parte do problema decorre do fato de que tais preferências, como é fácil observar diretamente, variam não apenas *entre* indivíduos, mas *dentro* de cada um de nós em diferentes esferas de atenção e preocupação pessoal.

Como não é difícil verificar, um mesmo indivíduo é capaz de lidar de maneira muito distinta com diferentes aspectos do seu futuro. Cuidar com enorme zelo, por exemplo, das finanças pessoais e aposentadoria, mas nem tanto assim, para dizer o mínimo, da própria saúde e alimentação (ou vice-versa). Ou, ainda, investir pesadamente na construção de uma sólida carreira profissional, sacrificando em nome disso parte da juventude e uma infinidade de prazeres mundanos, mas pôr tudo a perder — ou em grande perigo — por conta de um súbito, imperioso e quase inexplicável desvario (esportes radicais, abuso de drogas, acessos de fúria, adultério etc.). "Na curva perigosa dos cinquenta derrapei neste amor." É o transtorno eternamente reciclado e renovado, porque fiel à vida, dos enredos de "atração fatal":

> *A vizinha quando passa*
> *Com seu vestido grená* [...]
> *Ela mexe com as cadeiras pra cá*
> *Ela mexe com as cadeiras pra lá*
> *Ela mexe com o juízo*
> *Do homem que vai trabalhar*
> *Há um bocado de gente*
> *Na mesma situação*[7]

O que os versos da canção testemunham a pesquisa científica atesta: a visão de uma bela mulher (mesmo em foto) perturba a capacidade dos homens de antever e avaliar o futuro. A observação detalhada da atividade cerebral em tempo real, graças a novas técnicas de visualização como a ressonância magnética funcional, vem permitindo abrir a "caixa-preta" da escolha intertemporal.[8] O cérebro humano é formado por circuitos modulares que não estão perfeitamente integrados. A perspectiva concreta de gratificação imediata de certos desejos ativa uma região do cérebro — o sistema límbico — que demanda pronta satisfação, sem se importar com o amanhã. Mas a impaciência de curto prazo não é tudo. O primata impulsivo que nos agita em segredo tem um adversário à altura: o córtex pré-frontal, que pondera os prós e os contras de diferentes escolhas e não se deixa levar com facilidade pela sedução do momento. Se a atração pelo prazer do momento, instigada pelo sistema límbico, ata-nos ao presente, os cuidados com o amanhã imaginado, fomentados pelo córtex pré-frontal, elevam-nos ao futuro.

No sempre renovado embate entre a impulsividade da cigarra límbica e o calculismo prudente da formiga pré-frontal, o resultado não está dado de antemão. Enquanto uma se agarra ao momento fugaz e deixa que o amanhã cuide de si ("no caminho da oficina há um bar em cada esquina"), a outra procura uma posição neutra em relação ao que está ao alcance dos sentidos e avalia os *trade-offs* entre recompensas abstratas, inclusive aquelas que se espera obter e desfrutar em prazos mais longos (como a manutenção do emprego, o salário no fim do mês e o sucesso profissional). Uma classe importante de anomalias intertemporais resulta do fato de que, como a experiência comum sugere e as evidências empíricas reforçam, as negociações e barganhas entre esses dois circuitos neurais em grande medida independentes e rivais entre si costumam gerar tréguas escorregadias, ou seja, equilíbrios instáveis e sujeitos a súbitas reviravoltas causadas por golpes vindos de ambos os lados.

Isso ajuda a compreender por que nossa propensão a descontar o futuro — os juros que aceitamos incorrer ao elegermos determinadas trocas intertemporais — oscila não apenas *ao longo* do ciclo de vida (como foi visto nos capítulos 7 e 8), mas *entre* diferentes esferas da nossa existência e de acordo com a maior ou menor proximidade daquilo que nos tenta ou seduz. "Não é coisa fácil conduzir-se como um só homem", pois, como intuía Montaigne no século XVI — e a mais recente pesquisa em neuroeconomia corrobora —, "somos todos constituídos de peças e pedaços juntados de maneira casual e diversa, e cada peça funciona de maneira independente das demais; daí ser tão grande a diferença entre nós e nós mesmos quanto entre nós e outrem".[9] Se as delícias que a cigarra límbica celebra e pleiteia, sem se importar com os juros incorridos, parecem exorbitantemente caras aos olhos da formiga pré-frontal, a preocupação desta com o amanhã — sacrificando os prazeres do dia em prol dos juros a receber — pode parecer não menos extravagante: "A prudência é uma solteirona velha e rica, cortejada pela incapacidade". A questão é saber quem dará a última palavra sobre o quê — e até quando.

Nossas preferências temporais não refletem os ditames de uma racionalidade neutra, capaz de antecipar e retardar valores sempre com a máxima eficiência, mas resultam de uma interação complexa entre constituição genética, ciclo de vida e fatores ambientais. Se alguns traços pessoais, como por exemplo uma maior suscetibilidade à dependência química de álcool ou drogas, parecem resultar de fatores eminentemente genéticos, outras condutas e fatos relevantes, como a decisão de experimentar determinadas substâncias e o acesso a elas, são claramente influenciados pelo meio. O equipamento ou infraestrutura cerebral que nos habilita ao exercício da escolha intertemporal é um legado genético da espécie; a modulação e a programação do seu uso em diferentes fases e esferas da vida dependem de fatores socioambientais. As fronteiras exatas, o condicionamento recíproco e o peso relativo dessas variáveis na determinação das ações observadas são ainda em grande medida *terra incognita*. Alguns estudos empíricos, no entanto, oferecem pistas e indicações sugestivas.

Voltemos por um momento ao teste de gratificação postergada descrito no capítulo 7 (p. 57 acima). Como se forma a capacidade de espera de crianças em idade pré-escolar? Por que algumas revelam maior paciência que outras? Um experimento realizado com crianças da ilha de Trinidad, nas Antilhas, trouxe à baila um padrão intrigante. Instadas a optar entre uma quantidade *menor* de um doce obtido imediatamente e uma quantidade *maior* desse mesmo doce, mas sujeita a uma pequena espera, as crianças de ascendência asiática preferiram majoritariamente a segunda opção ("mais depois"), ao passo que as de origem étnica africana optaram na maioria pela primeira ("menos antes").

Ocorre, porém, que a diferença de comportamento entre os dois grupos desapareceu por completo ao se controlar estatisticamente o efeito de uma única variável: *a ausência do pai no domicílio*. Ou seja: as crianças privadas do convívio diário com a figura paterna, não importando a sua origem étnica, revelaram maior propensão a agarrar o momento e descontar o futuro. O ambiente familiar, portanto, mais do que qualquer suposto fator genético, explicaria a maior dificuldade dessas crianças na arte de esperar ou abrir mão de algo agora tendo em vista a obtenção de um ganho adicional (juros) mais à frente.[10]

Esse resultado sugere que a formação de preferências temporais está fortemente ligada à estrutura do núcleo familiar e ao padrão de convívio na infância e juventude. Mas, se isso é verdade, então as consequências vão muito além da redoma da experimentação controlada. É provável que esse mesmo fator — o investimento dos pais na construção de uma "musculatura intertemporal" dos filhos pelo exercício da arte da espera no ambiente familiar — explique em boa medida o excepcional desempenho escolar e acadêmico das crianças e jovens de ascendência asiática nos mais diversos contextos pedagógicos e culturais. Por outro lado, é plausível supor também que o progressivo enfraquecimento dos vínculos familiares, fruto do interesse legítimo dos adultos em investir cada vez mais na sua felicidade pessoal (trabalho, carreira e vida amorosa), esteja sacrificando, em muitos casos, o interesse igualmente legítimo dos filhos em receber um investimento adequado por parte dos pais.[11] O custo desse déficit de atenção e empenho paternos seria uma atrofia da capacidade de espera. Conflito de gerações. "Os pequenos sofrem com a tolice dos grandes" (La Fontaine).

A antevisão do futuro, como um polo magnético, exerce uma ação à distância sobre o presente. Entre as apostas de longo alcance de uma vida, a escolha de uma profissão é com frequência das mais difíceis. Como observa Montaigne, "ninguém determina do princípio ao fim o caminho que pretende seguir na vida; só nos decidimos por trechos, na medida em que vamos avançando".[12] É verdade. Mas a escolha de uma profissão não é uma decisão comum, confinada a um trecho apenas do percurso. Ela nos incita a pensar no arco completo de nossa vida — "Como eu me imagino vinte ou trinta anos à frente?" — e ela pertence à seleta classe das decisões que podem iluminar ou ensombrecer — "fiz de mim o que não soube, e o que podia fazer de mim não o fiz" — bons pedaços do caminho. Correções de rota e recomeços radicais, é certo, são sempre ações possíveis, mas o custo pode ser elevado ou estar além do que se pode pagar.

Parte do problema é a idade em que essa escolha normalmente precisa ser feita. A psicologia temporal dos jovens, como vimos (pp. 60-1), tende a reunir traços pouco favoráveis à realização de ações no presente tendo em vista uma perspectiva sóbria e devidamente integrada de futuro. Por razões até certo ponto compreensíveis, a psicologia do jovem combina impulsividade e otimismo — uma generosa capacidade de investir em sonhos de realização pessoal com uma não menos pronunciada dificuldade de antever com realismo as consequências prováveis das escolhas feitas. E tem mais. O jovem é o foco natural de ansiedade daqueles que o criaram e torcem (ou rezam) por sua felicidade. Ele se sente, portanto, até certo ponto compelido a não desapontar, isto é, a corresponder de alguma maneira às expectativas — reveladas, secretas ou mal disfarçadas — dos pais ou adultos relevantes. Considere os seguintes exemplos:

A ESCOLHA DE UMA PROFISSÃO:
RENÉ, CHARLES E KARL

A ambição de René, um jovem francês provinciano, era seguir uma carreira militar e tornar-se oficial no prestigioso exército comandado por Maurício de Nassau. Findo o curso no colégio jesuíta de La Flèche, ele estudou esgrima e equitação antes de alistar-se, aos 22 anos. Acontece, porém, que ele era fisicamente tíbio e tinha enorme dificuldade em acordar cedo. O fracasso veio a galope. O pai de René, desapontado, chegou a recriminar o filho caçula, acusando-o de "não servir para nada exceto para ser encadernado em couro de novilho". Frustrado na vida de ação e aventura que pretendera levar, René recolheu-se a um pequeno cômodo em Utrecht, na Holanda, armou-se da dúvida hiperbólica e pôs-se "a conversar consigo mesmo sobre os seus pensamentos". *Cogito, ergo sum*. Desse passo em falso nasceu Descartes.[13]

O jovem Charles não sabia o que fazer na vida. Por falta de opção, acabou cedendo à pressão do pai, que era médico, e matriculou-se no curso de medicina em Edimburgo. Não funcionou. Largou a faculdade sem obter o diploma e seguiu para a Universidade de Cambridge, onde pretendia preparar-se para uma carreira no clero da Igreja Anglicana. Seu desempenho acadêmico, porém, foi medíocre. Pior: a meio caminho do curso, perdeu a fé. Formado e sem rumo, Charles decidiu aceitar um posto de naturalista a bordo de um navio que passaria cinco anos navegando pelos mares do Atlântico Sul. O pai, contudo, era ferozmente contra a aventura — "ocupação inútil", chegou a declarar —, e foi apenas graças ao apoio providencial de um tio que ele conseguiu viajar. O espetáculo da natureza sul-americana deu-lhe o que pensar. Assim Darwin se fez.[14]

O exilado Karl já não era tão jovem. Aos 44 anos, nunca havia tido um emprego regular nem sustentado a família (mulher e seis filhos) com o suor de seu rosto. Pressionado pelos amigos e parentes cansados de atender a seus apelos por mais dinheiro — "Você deveria é acumular algum capital em vez de só escrever sobre ele", recomendou a mãe —, Karl por fim aceitou a ideia de procurar emprego e candidatou-se a um posto administrativo numa companhia ferroviária britânica. O curioso é que ele, embora doutor em filosofia pela Universidade de Bonn, não foi admitido no cargo, sob a alegação de que sua caligrafia era indecifrável. Os amigos e parentes estranharam aquele inesperado revés no concurso, porém não cortaram a mesada. O mundo perdeu um burocrata, mas ganhou (cinco anos mais tarde) *Das Kapital*.[15]

A vida dá estranhas voltas. Os valores nominais dos exemplos poderiam ser outros: personagens diversos, outros campos de atuação. Mas algumas lições são comuns. Cada um a seu modo, esses três pensadores *não se renderam*. Continuaram pela vida madura, não obstante os apertos, tropeços e incertezas do caminho, o sonho truncado — e quase arruinado — da vida moça. E a aposta vingou. É fácil, em retrospecto, perceber o equívoco dos pais ao tentar traçar o destino dos filhos ou simplesmente protegê-los das ilusões e apostas temerárias da mocidade — imagine o sargento Descartes, o vigário Darwin e o escriturário Marx. A realidade, contudo, talvez não seja tão simples. Suponha, para efeito de contraste, um raciocínio contrafactual. Qual teria sido a trajetória profissional de René, Charles ou Karl caso seus pais (ou adultos relevantes) tivessem permanecido indiferentes em relação às escolhas e ao futuro dos filhos? Ou, ainda, caso tivessem sido permissivos e dispostos a bancar afetiva e financeiramente qualquer opção, por mais caprichosa, que borboleteasse em suas mentes febris?

O ponto é que a pressão e o peso das expectativas paternas e/ou maternas, ainda que equivocadas, podem ter de fato exercido um papel crucial na formação e mobilização dos recursos intelectuais e morais sem os quais a obra desses pensadores não teria sido possível. De algum modo, eles tiveram de lutar e de conquistar — antes de mais nada perante si mesmos — a coragem e o tremendo impulso necessários para afirmar o próprio caminho na vida e fazer as apostas que fizeram. O fato de que precisaram romper com as expectativas alheias e que, ao ousarem isso, estavam em grande medida cientes dos riscos e custos potenciais da aventura em que embarcavam não é irrelevante. É difícil imaginar que o caminho sonhado por esses pensadores na juventude pudesse ter se realizado, não obstante os enormes desafios, na ausência do efeito catalisador produzido pela forte tensão da ruptura. A produção da faísca requer a pedra oposta que cria resistência — ela é gerada pelo atrito do impacto.

Na grande loteria da vida, as apostas e os resultados se distribuem no tempo. Decisões de longo alcance, baseadas com frequência em não mais que sonhos e esperanças, são tomadas no início da jornada, ao passo que os riscos e as contingências de longo prazo não passam, aos olhos do jovem apostador, de longínqua e rarefeita virtualidade. Daí que a experiência adquirida e a perspectiva da maturidade tornem quase irresistível para um adulto a tentação de procurar "corrigir" as ilusões de ótica e os vieses naturais dos mais jovens quando se trata de avaliar os termos de troca entre presente e futuro nas escolhas que fazem. Os versos de "Esses moços", a amarga canção de Lupicínio Rodrigues sobre as apostas e os desenganos do amor, ilustram bem isso:

Esses moços
Pobres moços
Ah, se soubessem o que eu sei [...]
Se eles julgam

Que a um lindo futuro
Só o amor nesta vida conduz
Saibam que deixam o céu por ser escuro
E vão ao inferno à procura de luz.

A faculdade da antevisão compreende duas operações distintas. De um lado, ela é o futuro visto do presente: "Como eu me imagino *x* anos à frente?". Mas, de outro, ela é também o presente visto, em relance reverso, a partir de um ponto futuro: "Como verei daqui a *x* anos as decisões e apostas que estou fazendo agora?". Na ótica dos mais jovens, como é natural, tende a prevalecer o movimento *daqui para lá*. O futuro sonhado anima e embala o presente. Na ótica da experiência, entretanto, ganha força a perspectiva *de lá para cá*. A imaginação vai ao futuro e procura mirar em retrospecto as escolhas correntes. Como poderão ser vistas e julgadas as apostas do presente ao serem encaradas em sentido reverso a partir de um ponto futuro, ou seja, numa visão retrospectiva e à luz não do que foi sonhado, mas do que efetivamente transcorreu? Na escolha de uma profissão como no amor, a voz da experiência busca modular o brilho do futuro sonhado — a vida desde o início — inculcando na mente dos jovens ("pobres moços") a sombra de um futuro menos idealizado — a perspectiva da vida desde o fim.

A vida é uma sucessão de escolhas intertemporais, nem todas triviais. A perspectiva da vida, quando se é jovem, não é aquela de quem alcançou certa idade. Apostas terão de ser feitas: resguardar-se de todo o risco e jamais apostar é talvez a pior aposta possível. Mas, se a juventude é uma espécie de embriaguez febril, inebriante enquanto dura, então ela é uma embriaguez da qual logo nos descobrimos curados. "Fui louco, resolvi tomar juízo; a idade vem chegando e é preciso."[16] Um pássaro na mão ou dois voando? Lançar-se ou guardar-se? Atrasar ou acelerar a marcha? Qualquer que seja o conteúdo específico de uma antevisão do porvir, a formação de crenças sobre o futuro pessoal é condicionada por dois parâmetros fundamentais: (a) o horizonte de tempo relevante e (b) o peso relativo do amanhã.

O *horizonte temporal* define o intervalo de tempo à luz do qual as escolhas entre presente e futuro são feitas. O maior risco aqui é a ocorrência de um descasamento entre o horizonte subjetivo implícito nas escolhas feitas (viver cada dia como se fosse o último, por exemplo) e as demandas e exigências do arco da vida no seu conjunto (chegar até uma idade avançada). A perspectiva, cada vez mais provável estatisticamente, de uma existência longeva põe em relevo a necessidade de um "plano de vida" mais estruturado, isto é, atento aos cuidados com a formação de recursos materiais e espirituais compatíveis com esse horizonte.

Por outro lado, a incerteza quanto à duração da vida pode pôr tudo a perder. Imagine um velejador que se prepara pacientemente para cruzar os oceanos, mas sucumbe diante de uma inesperada tormenta logo ao partir. Não é à toa que pessoas que exercem funções de maior risco (policiais, marinheiros, ladrões etc.), assim como moradores em áreas de notória periculosidade (violência urbana, epidemias, guerra civil etc.), tendem a descontar pesadamente o futuro. Quando o espectro da morte violenta anda perto, o aqui-e-agora se assenhoreia da ação: a capacidade de espera definha, e a propensão ao risco prospera. Não há promessa de juros futuros que pareça justificar renúncias ou sacrifícios correntes. Ainda que por um tempo limitado, é curioso observar, os atentados terroristas de 11 de setembro de 2001 fizeram despencar abruptamente a demanda por uma vasta gama de produtos e serviços dietéticos nos Estados Unidos (alimentos, *spas*, remédios, consultas etc.).[17] Sob o efeito do terror, o horizonte encolheu. As imagens da tragédia e a percepção da fragilidade de tudo comprimiram instantaneamente o amanhã.

Mas, se o horizonte relevante para a escolha intertemporal se expande e projeta para além desta vida, então nenhum sacrifício parecerá grande em demasia diante dos juros prospectivos. Os primeiros cristãos, como vimos, fizeram do autoflagelo e do martírio o passaporte para a salvação. A confiança de que o investimento da fé e os sacrifícios desta vida serão amplamente recompensados no além aparece com clareza no epitáfio que o rei medieval sueco Gustavo III mandou talhar em seu túmulo: FINALMENTE FELIZ. Quando Cosimo de Medici financiou o restauro do mosteiro de San Marco, em Florença, o gesto foi recompensado por uma bula papal absolvendo-o de todos os pecados.[18] O banqueiro não ficou, portanto, sem o principal e os juros da transação, mas o cheque de pagamento tinha uma característica especial — ele só seria resgatável no além cristão. Para os que creem na existência de outra vida após a morte, tal como postulam as principais religiões mundiais, a grande questão é saber se chegarão a ela em posição credora (juros a receber) ou devedora (juros a pagar).

Não deixa de ser sintomático, como assinala Nietzsche, que o alemão utilize o mesmo termo — *Schuld* — para designar "dívida" e "culpa".[19] Esse elo semântico transparece nas línguas indo-europeias, inclusive no português, que empregam o termo *dever* tanto em sentido ético como financeiro. "Perdoai nossas *dívidas*, assim como nós perdoamos nossos *devedores*", rezava o pai-nosso — depois modificado — da minha infância. No "ajuste de contas morais entre o homem e Deus", lembra o narrador de *Dom Casmurro*, "Jeová, posto que divino, ou por isso mesmo, é um Rothschild muito mais humano, e não faz moratórias, perdoa as dívidas integralmente, uma vez que o devedor queira deveras emendar a vida e cortar nas despesas".[20] Mas, se tudo falhar, resta ainda uma esperança. O purgatório cristão equivale a uma câmara de compensação onde os pecadores solventes, endividados mas não falidos, podem renegociar suas dívidas/culpas.

O segundo parâmetro da antevisão é o *peso relativo do amanhã*: a distribuição de valor entre presente e futuro dentro do horizonte de tempo relevante. Qual o valor do futuro? A resposta, qualquer que seja sua feição concreta, vai depender do que o amanhã promete e da importância que se atribui a isso em relação ao presente. Os limites extremos ajudam a visualizar a mecânica da operação.

Se tudo o que o porvir promete a alguém possui um valor presente que é nulo ou negativo, ou seja, "se o futuro não pode ser separado do presente e o presente é doloroso para além de qualquer consolo", então o corolário lógico é o suicídio. A relação custo-benefício da existência se afigura de tal modo adversa que não há nada que pareça compensar o ônus dos juros a pagar no horizonte subjetivo à frente. Estendendo a avaliação, penetramos no território do niilismo schopenhaueriano: a noção de que, tudo somado e devidamente ponderado, o não-existir teria sido preferível ao existir. E isso porque, como argumenta o filósofo, o valor presente descontado da existência seria negativo: "A vida é um negócio que não cobre os seus custos". (Schopenhauer viveu até os 72 anos.)[21]

País vizinho na geografia do desconto temporal são os estados viscerais que tendem a absolutizar o presente e reduzir o valor do futuro a pó. "Desejar violentamente uma coisa", observa o pré-socrático Demócrito (fragmento 72), "é tornar-se cego para tudo o mais." É o caso do desespero provocado por experiências agudas de privação (fome, sede etc.) ou por paixões desgovernadas, tentações violentas ou o pânico ("extrema ignorância em momento muito agudo"). A essa mesma classe pertencem os casos mais graves de dependência química e/ou psicológica, que levam o viciado a descer ao inferno em busca do paraíso artificial. Sob o efeito da "síndrome de abstinência", o horizonte encolhe e o amanhã colapsa. Nenhum risco, perigo ou custo prospectivo parece grande em demasia diante da promessa de êxtase e alívio imediato que se anuncia. Passado o paroxismo da "fissura", no entanto, restaura-se algum sentido de perspectiva temporal — até a próxima recaída.[22] A ressaca é o juro do porre. O viciado é um agiota de si mesmo.

Outra possibilidade extrema — situação polar na geografia do desconto — seria adotar uma postura de completa neutralidade entre presente e futuro. Na vida encarada sob a ótica da eternidade, o ponto que porventura ocupamos no tempo-espaço é apenas uma contingência acidental que não deveria afetar as nossas preferências ou avaliações temporais. A atribuição de valor àquilo que desejamos em nada dependeria de sua maior ou menor proximidade em relação ao aqui-e-agora. Uma garrafa de vinho com amigos hoje à noite possuiria exatamente o mesmo valor ou utilidade que uma reunião idêntica, mas só daqui a um ano, uma década ou qualquer data futura. Descontar um benefício futuro apenas porque está no futuro seria uma atitude "eticamente indefensável e que se origina unicamente de uma fraqueza da imaginação".[23] As condições que poderiam permitir e justificar a adoção dessa postura na vida prática foram identificadas pelo economista escocês John Rae (o grande precursor, ao lado de Jevons, Böhm-Bawerk e Irving Fisher, da moderna teoria dos juros):

> Se a vida durasse para sempre, se a capacidade de desfrutar perfeitamente todos os bens que ela oferece, tanto mentais como corporais, fosse preservada junto com ela, e se fôssemos guiados apenas pela razão, então não existiria qualquer limite à formação de meios para gratificação futura até que os nossos desejos mais distantes no tempo estivessem devidamente providos. Um prazer a ser desfrutado ou uma dor a

ser suportada daqui a cinquenta ou cem anos seriam considerados como merecedores da mesma atenção que esse mesmo prazer ou dor daqui a cinquenta ou cem minutos; e o sacrifício de um bem menor no presente em prol de um bem maior no futuro seria prontamente feito, qualquer que fosse o período em que pudesse se estender a futuridade. Contudo, a vida e o poder de desfrutá-la estão entre as coisas mais incertas de todas, e nós não somos integralmente guiados pela razão.[24]

Por que descontamos o futuro? A vida é um arco finito de duração indefinida. Seres imortais, imunes à senescência e dotados de perfeita racionalidade não teriam por que dar ao futuro um peso menor (ou maior) que o do presente *simplesmente por ser futuro*. Isso não significa que eles não precisariam fazer escolhas no tempo. Mesmo eles só viveriam um dia de cada vez e teriam que fazer escolhas intertemporais como, por exemplo, realizar ou não exercícios físicos para manter a forma ou, ainda, abrir mão de um certo número de horas de lazer no presente para trabalhar, poupar recursos e desse modo poder desfrutar, com a renda acumulada, uma viagem ao exterior algum tempo depois.

A grande diferença é que seres assim constituídos não se deixariam influenciar pela circunstância de estarem fazendo uma determinada escolha *mais cedo* ou *mais tarde* em relação ao benefício que ela propicia. Eles seriam capazes de neutralizar por completo o efeito que a posição que ocupamos no tempo tende a exercer sobre as nossas decisões. Ou seja: ao optar entre duas alternativas afastadas no tempo, eles agiriam como se estivessem diante de produtos que estão lado a lado nas gôndolas de um supermercado, à mão do freguês. O ato de optar entre algo desejado agora (descanso, lazer etc.) e algo desejado no futuro (corpo esbelto, viagem etc.) seria, nesse caso, em tudo equivalente à opção por comprar, digamos, peras ou laranjas, chá ou café.

(Suponha agora — tudo é de se supor — que essa redução da escolha intertemporal a uma modalidade de escolha entre bens simultaneamente disponíveis, mas com data de entrega distinta, seja generalizada de modo que o indivíduo passe a contemplar não uma ou outra opção particular, como x agora ou $x + y$ em n unidades de tempo, mas uma gama infinita de bens e serviços disponíveis em intervalos de tempo tão distintos quanto for conveniente assumir — eis a racionalidade plena com impaciência zero e consistência dez do *Homo economicus*. Anjos hiperdotados, regidos por um córtex pré-frontal onipotente e destituídos de sistema límbico, não fariam melhor. São eles que povoam e animam um sem-número de modelos econômicos matemáticos — formalmente rigorosos e elegantes — de otimização intertemporal.)

As certezas absolutamente certas desta vida, ironizava Benjamin Franklin, são duas apenas: "a morte e os impostos" (*death and taxes*).[25] Mesmo elas, contudo, guardam um quê de incerteza. Os sistemas tributários mudam (ainda que nunca, é claro, para aumentar a carga...), e a morte ninguém sabe ao certo quando vem. Impostos à parte, a propensão humana a descontar o futuro é parte inseparável de nossa humanidade. Ela resulta de uma peculiar combinação de circunstâncias em nossas vidas. São elas: (a) *dois fatos biológicos* — a morte e a senescência; (b) *duas incógnitas* — a duração exata da vida e o *timing* e o teor dos danos e flagelos da senescência ou outros acidentes de percurso, e (c) *duas limitações* — o caráter restrito da nossa racionalidade e autocontrole.

Entre os extremos do desespero suicida (desconto absoluto) e do anjo hiperdotado (grau zero do desconto) está o animal humano com seus sonhos e temores, limites e potencial. A questão relevante, portanto, não é se devemos ou não descontar o futuro, pois isso a bioeconomia da senescência já se encarrega de fazer, sem nos pedir licença, em nosso corpo. O que importa, antes, é saber *em que medida* seria razoável antecipar (posição devedora) ou retardar (posição credora) valores no tempo e, ao procurar fazê-lo, *como* evitar os piores tropeços, excessos e ciladas no caminho.

13. A subestimação do futuro: miopia

O cérebro humano é um órgão guloso. Embora perfaça não mais que 2% do peso total do corpo, ele absorve algo em torno de 20% de nossa energia calórica e nutrientes. Além do gasto corrente, o investimento necessário para a sua formação não é menos custoso. A adoção da postura ereta, ao limitar o tamanho da pelve feminina, reduz também o tempo que o feto pode permanecer em formação no útero. Daí que o bebê humano, ao nascer, é um dos seres mais frágeis e desamparados da natureza. A formação de um adulto maduro e apto a cuidar de si cobra um enorme investimento intergeracional na forma de proteção, nutrição e transferência de saberes, valores e habilidades.

O principal recipiente de todo esse esforço é o cérebro da criança em formação — sua constituição orgânica (nutrição) e sua formação intelectual e moral (educação).[26] Mas o custo, embora alto, é amplamente recompensado. O retorno desse investimento aparece na extraordinária flexibilidade e amplitude de repertório comportamental que distingue o animal humano dos insetos sociais e animais em geral. Ao contrário das abelhas quando fazem a colmeia e da aranha quando urde a teia, como lembra Marx, mesmo o pior arquiteto precisa conceber e projetar a obra em sua mente antes de executá-la. Dessa faculdade de antever *o que não é* e avaliar o que *pode ser*, levando em conta o que *foi*, nasce a prerrogativa da escolha intertemporal — berço da liberdade humana.

A natureza das relações entre cérebro e mente é uma fronteira aberta — e controversa — da ciência moderna. O que se passa exatamente quando, por exemplo, uma deliciosa sobremesa me é oferecida no final de um jantar e eu reflito: "Que musse divina! Mas será que devo...."? A esse pensamento corresponde uma sequência observável de alterações químicas e elétricas nos bilhões de células nervosas do meu cérebro. Mas qual a direção de causalidade — se é que há alguma — entre o cerebral e o mental? E por que esse dilema — aceitar ou não o doce — aflora à minha consciência reclamando uma deliberação? O sabor da musse, caso eu ceda à tentação, também estará associado a uma configuração específica no meu cérebro e se tornará uma experiência mental consciente. Mas agora é diferente. Embora eu possa prestar mais ou menos atenção no fato, já não há espaço para escolha ou deliberação. Uma vez ingerida a primeira colher do doce, o gosto dele invadirá o meu mundo mental, e tudo o que me restará fazer será fruí-lo (além, é claro, de lidar com a ferroada da culpa por estar atropelando o regime). Se eu tentasse por algum motivo deliberar que o sabor da musse não era, na verdade, chocolate, mas morango ou hortelã, a decisão seria recebida às gargalhadas pelo resto da mente.

O que vale para o gosto da musse também se aplica, *mutatis mutandis*, para a maioria das sensações, afeições e sentimentos humanos — a começar, é claro, pelo próprio desejo de saboreá-la. A fome causa dor; o sexo, prazer; a morte, medo. Embora possamos, em alguma medida, nos treinar e disciplinar para modular — ou tentar suprimir do campo de atenção consciente, como fazem os ascetas e faquires — essas sensações, isso não altera o fato de que, quando elas irrompem no sistema nervoso e afloram à mente, os ditames da vontade e da razão conscientes se revelam incapazes de modificar sua realidade. Ter vontade não é um ato de vontade. Nenhuma pessoa escolhe ou delibera sentir o que nela sente. O desejado nem sempre é o desejável. No calor da hora, tudo o que podemos fazer — e não é pouco — é tentar decidir *como agir*, tendo em vista as sensações e afetos que em nós sentem. Dieta ou desfrute? Por estranho que pareça à primeira vista, toda escolha humana se reduz a um ato de arbitragem entre antecipações mentais, mais ou menos elaboradas, acerca *do que não é*. O deliberar se dá somente entre pensamentos, pois será sempre tarde demais para escolher sobre os fatos.

Desejar o doce é fado; atacá-lo é escolha. "O principal exercício da liberdade", sugere Locke, "consiste em aquietar-se, abrir os olhos, olhar ao redor e mirar a consequência daquilo que vamos fazer, conforme a importância do assunto requer." Ou, como dirá Bertrand Russell: "A função prática essencial da 'consciência' e do 'pensamento' reside em que eles nos permitem agir com referência ao que está distante no tempo ou espaço, mesmo que não esteja presentemente estimulando os nossos sentidos".[27] A limpidez do enunciado, entretanto, não deveria obscurecer a dificuldade prática da operação. Como alerta Hume, "não existe atributo da natureza humana que provoque mais erros fatais em nossa conduta do que aquele que nos leva a preferir o que quer que esteja presente ao que está distante e remoto, e que nos faz desejar os objetos mais de acordo com sua situação do que com o seu valor intrínseco".[28] Ignorar os limites e violações da racionalidade nas ações da vida comum, como costumam fazer economistas matemáticos e filósofos racionalistas, revela um baixo apreço pela razão.

Agir no presente tendo em vista o futuro envolve antecipar consequências (antevisão), delinear um caminho (estratégia) e atuar consistentemente (implementação). O problema é que cada uma dessas etapas da ação intertemporal está sujeita a interferências, golpes e reviravoltas que subvertem o ideal da ação racional. No conflito entre as possibilidades e premências do momento, de um lado, e os objetivos e intenções de longo prazo, de outro, a força desgarrada e parcialmente subterrânea dos nossos desejos, afetos e pulsões resiste surdamente ao exercício sereno da liberdade (Locke) e à ação pautada pela antecipação e ponderação racional das consequências (Russell). A tensão entre o *desejado* e o *desejável* faz da escolha intertemporal um campo minado de armadilhas e efeitos inesperados. Do canto das sereias homéricas ao pomo da serpente bíblica; dos anabolizantes à vizinha do vestido grená; da farmacopeia do êxtase ao frenesi consumista — quantas não podem ser as musses desta vida!

Diretamente comparáveis ou não, as consequências imediatas e remotas dos diferentes atos possíveis não escapam de ser pesadas e por fim arbitradas no funil da ação praticada. A cada passo do caminho, a pergunta se recoloca: vale ou não a pena? Compensam ou não os custos e riscos envolvidos? Qual o valor das alternativas que tiveram de ser adiadas ou preteridas — futuros não trilhados — em prol da escolha efetivamente feita? O problema é que a resposta a essas perguntas pode ser uma *antes*, outra *durante* e outra ainda *depois* de efetuada a ação. A identificação e a pesagem dos custos e benefícios de cada alternativa meneiam em traiçoeira balança. "O tempo é o mágico de todas as traições" (Guimarães Rosa).[29]

Qual o valor do amanhã? Duas ameaças rondam a determinação dos termos de troca entre presente e futuro. A primeira é o que podemos chamar (por analogia ao fenômeno equivalente no campo da ótica) de "miopia" temporal: a atribuição de um valor demasiado grande ou intenso ao que está mais próximo de nós no tempo, em detrimento daquilo que se encontra mais afastado. A segunda é a "hipermetropia" (derivado do grego *hypérmetros*: "o que ultrapassa a medida"): a atribuição de um valor excessivo ao amanhã, em prejuízo das demandas e interesses correntes. Enquanto a miopia temporal nos leva a subestimar o futuro, a hipermetropia reflete uma subestimação do presente.

O desafio de evitar simultaneamente esses dois tipos de excesso e as dificuldades de corrigir os desvios em ambas as direções acompanham boa parte dos dilemas e escolhas que definem o enredo de nossas vidas. Essa realidade, como veremos a seguir, não só permeia grande parte do nosso repertório de emoções retrospectivas (aquelas que lidam com o passado, como remorso, alívio, vergonha, culpa etc.) e prospectivas (aquelas que se projetam sobre um futuro incerto, como esperança, ansiedade, medo, confiança etc.), mas também ajuda a elucidar a sua natureza e razão de ser. Quando se trata de estimar os termos de troca entre presente e futuro nas diferentes esferas de nossas vidas, as oportunidades e ameaças sempre se renovam e nenhuma resposta é definitiva. A arte de reajustar o foco intertemporal acompanha o animal humano do berço ao túmulo — e talvez além dele. Ela é um elemento decisivo da aventura que é viver.

A distância no *espaço* causa uma diminuição do objeto visto. O vaga-lume a um palmo do nariz parece maior que as estrelas do céu: o mundo dos sentidos faz de cada ser vivo o centro ambulante do universo. A distância no *tempo* produz um efeito semelhante. O que está no futuro, mesmo que não haja qualquer incerteza quanto à sua ocorrência, não tem o brilho e o apelo do que está imediatamente (ou quase) acessível. A grande diferença é que, enquanto a correção da ilusão no campo visual é simples — uma criança logo se dá conta de que a janela é menor do que a rua por ela enquadrada e aprende a agir de acordo com isso —, a correção no campo da percepção temporal depende de uma operação mais complexa. O que está no futuro precisa ser de algum modo posto em foco e mentalmente realçado para fazer frente ao que está próximo e saliente.

Como os testes de gratificação postergada revelam e a observação cotidiana ilustra, o aprendizado desse tipo de ajuste corretivo é real e indispensável para a vida moderna. Mas ele é também diferenciado *entre* os indivíduos e sujeito a oscilações *em* uma mesma pessoa em diferentes esferas de atuação (dieta, finanças, saúde etc.). A incidência da miopia temporal — a inclinação a descontar o futuro *além da conta* em virtude de uma "faculdade telescópica deficiente" e/ou limitado autocontrole[30] — aparece com clareza em inúmeras situações da vida prática.

Considere inicialmente a escolha entre *gastar* e *poupar*. A satisfação proporcionada pelo consumo é concreta e imediata. Aquilo de que carecemos é justamente o que mais desejamos: carro novo, viagem, portão automático, DVD, lipoaspiração... a lista sobe o Everest. Deixar de gastar, contudo, visando formar uma poupança previdenciária que traga maior segurança e melhor padrão de vida na velhice, já não é tão simples. Não é à toa que desde Esopo e La Fontaine o ato de poupar e cuidar do amanhã encontrou abrigo no rol das virtudes. Há um conflito sempre renovado entre o desejado (consumir) e o que seria desejável numa ótica temporal mais ampla (poupar). O impulso de gastar e gozar o dia mede forças com a previdência (latim *prae*: "antes" + *videntia*: "visão") e os cuidados perante o futuro incerto. Na prática, o que prevalece?

As evidências empíricas dão pouca margem à dúvida. O diagnóstico de miopia é feito não por quem estuda o assunto, mas pelos próprios interessados. Uma pesquisa realizada nos Estados Unidos em 1997 revelou que 76% dos entrevistados consideravam que deveriam estar poupando uma parcela maior de sua renda para a velhice e aposentadoria. Entre os que acreditavam estar na idade em que "já deveriam estar seriamente poupando", a pesquisa apurou que 55% se julgavam "atrasados" nessa tarefa e somente 6% "adiantados". Como assinalam os autores da pesquisa: "A distância entre as atitudes, intenções e ações efetivas dos indivíduos representa uma ameaça de redobrada insegurança e insatisfação no momento da aposentadoria: os americanos simplesmente não estão fazendo o que a lógica — e o seu próprio raciocínio — recomenda que estivessem fazendo".[31] Com a possível exceção de alguns países asiáticos de alta poupança familiar, é plausível supor que um cenário não muito distinto desse se verifique no resto do mundo. A longevidade sobe, e a crise dos sistemas estatais de previdência se aprofunda. Se consumir e gozar o dia exigissem mais juízo e autocontrole que poupar e cuidar do amanhã, a gastança é que seria celebrada como virtude.

Saber não basta. A arte da escolha intertemporal tem um lado essencialmente *prático*. O divórcio entre a intenção de poupar e a poupança efetiva dá o que pensar. Se as pessoas almejam resguardar sua velhice e zelar um pouco mais pelo seu bem-estar futuro, por que não o fazem? Em tese, deveria ser tão simples como escolher entre musse e quindim de sobremesa — se eu prefiro musse, por que motivo pediria quindim? A diferença, é claro, é que no caso da poupança a escolha se desdobra no tempo. É como se alguém tivesse de optar não entre as duas sobremesas agora, mas entre a musse servida (consumo) e uma musse acrescida de juros (poupança seguida de consumo) mas servida só daqui a alguns anos. O problema é que esta última opção, embora preferível à outra, requer um sacrifício imediato (ficar sem sobremesa). O custo tem de ser pago à vista, ao passo que o benefício da espera — mesmo abstraindo-se a incerteza — só poderá ser desfrutado anos mais tarde. Daí a opção pela alternativa inferior, ou seja, quindim em vez de musse.

Como entender essa aparente anomalia? O que explicaria essa tendência a subestimar na prática o futuro, ainda que reconhecendo a desejabilidade de não fazê-lo? A análise da miopia temporal nos remete à impaciência dos pombos examinada no capítulo 4 (pp. 37-8). A fórmula que melhor descreve e elucida esse tipo de comportamento é o *desconto hiperbólico*. A ação resulta de uma combinação instável entre preferências inconsistentes. De um lado, a preferência pela gratificação imediata no presente (desfrute) e, de outro, a preferência pela espera paciente e a conduta calculada no longo prazo (previdência). *Eat the cake and have it* ("comer o bolo e guardá-lo"), como diriam os ingleses; ou *tupi and not tupi*, como poderíamos dizer no Brasil, adaptando a conhecida fórmula antropofágica. Os detalhes concretos de cada situação particular variam ao infinito, mas o padrão básico é recorrente.

A lonjura no tempo favorece a prudência e o cálculo frio; a proximidade subverte. Na sóbria serenidade da distância, a perspectiva neutra prevalece: a formiga pré-frontal dá o tom e rege o ensaio da orquestra cerebral. Mas, quando o momento e a oportunidade de agir se avizinham, a relação de forças se altera. A cantoria da cigarra límbica embala a mente com o antegozo de iminentes delícias e as boas intenções perdem temporariamente a sua força motivadora. "Os mais fortes juramentos são palha para o fogo nas veias." A resultante disso é que a propensão a descontar o futuro — "viver agora, pagar depois" — aumenta de forma acentuada conforme a oportunidade concreta de agir se aproxima. O desconto hiperbólico descreve essa flexão, um tanto repentina, nos termos de troca entre presente e futuro. Ele reflete a escalada dos juros que estamos dispostos a pagar à medida que a formiga pré-frontal recua e a cigarra límbica empolga a orquestra cerebral. Quando sobe o pano e o momento da execução se anuncia, a partitura é outra.[32]

Daí que nossa capacidade de espera, como uma pomba caprichosa, tende a ser dócil e domesticável no conforto das escolhas pensadas à distância, mas arisca e traiçoeira no calor da hora. Enquanto a tentação (ou ameaça) anda longe, não há dificuldade em lidar com ela. É simples como escolher musse ou quindim de sobremesa: cada um prefere o que é melhor para si. Basta acertar o despertador, ao deitar-se, para acordar bem cedo na manhã seguinte; ou pensar na dieta com o estômago cheio; ou abraçar a temperança sob o efeito da última ressaca; ou parar de fumar e começar a ginástica no mês que vem; ou comprar camisinhas a caminho do motel; ou jurar fidelidade eterna no primeiro mês de casado; ou dispensar os anestésicos meses antes do parto; ou se imaginar capaz de feitos heroicos na falta de oportunidades; ou rejeitar o pecado e sentir-se um santo logo após a comunhão; ou ser contra os excessos da UTI no trato de doentes terminais quando se tem ótima saúde; ou desprezar a morte enquanto se é jovem ou não há perigo. Os exemplos pululam — cada um sabe de si. A tentação revela melhor o autocontrole; o perigo revela melhor a bravura e firmeza de caráter.

Da sinceridade das intenções não há por que duvidar: diante de escolhas relativamente afastadas no tempo até os pombos, como vimos, são mestres na arte da espera. "Enquanto permanecem genéricos", observa Samuel Johnson, "os pensamentos de quase todos os homens são corretos, e a maioria dos corações é pura enquanto a tentação anda longe."[33] O problema é a frequência com que as ações numa vasta gama de áreas e situações da vida prática — dieta, saúde, pontualidade, estudo, relações afetivas, hábitos de consumo — terminam traindo as preferências de mais longo alcance.

Epicuro aconselha: "É preferível suportar algumas dores determinadas a fim de gozar de prazeres maiores; convém privar-se de alguns prazeres determinados a fim de não sofrer dores mais penosas".[34] O cálculo é eminentemente econômico. Um hedonista consequente, não menos que o adepto de alguma forma de fé religiosa em outra vida, precisa se manter alerta e precavido contra os juros abusivos da miopia temporal.

O dilema da poupança para a velhice se encaixa nesse padrão. Enquanto o salário ou outra fonte de rendimento não foi efetivamente recebido, é fácil imaginar que ele será parcialmente poupado, na medida certa, para fins previdenciários. Mas, quando o dinheiro está disponível em conta e aquela compra (viagem, computador, plástica etc.) longamente cortejada — sempre aparece alguma — torna-se uma possibilidade concreta e iminente, a vontade fraqueja.

O desconto hiperbólico produz uma reversão de preferências temporais em prejuízo da intenção de dar o devido peso ao bem-estar futuro. No calor da hora, a poupança planejada vira gasto e, não raro, vai além: no afã de consumir ela acaba virando dívida, isto é, *poupança negativa*. A gratificação é imediata, mas a conta vem depois: em vez de juros a receber (posição credora), juros a pagar (posição devedora). O pagamento do principal acrescido de juros significa que uma parte do salário ou renda futura *já foi gasta*, antes mesmo de ser recebida. O consumidor soberano nem sempre é senhor de si. Antecipar custa: é o preço da impaciência. Antevisão míope, agir imprevidente.

14. A superestimação do futuro: hipermetropia

A *hipermetropia* temporal é a miopia com o sinal trocado: o desconto excessivo do presente em prol de um futuro imaginado. Se a miopia resulta de uma faculdade telescópica deficiente, em prejuízo de algum valor futuro, a hipermetropia reflete o jugo de uma faculdade telescópica até certo ponto tirânica e opressiva: a prevalência de comportamentos que buscam em tese resguardar valores futuros, mas ao custo de sacrificar muito além do que seria razoável a vida e o bem-estar correntes. Embora menos usual que a miopia, a hipermetropia temporal não está de todo ausente da experiência comum. O medo da entrega e uma preocupação excessiva com o amanhã e o depois de amanhã podem sufocar a vida e esvaziar de sentido o viver. Assim como é possível subestimar o futuro ("ter perdido a mocidade na orgia"), o mesmo pode ser dito do risco-espelho de sua superestimação:

> *Se eu pudesse novamente viver a minha vida,*
> *na próxima trataria de cometer mais erros [...]*
> *Porque se não sabem, disso é feita a vida, só de momentos;*
> *não percam o agora.*
> *Eu era um daqueles que nunca ia*
> *a parte alguma sem um termômetro,*
> *uma bolsa de água quente, um guarda-chuva e um paraquedas*
> *e, se voltasse a viver, viajaria mais leve [...]*
> *Mas, já viram, tenho 85 anos e estou morrendo.*[35]

O melhor paralelo desse fenômeno no reino animal parece ser o hábito compulsivo, observado em certas espécies de roedores, de entesourar alimentos (pp. 41-2). Seja qual for a real explicação desse comportamento, um ponto é certo: os estoques acumulados costumam ir muito além das necessidades do roedor e não há qualquer indício de que as sobras sejam herdadas por sua prole. É difícil supor que o tempo e os esforços sacrificados na formação desse inútil "tesouro" — supostamente como precaução contra um irreal e grosseiramente superestimado amanhã — não pudessem ter tido melhor emprego. (Se isso é certo, então não seria descabido suspeitar que a chamada "neurose obsessivo-compulsiva", interpretada por Freud como um mecanismo de negação e defesa da realidade da morte, talvez não seja afinal uma síndrome exclusiva e peculiar do animal humano.)

O desconto míope, como vimos, subestima o amanhã e drena recursos do futuro para melhor desfrutar o presente. Os juros são o preço da impaciência: *antecipar custa*. O desconto hipermetrope faz a operação inversa: ele nega os apelos do momento e submete o presente às demandas e reclamos do futuro visando resguardar o amanhã. A lógica da transação, irretocável em princípio, é que esse sacrifício se justificaria pelo ganho a ser alcançado mais à frente. Os juros auferidos seriam o prêmio da paciência: *retardar rende*.

O problema, porém, é que a hipermetropia distorce a visão da realidade. Ela magnifica enormemente as promessas e ameaças do amanhã, deturpando assim o senso de medida e impedindo uma avaliação razoavelmente equilibrada dos termos de troca entre presente e futuro. Como um centro de gravidade situado no porvir, a antevisão do futuro — sonhado, temido ou obscuramente pressentido — submete o aqui-e-agora ao seu tremendo poder de empuxo, privando-o de significado e valor. A consequência é que não raro a operação se frustra, ou seja, acaba por negar o objetivo pretendido.

"Quando se busca perseguir a virtude ao extremo, o vício emerge."[36] O desconto hipermetrope ilustra o alerta de Pascal no campo da escolha intertemporal. As armadilhas no campo da dieta, como de praxe, são um prato cheio. Os cuidados com o regime alimentar e o controle de peso são atitudes perfeitamente legítimas e saudáveis de quem pensa no amanhã. Mas, assim como a incontinência e a fraqueza de vontade podem reduzir a pó nossas boas intenções (miopia), também o autocontrole e a preocupação com o futuro podem ir longe demais (hipermetropia). O zelo excessivo na prática do autocontrole pode ser o caminho tortuoso de um grave descontrole.

É o que ocorre nos casos de anorexia nervosa — um distúrbio alimentar caracterizado pelo desejo obsessivo e por fim desgovernado de controlar o peso por meio da supressão do apetite e da rejeição a todo tipo de comida. Em situações extremas, o paciente anoréxico chega a pôr sua sobrevivência em risco por medo de se entregar ao apelo da fome e perder o controle do peso. O pior agravante desse distúrbio, contudo, é o fato de que o doente não se dá conta do alcance e dos reais perigos do seu mal. Uma obscura preocupação com o amanhã, sob a forma da manutenção de um corpo esbelto a qualquer preço, ofusca a gravidade da situação corrente e ameaça solapar até mesmo a mínima condição necessária para que possa existir esse amanhã — permanecer vivo. Desse modo, o total desprezo pelo presente destrói — ou põe em sério risco — o futuro em nome do qual o sacrifício estaria sendo supostamente feito.[37]

O distúrbio anoréxico reflete uma inversão perversa entre *meios* e *fins*. O controle de peso, que deveria ser o meio de uma vida saudável e feliz, torna-se um fim em si mesmo — e compromete a saúde e a felicidade. É como se o autocontrole, provocado em seu brio, conseguisse por fim tomar o freio nos dentes e disparasse carregando ao abismo a mente controladora. Embora sem a mesma dramaticidade, um padrão até certo ponto semelhante a esse pode ser encontrado em outras áreas e modalidades de escolha intertemporal. Da idolatria do corpo e do dinheiro ("o deus visível") nesta vida aos sacrifícios em prol da promessa de salvação eterna na outra, o fenômeno do desconto hipermetrope tem muitas faces.

A província da economia — paraíso da razão instrumental — é um terreno fértil. Quando os meios usurpam os fins e ganham vida própria, a vítima é com frequência a meta em nome da qual se peleja e que supostamente motivou as ações. O "pagar agora, viver depois" deixa de ser, nesses casos, uma troca visando um benefício definido mais adiante, para se tornar uma espécie de força desgarrada ou padrão de conduta dotado de moto próprio. Em vez do adiamento proveitoso, a renúncia maquinal: o sonambulismo de uma espera *sine die* desprovida de propósito e alimentada pelo medo da felicidade e da beleza. Um exemplo disso é a compulsão a poupar e acumular riquezas sem qualquer utilização previsível ou finalidade na vida. Bulbo engendrando bulbo, espera reciclando espera, mas jamais a flor.

Considere, de início, o fenômeno da avareza. "O desejo de entesourar", como assinala Marx, "é por natureza insaciável."[38] Mas o exercício da moderação no gasto e consumo, como o desafio da poupança para a velhice revela, é uma arte delicada. Orçamentos têm de ser implementados e os gastos correntes controlados. O fantasma da imprevidência — "Acabou a farra: formigas mascam os restos da cigarra" — assombra e tira o sono de muita gente. A tentação nossa de cada dia, açulada por um bombardeio cerrado de estímulos e propaganda, precisa ser renegociada — e vencida de novo — *todo santo dia*. O consumidor moderno, internamente dilacerado por motivações conflitantes, é uma espécie de Sísifo da poupança. Quando o rochedo da provisão para o amanhã afinal parece chegar ao topo, é apenas porque se encontra novamente apto a despencar.

Uma pessoa avara, no entanto, vai muito além. Ela faz do controle de gastos não uma necessária prudência, mas uma religião. Nenhum centavo é pouco. "Quem assassina um dólar", adverte Benjamin Franklin, "destrói tudo o que ele poderia ter rendido, até mesmo uma enorme soma de dólares."[39] O surgimento do dinheiro — símbolo universal de valor e instrumento de poder sobre a riqueza social — abriu as portas para a acumulação irrestrita. "O dinheiro é a felicidade humana *in abstracto*; por conseguinte, aquele que não é mais capaz da felicidade *in concreto* põe todo o seu coração no dinheiro."[40] O acumulador inveterado se conduz como o conquistador que vê em cada território subjugado apenas uma nova fronteira a ser ultrapassada. A ideia fixa de poupar e guardar para um obscuro e ameaçador amanhã toma conta de sua mente. O dinheiro — um recurso que deveria servir para proporcionar conforto e alegria no presente e segurança futura — usurpa a cena, rasga o *script* e torna-se um tirânico senhor.

E tudo em nome do quê? O agiota Shylock de *O mercador de Veneza* — feroz como a águia no ganho, fuinha como um roedor nas despesas — encarna magistralmente o papel. Sua vida eram os seus ducados. Mas em nome do que tamanho zelo e apego ao dinheiro? Seria um caso, ainda que torto, de afeição paterna — o afã natural de todo pai que se preza em proporcionar aos filhos um lar confortável e um bom começo na vida?

O enredo da peça não deixa margem à dúvida. Shylock, viúvo, é um homem solitário e taciturno, dedicado à religião e aos negócios. Vive com Jessica, sua filha única. Ocorre, porém, que ela não só detesta o pai, por motivos compreensíveis, como acaba fugindo da casa paterna (*a house of hell*), mas não sem antes desfechar o golpe fatal: ela carrega consigo a fortuna (entesourada) do pai. Ao tomar ciência da fuga e do roubo, perpetrados sob a inspiração e guarida de Lorenzo, o pródigo e impetuoso namorado secreto da filha, Shylock demonstra maior consternação pelo sumiço do dinheiro e das joias — "Nunca mais verei o meu ouro! É um punhal que me enterram no coração!" — do que pela sorte e paradeiro de sua única filha. O apetite desgovernado de Shylock por dinheiro destruiu o objetivo maior de sua vida: a fortuna pacientemente amealhada, fruto de uma existência abnegada, e que era sua razão de viver. Os meios engoliram e aniquilaram os fins. "Toda alma desordenada se torna sua própria punição."[41] A figura de Shylock, é plausível supor, representa apenas o ponto extremo de um gradiente de condutas e temperamentos da mesma cepa.

A hipermetropia visual gera uma percepção distorcida das coisas no espaço: a pessoa consegue divisar o que está ao longe, mas enxerga mal o que está perto de si. O desconto hipermetrope passa a ser um problema quando o foco no futuro remoto — e principalmente o teor e a natureza das expectativas que isso suscita — prejudica seriamente a percepção da realidade e a capacidade de lidar com o presente. Assim como o viver no passado, o *viver no futuro* também pode se tornar uma forma de escapismo, fuga e negação da vida: um refúgio contra o desafio e a dor de viver. O entusiasmo religioso, tendo como pano de fundo um porvir de promessas e ameaças exacerbadas por uma imaginação febril, é o território por excelência da hipermetropia temporal.

O valor do presente depende do que se pode esperar do futuro. As grandes religiões do mundo têm por vocação ocupacional pregar e inculcar a disposição à *espera*. Mas espera de quê? A lógica do raciocínio, como vimos (pp. 72-4), baseia-se na ideia de uma troca intertemporal entre o que se faz nesta vida e o que se colhe na outra vida, após a morte: as violações do código serão castigadas e os sacrifícios, recompensados. "Renunciar agora, merecer depois." O problema aparece, no entanto, quando a tentativa de corrigir excessos cometidos na direção do aqui-e-agora (gula, cobiça, lascívia, soberba etc.) leva a excessos na direção de um hipotético e improvável porvir (resignação, castidade, depreciação dos sentidos, culpa etc.). Quer dizer: na direção de um desconto radical das possibilidades de fruição do presente feito em nome de um futuro extraterreno duvidoso que não passa de mera aposta calcada em puro ato de fé.

Considere, por exemplo, a crença judaico-cristã de que os órgãos sensoriais que nos ligam ao mundo — e a visão em particular — são as portas e janelas das nossas fraquezas morais — "Não há mal maior na Criação do que o olho" (Eclesiástico, 31:13). Como evitar que o desconto míope, atiçado pela estimulação dos sentidos, ponha em risco os juros infinitos da vida eterna? A injunção do apóstolo Marcos, no evangelho que leva seu nome, vai direto ao ponto: "E se o teu olho é para ti ocasião de pecado, arranca-o; mais vale entrar no reino de Deus sem um dos olhos do que ter os dois olhos e ser lançado no inferno, onde o verme não morre e o fogo não se apaga" (Marcos, 9:47).

Na ótica do apóstolo, portanto, o olho pecador, afeito ao desconto míope, deveria ser extirpado. Ele é a porta que nos incita e seduz a uma péssima troca intertemporal: os prazeres efêmeros da carne pela chance da salvação eterna. Restaria ao devoto, desse modo, um único olho apenas — o olho cristão: um olho cego aos apelos e acenos da hora, imune às tentações dos sentidos, mas firme e inabalável na antevisão beatífica da bem-aventurança eterna. A proposta é clara: mutilar um olho (literal ou metafórico) para salvar o além — sujeitar-se a uma existência de privações, vigilância e penitência tendo em vista merecer e alcançar a eternidade. Faz sentido isso?

O que mais salta aos olhos nessa proposta de troca intertemporal é a fragilidade da promessa em que ela assenta: a absurda falta de equivalência entre o que se requer do devoto, ou seja, a certeza do sacrifício cobrado, de um lado, e o que se oferece a ele em troca — um vale-paraíso resgatável no além —, de outro. E se o olho cristão estiver errado, ou seja, operando sob o efeito de uma ilusão? E se o além cristão — ou qualquer outro além que se regale com tributos e derramas pagos nesta vida — não passa de miragem? E se a depreciação dos sentidos e a disposição à espera não usufruem nem têm o monopólio do favor celeste? E se a outra vida, em nome da qual se abraça a não-vida, não é a vida prometida — é o nada? E se a competência católica em ética e metafísica fizer jus à sua inaptidão para as ciências naturais (foram precisos 359 anos para que o Vaticano aceitasse "reabilitar" Galileu)? William Blake, com certeiro bom humor, compara: "Assim como a lagarta seleciona as melhores folhas para depositar seus ovos, o padre deposita suas pragas sobre os melhores prazeres".[42] E se o poeta — não o padre — tiver razão? Em nome do que envenenar a vida dessa maneira?

A barganha é tremenda. Culpa = dívida. Logo, juros têm de ser pagos. Shylock foi à Justiça veneziana cobrar o seu meio quilo de carne. A divindade cristã, pela palavra do apóstolo, não faz por menos: exige um olho do devedor. À luz desses excessos, que felizmente parecem mais raros hoje em dia, compreende-se o veemente protesto de Nietzsche: "Quando não se põe o centro de gravidade da vida na vida mas no além — no nada —, retirou-se da vida o seu centro de gravidade".[43] Se depois desta vida é "o nada", não há como saber: a dúvida nos acompanhará ao túmulo. Mas deixar de viver *esta vida*, a única que conhecemos, em prol de uma suposta *outra vida*, sobre a qual não existe a mais leve sombra ou vestígio de evidência, constitui sem dúvida uma das mais insustentáveis e temerárias modalidades de escolha temporal. Fugir *para* o futuro pode se tornar uma anomalia tão debilitadora como fugir *do* futuro. Antevisão hipermetrope, agir constipado.

Toda escolha intertemporal envolve um elemento irredutível de aposta. O retorno efetivo de um recurso que foi investido ou temporariamente cedido a terceiros (juros auferidos) nem sempre corresponde às expectativas. O custo de um recurso que foi antecipado ou tomado de empréstimo (juros devidos) nem sempre cobre os benefícios obtidos pelo seu uso. Erros de avaliação, é claro, acontecem. É o caso de alguém que gasta meia hora estudando um caminho mais curto no mapa para depois descobrir que economizou apenas dez minutos na viagem — juros negativos. Ocorrências desse tipo podem causar frustração, mas não chegam a constituir propriamente um problema. São atalhos que não encurtam o caminho, mas não nos fazem *perder o caminho*. É simples como o sacrifício de um bispo no xadrez não levar ao xeque-mate tramado. Uma aposta foi feita, e o prêmio não pagou o bilhete. É da vida.

O problema se torna mais sério, no entanto, quando a faculdade humana de agir no presente tendo em vista o futuro fica prejudicada pela presença de anomalias crônicas. A fixação de crenças sobre o futuro e a formação de nossas preferências temporais são afetadas por forças subterrâneas que podem se revelar perturbadoras e que escapam muitas vezes de uma compreensão racional. Se o desconto míope leva com frequência ao remorso ("por um simples prazer fui fazer meu amor infeliz"), a hipermetropia leva ao arrependimento pelo desperdício de oportunidades que não voltam ("a vida inteira que podia ter sido e que não foi").[44]

Ousar ou guardar-se? Agora ou depois? Mas, se não já, quando? Toda exortação a mirar adiante e zelar pelo amanhã — como o "cuidar da alma" socrático — traz implícita uma avaliação de que o futuro está sendo de algum modo subestimado (miopia). Toda exortação a viver, relaxar e gozar o dia — como o *carpe diem* horaciano — traz implícita uma avaliação de que as ameaças e as promessas do futuro estão sendo superestimadas (hipermetropia). Os riscos de exagero estão presentes — aristotelicamente simétricos — dos dois lados da balança intertemporal. A dificuldade, porém, não termina aí. Pois o fato é que o "nada em excesso" também pode acabar indo longe demais. Ao duplo fantasma da miopia e da hipermetropia temporais é preciso juntar um terceiro — pecar por excesso de moderação. O fantasma de um tépido equilíbrio.

15. Cálculo econômico e uso do tempo: tempo é dinheiro?

"Considere cada dia em particular como sendo uma vida em si mesmo", recomenda Sêneca.[45] A unidade bem demarcada do dia que nasce, amadurece e inexoravelmente declina; o arco definido pelo despertar matinal seguido da ação diurna e do adormecer noturno; o sono ("irmão da morte") que anula nossa individualidade consciente e nos transporta a um mundo subterrâneo de sombras e luzes, entrega e mistério — tudo remete à analogia entre *um dia* e *uma vida*, à concepção do dia singular como "uma vida dentro da vida". O ciclo circadiano que rege os processos metabólicos e mentais pautados pela alternância entre o dia (vigília) e a noite (sono) seria como o grão de areia que simboliza o macrocosmo — a imagem condensada do arco completo da vida.

O paralelo entre o dia e a vida tem o seu apelo poético e retórico, mas não se sustenta. Pois o fato é que existem diferenças cruciais entre cada uma das partes (os dias) e o todo (vida) que elas compõem. O todo tem propriedades distintas da soma das partes. O que se faz ao longo de cada dia precisa levar em conta, em alguma medida, os dias que virão — existe um amanhã a zelar. E o que se faz nesta vida — existirá amanhã? O arco da vida é finito, mas sua duração é *desconhecida*. Ninguém sabe ao certo quantos dias de vida lhe restam. Já o arco do dia é um intervalo igualmente finito, mas com duração rigidamente *definida*. A temporalidade das partes tem um caráter distinto da que preside o todo. Essa discrepância na natureza da finitude tem profundas implicações.

Haverá um dia para cada um de nós — o último — que terminará antes do fim. Mas é um único dia apenas. Todos os demais, não importa quantos venham a ser de fato, terão rigorosamente a mesma duração. A restrição orçamentária vigente em cada um deles — as 24 horas do dia — é sabida de antemão e absolutamente fechada a negociações. A essa restrição pétrea estariam submetidos, como vimos (p. 30), seres que durassem para sempre: a imortalidade torna o número de dias infinito, mas não altera a duração finita de cada um deles. E dela não escaparíamos nós, mortais, nem na hipótese de que toda a escassez econômica viesse a ser superada algum dia e pudéssemos satisfazer todos os nossos desejos de consumo com a mesma facilidade com que respiramos. Quanto maior o leque de opções reais no emprego das horas de um dia, maior o custo de optar por um uso qualquer de cada uma delas.

O tempo é um ativo escasso que tem usos alternativos. Parte do seu uso está amarrado a exigências de força maior. São as *funções vitais* do corpo, que precisam ser atendidas (sono, refeições, higiene etc.), e o *trabalho* sob a compulsão do imperativo de ganhar a vida (nem todos ainda, infelizmente, podem viver de juros...). Uma fatia considerável, apesar de declinante historicamente, do orçamento de cada dia é engolida por essas duas categorias de despesas. A divisão do trabalho e o avanço tecnológico que ela permitiu trouxeram uma enorme economia de tempo na execução de tarefas e aumentaram de forma extraordinária a produtividade da hora trabalhada, mas ao custo de submeter os que dela participam a situações de reduzida autonomia — períodos em que deixamos, por determinadas horas, de ser donos do nosso próprio tempo. Como nota Friedrich Engels (herdeiro de uma empresa têxtil na Manchester vitoriana), referindo-se ao advento da grande indústria: "Pelo menos no que respeita às horas de trabalho pode-se escrever na porta dessas fábricas: *Lasciate ogni autonomia, voi che entrate!*".[46]

A tendência histórica, todavia, mostra claramente que o tempo destinado ao trabalho assalariado — o tempo "alugado" a terceiros — vem caindo de forma acentuada no mundo. Em 1881, um operário comum nos países desenvolvidos dedicava em média cerca de 154 mil horas de sua vida ao trabalho. Hoje, esse total não alcança 65 mil horas. Isso significa que o "tempo livre" disponível a cada dia — excluídas as cerca de dez horas dedicadas às funções vitais — triplicou em pouco mais de um século.[47] A pobreza, é certo, escraviza a vida de muitos: a margem de escolha daqueles que não têm nenhum tipo de qualificação profissional ou vivem à mercê da caridade alheia é inevitavelmente exígua. Mas, a partir de certo nível de renda que permita atender às necessidades básicas, o uso do tempo passa a depender muito mais das prioridades e valores do indivíduo que do imperativo de obter uma renda — ou aumentá-la — a qualquer custo.

O desejo incita à ação. Mas estar ciente da passagem do tempo e dispor de liberdade de escolha no tocante ao seu uso incita o conflito entre desejos. Todo instante é irrevogável. "Um corre, o outro se esconde para enganar o tempo, o inimigo tenaz." Como empregar sabiamente o escasso tempo que a sorte e a prudência nos concedem? Como lidar com a dupla restrição orçamentária imposta pela nossa finitude? O que fazer diante dessa trama irrecorrível que nos condena a enfrentar a liga da finitude pétrea de cada dia, de um lado, com a finitude incerta do arco da vida, de outro?

Uma primeira e radical alternativa seria simplesmente fugir da questão, ou seja, tentar evitar os dilemas e a ansiedade que dela decorrem por meio de uma supressão deliberada e sistemática da consciência da passagem do tempo. "Melhor vida é a vida que dura sem medir-se." O poema em prosa "Elogio do vinho", atribuído ao poeta e pensador chinês do século III d. C. Lieu Ling, elabora de forma memorável essa possibilidade:

Um amigo meu, homem superior, considera que a eternidade é uma manhã e 10 mil anos um simples pestanejar. O sol e a chuva são as janelas de sua casa. Os oito confins, suas avenidas. Caminha, ligeiro e sem destino, sem deixar rastro: o céu como teto, a terra como chão. Quando se detém, empunha uma garrafa e um copo; quando viaja, leva na cintura um cantil e uma vasilha. Seu único pensamento é o vinho; nada mais, aquém ou além, o preocupa. Seu modo de vida chegou aos ouvidos de dois respeitáveis filantropos: um deles, um jovem nobre; o outro, um literato famoso. Foram até ele e com olhar furioso e ranger de dentes, agitando as mangas de seus trajes, reprovaram vivamente sua conduta. Falaram-lhe dos ritos e das leis, do método e do equilíbrio, e suas palavras zuniam como enxame de abelhas. Enquanto isso, o ouvinte apanhou uma vasilha e entornou-a num só trago. Depois sentou no chão, cruzou as pernas, apanhou de novo a vasilha, cofiou a barba e começou a beber aos goles até que, com a cabeça inclinada sobre o peito, caiu num estado de venturosa inconsciência, interrompida apenas por relâmpagos de semilucidez. Seus ouvidos não teriam escutado a voz do trono; seus olhos não teriam notado um penhasco. Cessaram frio e calor, alegria e tristeza. Submergiu o seu pensar. Inclinado sobre o mundo, contemplava o tumulto dos seres e da natureza como algas flutuando nas águas de um rio. Quanto aos dois homens eminentes que discursavam a seu lado, pareceram-lhe vespas tratando de converter um casulo de bicho-da-seda.[48]

A consciência do tempo pesa. O sentimento do poema é reconhecível — poucos, talvez, nunca o abrigaram. Variações em torno dele têm inspirado algumas das melhores páginas da literatura universal. O equívoco, no entanto, seria confundir um *impulso*, legítimo até certo ponto porém circunscrito, com um *modo de vida*.

"É uma exigência da natureza", reconhece Goethe, "que o homem de tempos em tempos se anestesie sem dormir; daí o gosto de fumar tabaco, beber aguardente ou fumar ópio." Ou como dirá Nietzsche: "Mesmo o homem mais racional precisa outra vez, de tempo em tempo, da natureza, isto é, de sua relação ilógica original com todas as coisas".[49] O cansaço do mundo, as dores da existência finita e a ansiedade em face do dia estreito que nos arrasta rio abaixo rumo a um despenhadeiro incerto pedem uma trégua periódica. O anseio de "anestesiar-se sem dormir" — ou dormindo — é ancestral no animal humano. A sabedoria está no "de tempo em tempo".

O equívoco recorrente consiste em fazer desse impulso intermitente — e que cobra algum tipo de catarse — uma espécie de "fé na embriaguez". Ou seja: uma tentativa de abolir por completo a consciência da passagem do tempo para mergulhar no "eterno presente" de uma "venturosa inconsciência". Dos românticos aos *beatniks*, como a experiência repetidamente tem demonstrado, os juros desse tipo de aposta regressiva, normalmente calcada na crença de que a boa estrela que preside os dias do apostador não deixará de prover, na hora do apuro, uma tábua de salvação, costumam arruinar uma vida. Em vez do atalho rumo à "felicidade do esquecimento", a ladeira que faz perder — e não raro de modo irreparável — qualquer perspectiva de caminho ou futuro. Um dia a conta chega. Ébrio o início, amargo o fim.

A toda fuga obstinada corresponde o seu avesso — uma obsessão. No polo oposto ao da fé na embriaguez está outra modalidade de excesso: a consciência aguda da passagem do tempo acompanhada da tentativa de submetê-lo a um estrito cálculo e controle racional. O amigo beberrão de Lieu Ling, retratado acima, encontra um antípoda perfeito — verdadeiro negativo fotográfico literário — na figura de Nikolai Kuzmitch, o vizinho russo do narrador fictício de *Os cadernos de Malte Laurids Brigge*, obra máxima em prosa de Rilke.[50] Como o texto original é longo, apresento uma versão condensada da narrativa:

O HOMEM QUE APLICAVA O TEMPO A JUROS

Nikolai Kuzmitch era um pequeno burocrata em São Petesburgo. Certo domingo, ele se propôs a solucionar um estranho problema. Primeiro, estimou que viveria por um bom tempo ainda, perto de cinquenta anos. Ficou radiante. Deu-se conta de que esses anos poderiam ser convertidos em dias, horas, minutos e até segundos. Fez os cálculos e apurou um total impressionante. O tempo, todos sabiam, era algo valioso, e ele se assombrou com o fato de que alguém dotado desse vasto tesouro não tivesse um guarda pessoal para escoltá-lo nas ruas.

Em seguida vestiu um casaco de peles, que o deixava mais encorpado e respeitável, e realizou uma auto-outorga desse fabuloso capital, dirigindo-se a si mesmo num tom solene: "Nikolai Kuzmitch", ele disse, imaginando-se sentado, sem o casaco, no sofá de crina da sala, "espero que você não perca a cabeça com sua nova fortuna; lembre-se de que a riqueza não é tudo na vida". O outro Nikolai, sentado no sofá, recebeu o dote sem se alterar. E, de fato, em nada mudou sua modesta rotina, exceto pelo fato de que passou a dedicar os domingos a pôr as contas em ordem.

Em algumas semanas, porém, tornou-se evidente que ele estava gastando somas espantosas. "Terei de economizar", concluiu. Passou a acordar mais cedo, lavar o rosto com menos cuidado, tomar o café da manhã de pé, sair mais cedo para o trabalho e chegar no escritório antes de todos. Poupava meticulosamente algum tempo em tudo o que fazia. Mas, quando o domingo chegava, nada restava do esforço feito. Percebeu então que havia sido ludibriado. "Nunca devia ter aceitado essas notas miúdas e moedas", lamentou. "Como uma cédula graúda, de um ano inteiriço, teria durado! Mas esses malditos trocados, que diabo, vivem sumindo!"

> Numa tarde chuvosa, ele sentou no sofá e se pôs a aguardar aquele senhor do casaco de peles, disposto a exigir o seu tempo de volta. Se fosse preciso, trancaria a porta e não o deixaria sair até que estornasse a quantia devida. "Em notas de dez anos, se o senhor não se importar!", diria. Exasperado, esperou horas inúteis, e o tal senhor não apareceu. "O que teria havido com ele? Decerto arruinou a vida de tanta gente que foi preso!" Ocorreu-lhe então que deveria existir um órgão público — um Banco do Tempo — onde pudesse trocar os seus miseráveis segundos. Afinal, não eram moedas falsas.
>
> Naquela mesma tarde, Nikolai acabou dormitando no sofá, o que lhe trouxe algum alívio. "Eu estou me enrolando com os números", disse a si mesmo semidesperto, "mas é óbvio que eles não merecem tamanha importância, afinal não passam de uma ficção criada pelo governo em prol da ordem pública; ninguém jamais viu um número fora do papel." Toda essa confusão, refletiu, não passava de um engano absurdo. "Tempo e dinheiro, como se não existisse diferença entre os dois!" Quase riu da situação. Era fabuloso ter descoberto o erro a tempo; agora tudo mudaria. O tempo era sem dúvida um embaraço, mas seria ele o único a quem algo assim ocorrera? Afinal, o tempo também não transcorria em minutos e segundos para os outros, ainda que não se dessem conta disso?
>
> E foi nesse exato instante que ele sentiu um estranho sopro roçando sua pele. A janela, porém, não estava aberta. *Era o tempo real passando.* Ele reconhecia agora, com aguda clareza, todos aqueles segundos minúsculos passando por ele, todos igualmente tépidos, cada um deles exatamente como os outros, velozes. Percebeu que permaneceria ali, sentado, e que aquele sopro continuaria a passar por ele, sem cessar, por toda a vida, e pressentiu os ataques de nevralgia que isso lhe causaria. Ficou possesso de raiva. Ergueu-se de um salto, mas outra surpresa o acometeu: algo se movia sob seus pés. Sentiu a Terra girar. Saiu cambaleante pela sala, mas um forte enjoo obrigou-o a deitar-se. A partir desse dia, Nikolai Kuzmitch nunca mais conseguiu levantar-se da cama.

O personagem de Rilke (vizinho de seu *alter ego*) é um Shylock da gestão do tempo. Os anos que lhe restavam eram os seus ducados. Nenhum segundo era pouco quando se tratava de fazer um uso calculado e parcimonioso do que tinha de mais valioso em seu poder: o valor presente de toda a vida à frente. Mas, quando ele percebeu o equívoco da confusão entre tempo e dinheiro, "como se não existisse diferença entre os dois", o mal já fincara raízes em sua mente e a enfermidade estava instalada. Assim como nos casos agudos de anorexia e avareza, a obsessão da disciplina e do autocontrole — neste caso em relação ao emprego do tempo — acabou produzindo o seu contrário, ou seja, a perda do equilíbrio e a invalidez que o prendeu ao leito pelo resto dos dias: o absoluto desperdício de uma vida. (O conselho de Rilke ao jovem poeta (p. 66) não deixa também de ser um alerta contra os perigos decorrentes de uma excessiva consciência da passagem do tempo.)

A aproximação entre tempo e dinheiro não é fortuita. Ambos têm de fato muita coisa em comum, a começar por algumas propriedades formais. A noção de tempo, assim como a de dinheiro, é uma das abstrações mais poderosas e sofisticadas construídas pela razão humana. Ambos são entidades abstratas, impessoais e diretamente quantificáveis; ambos são compostos de unidades de medida homogêneas, passíveis de mensuração numérica, e que podem ser somadas e subtraídas a bel-prazer — um irresistível convite, em suma, ao exercício do cálculo racional. E, se esse é o caso de cada um em separado, o que dizer quando tempo e dinheiro se cruzam e fecundam mutuamente na matemática financeira dos juros... O par é perfeito. Parecem ter nascido um para o outro.

Outra afinidade importante entre tempo e dinheiro é o fato de que são ambos valores que se prestam admiravelmente à aplicação da noção de *custo de oportunidade*. Ou isto ou aquilo: "ou guardo o dinheiro e não compro o doce, ou compro o doce e gasto o dinheiro". O custo implícito na compra de um artigo qualquer é o valor daquilo que deixou de ser adquirido com a mesma soma. Idem o tempo. Se você despende uma hora, digamos, assistindo TV, é uma hora a menos na internet ou na cama: "não sei se brinco, não sei se estudo, se saio correndo ou fico tranquilo".[51] A restrição orçamentária das horas disponíveis no intervalo de um dia é equitativa, universal e implacável — nem um segundo a mais. E mais: há casos em que é possível computar com razoável precisão o valor do tempo gasto não só em usos alternativos do próprio tempo, mas em dinheiro, quer dizer, como o custo de oportunidade monetário de gastar o tempo de uma forma em vez de outra.

Foi esse raciocínio, vale notar, que levou Benjamin Franklin a cunhar o conhecido mote "tempo é dinheiro". A pregação puritana do século XVII, é certo, havia preparado o terreno e tangenciado a fórmula. O teólogo Richard Baxter, por exemplo, exortava os fiéis a "manter o tempo em alta estima e cuidar cada vez mais de não perder o seu tempo, assim como se cuida de não perder o ouro e a prata". Ou como dirá Francis Bacon: "O tempo é a medida dos negócios, como o dinheiro é das mercadorias". Mas o passo decisivo foi dado por Franklin ("o primeiro americano") em seus "Conselhos a um jovem comerciante", de 1748: "Lembre que tempo é dinheiro. Aquele que pode ganhar dez *shillings* por dia com seu trabalho mas sai a passeio ou fica ocioso por metade desse dia, ainda que gaste apenas seis *pence* durante o ócio ou a diversão, não deve considerar esse valor como sua única despesa, pois, na realidade, além disso foram gastos, ou melhor, jogados fora, cinco *shillings*".[52] (Ao menos em moeda sonante, Franklin dá a entender, o valor do ócio de um jovem comerciante é igual a zero.)

O fato capital, no entanto, é que a afinidade eletiva do par tempo e dinheiro não deveria obscurecer as suas cruciais diferenças. As características peculiares desses dois ativos possuem propriedades distintas das quais decorrem diversas implicações teóricas e práticas. E, o que é mais importante, a tentativa de aplicar a lógica do cálculo econômico à "gestão do tempo" esbarra, como veremos, em grave contradição. A pergunta central aqui é: afinal, o que há de errado com a ideia de tentar aplicar o cálculo econômico à alocação do tempo escasso entre fins alternativos?

A primeira distinção relevante deriva do fato de que o tempo, ao contrário do dinheiro, não é um ativo transferível. O dinheiro tem uma existência separada daquele que o detém. Daí que ele pode ser entesourado, trocado, emprestado ou doado. O tempo, por sua vez, é um ativo valioso mas indissociável da pessoa que o detém. O dinheiro, é certo, compra tempo de trabalho alheio e compra serviços médicos que podem estender a duração da vida. Mas o dinheiro não compra o tempo em si. E a razão é o fato de que o tempo não pode ser transacionado em mercado. Um bilionário decrépito, por exemplo, por mais que se disponha a fazê-lo, não tem como adquirir um ou dois anos do vigor juvenil de um adolescente que passa fome, ainda que ambos adorassem ter condições de poder efetuar a transação. Ele pode comprar o trabalho do jovem ou até mesmo um órgão do seu corpo, pagando uma grande fortuna por isso. Mas tempo de vida não. Se o tempo de acumular e manter aqueles bilhões custou-lhe a melhor parte da vida, paciência. Não há como recuperá-la. Apesar de o dinheiro aplicado a juros prometer uma renda perpétua ao seu proprietário, ele não lhe confere a imortalidade.

Além disso, o tempo é um fluxo que, ao contrário do dinheiro, não se presta a ser poupado, capitalizado e acumulado. O uso do tempo pode ser calculado, controlado e medido a conta-gotas. É o que parecemos fazer, cada vez mais, conforme a tecnologia acelera o tempo da vida prática e da interação comunicativa entre os homens. Mas, como a fábula de Nikolai Kuzmitch ilustra, nenhuma das formas de "poupança do tempo" o poupa. Se alguém deixa de usar ativamente uma parcela do tempo de que dispõe, em nome de uma utilização futura, nem por isso ele deixará de estar sendo gasto. Pois, ao contrário da renda monetária, o tempo "poupado" não pode ser temporariamente cedido a terceiros em troca de juros nem preservado, como um pé-de-meia, para os anos incertos da velhice. O tempo não se acumula: flui. Como adverte Emerson, "tabaco, café, álcool, ácido prússico, estricnina — todos não passam de poções diluídas: o mais infalível veneno é o tempo".[53]

O fluxo temporal não admite a formação de estoques. No final de cada dia, um mecanismo de "zeragem automática" faz voltar os ponteiros do relógio ao mesmo ponto de partida e se encarrega, assim, de anular os saldos e resíduos eventualmente "poupados" desde o despertar. O orçamento limitado de cada dia será gasto até o último segundo, aconteça o que acontecer. Podemos, é certo, fazer escolhas de mais longo alcance visando, por exemplo, pôr mais anos em nossas vidas, ainda que ao custo de menos vida em nossos anos. O arco da vida, ao contrário do dia, admite alguma margem de manobra e negociação. Mesmo nesse caso, contudo, não se trata da formação de um estoque de tempo "poupado" para uso futuro, mas de uma tentativa de dosar a velocidade do fluxo temporal que nos arrasta à senescência e morte em seu próprio ritmo. Se é certo que "o dinheiro", como dizem os franceses, "não tem dono" (*l'argent n'a pas de maître*), o que dizer do tempo, "mágico de todas as traições"?

O tempo, como o dinheiro, é um recurso escasso que tem usos alternativos. Isso poderia sugerir que ele se presta, portanto, à aplicação do cálculo econômico visando o seu melhor proveito. O uso racional do tempo seria aquele que maximiza a utilidade ou satisfação de cada hora do dia, tendo em vista todas as alternativas de emprego daquela mesma hora. Diante de cada opção de utilização do tempo, a pessoa delibera e escolhe exatamente aquela que lhe proporciona a melhor relação entre custos e benefícios no horizonte de tempo relevante.

A satisfação de cada hora consumida seria, na margem, igual à proporcionada por qualquer uso alternativo do tempo. Isso não exclui o monge nem o agiota. Isso não desautoriza — moral ou racionalmente — nem Benjamin Franklin nem o jovem Baudelaire. Na teoria econômica do uso racional do tempo, cada um sabe de si: cada um maximiza a realização dos seus valores e projetos dadas as restrições que enfrenta. Tanto o ócio como o negócio — a conversa com amigos e o batente em troca de paga — têm sua hora.

A lógica seria impecável, exceto por um ponto. Ocorre que a aplicação do cálculo econômico às decisões sobre o uso do tempo é neutra em relação aos fins mas exigente no tocante aos meios. Ela cobra uma atenção alerta e um exercício constante de avaliação racional do valor do tempo gasto em diferentes opções de uso. O problema, contudo, é que isso tende a minar uma certa disposição à entrega e ao abandono, os quais são essenciais nas atividades que envolvem de um modo mais pleno as faculdades humanas. A atenção consciente ao fluxo e à passagem das horas e uma preocupação constante com o seu uso racional estimulam a adoção de um estilo de pensamento e uma atitude perante o tempo — a pressa, a ansiedade alerta e o fantasma do desperdício — que nos impedem de realmente fazer o melhor uso de que somos capazes do tempo que a vida concede. Ninguém melhor do que Valéry, creio eu, investigou a realidade dessa questão — o desaparecimento do que ele chama de "tempo livre" — nas condições da vida moderna:

> O tempo livre que tenho em mente não é o lazer tal como normalmente entendido. O lazer aparente ainda permanece conosco e, de fato, está protegido e propagado por medidas legais e pelo progresso mecânico. As jornadas de trabalho são medidas e sua duração em horas regulada por lei. O que eu digo, porém, é que o nosso ócio interno, algo muito distinto do lazer cronometrado, está desaparecendo. Estamos perdendo aquela paz essencial nas profundezas do nosso ser, aquela ausência sem preço na qual os elementos mais delicados da vida se renovam e se confortam, ao passo que o ser interior é de algum modo liberado de passado e futuro, de um es-

tado de alerta presente, de obrigações pendentes e expectativas à espreita. Nenhuma preocupação, nenhum amanhã, nenhuma pressão interna, mas uma forma de repouso na ausência, uma vacuidade benéfica que traz a mente de volta à sua verdadeira liberdade, ocupada apenas consigo mesma. Livre de suas obrigações para com o saber prático e desonerada de qualquer preocupação sobre o porvir, ela cria formas tão puras como o cristal. Mas as demandas, a tensão, a pressa da existência moderna perturbam e destroem esse precioso repouso. Olhe para dentro e ao redor de si! O progresso da insônia é notável e anda *pari passu* com todas as outras modalidades de progresso.[54]

Poucas áreas da existência humana revelam de forma tão contundente os limites da racionalidade econômica como o uso do tempo. Não menos que a fé na embriaguez, a intensificação da consciência da passagem do tempo e do imperativo de usá-lo racional e calculadamente pode se tornar um estado mórbido. Existe algo profundamente errado com a ideia de transpor para o emprego do tempo a lógica maximizadora da utilidade e do dinheiro.

O paradoxo é claro. Quanto mais cuidamos de usar racionalmente o nosso precioso tempo, mais o vírus da pressa, a espora da aflição e o fantasma do desperdício nos perseguem. Quanto mais calculamos o benefício marginal de uma hora "gasta" desta ou daquela maneira, mais nos afastamos de tudo aquilo que gostaríamos que ela fosse: um momento de entrega, abandono e plenitude na correnteza da vida. Na amizade e no amor; no trabalho criativo e na busca do saber; no esporte e na fruição do belo — as horas mais felizes de nossas vidas são precisamente aquelas em que perdemos a noção da hora. O excesso de juízo carece de juízo.

QUARTA PARTE
Juros, poupança e crescimento

16. O ser social e o tempo: primórdios

A natureza impõe limites. Não importa quão sofisticado ou rudimentar, nenhum agrupamento humano sobreviverá por muito tempo se não for capaz de transferir uma quantidade mínima de recursos do presente para o futuro. A razão é simples. A infância extralonga do animal humano — o prolongado e oneroso processo de maturação que se estende do nascimento até que ele esteja apto a se defender e prover o próprio sustento — estabelece o imperativo da manutenção de uma "rede protetora" que garanta alimento, abrigo e aprendizado durante os anos formativos. Esse mecanismo precisa contemplar não apenas a prole, mas as grávidas e mães lactantes que inevitavelmente dependerão, por algum tempo, de amparo alheio.

Do Pleistoceno aos nossos dias, financiar e prover essa rede protetora intergeracional sempre definiu um piso ou limite mínimo abaixo do qual a continuidade da vida fica comprometida.[1] Acima desse piso, é claro, o quadro se altera. Em diferentes épocas e formas de organização social, como veremos, o grau de preocupação com o amanhã e a disposição de transferir recursos do presente para um futuro mais ou menos distante revelam extraordinária variabilidade.

Diferentes modos de ganhar a vida implicam diferenças marcantes na relação com o tempo. *No princípio era o momento*: ameaças a serem evitadas e oportunidades a serem exploradas. Nas sociedades arcaicas pré-agrícolas, baseadas essencialmente na caça e na coleta de alimentos, a tônica dominante da psicologia temporal é a propensão a viver o aqui-e-agora e deixar que o amanhã cuide de si. O piso da rede protetora intergeracional precisa ser satisfeito, mas a partir dele pouco ou nada se faz visando objetivos remotos. O depoimento dado por Saint-Hilaire — o grande naturalista francês que conheceu de perto a realidade de diversas tribos e etnias ameríndias durante sua permanência de seis anos no interior do Brasil no início do século XIX — é eloquente:

> Como é possível que, conforme testemunhei, um espanhol sozinho, ignorante e sem inteligência, tenha podido tiranizar nas missões do Uruguai uma aldeia inteira de

indígenas que valiam muito mais do que ele? É que os índios, homens como nós, com um destino igual ao nosso, permanecem eternamente crianças. Como as crianças, eles têm inteligência e vivacidade e, como elas, são imprevidentes. Se deixarmos uma criança sem guia e com certa soma de dinheiro numa cidade, ou mesmo num humilde povoado, ela em breve se verá roubada. Nossa sociedade é inteiramente baseada na ideia de futuro, e ninguém poderá sobreviver nela se não levar em conta essa ideia. Os jovens guaranis que levei comigo para a França não conseguiam entender o que significava a palavra *amanhã*. "É preciso guardar isso para amanhã", diziam-lhes, e eles perguntavam: "Que quer dizer amanhã?". Quando lhes explicavam que o dia seguinte viria depois que eles dormissem, os dois retrucavam: "Ora, então há muitos amanhãs".[2]

A noção do silvícola tropical como eterna criança — "em coesão com a natureza, tal como a criança no peito da mãe" (Hölderlin) ou dominado por uma natureza demasiado pródiga e que "o segura pela mão, como a uma criança suspensa por cordões de andar" (Marx)[3] — deve ser tomada com um grão de sal. Inverta os papéis. Aos olhos do índio, é plausível supor, a figura de um europeu abandonado sem guia na selva, munido apenas de uma zarabatana, talvez não parecesse menos desamparada ou infantil. O súbito e brutal deslocamento em pouco tempo faria dele, como do índio na cidade, uma presa inocente das armadilhas e predadores da floresta.

Além disso, é difícil acreditar que a surpresa manifestada diante da palavra *amanhã* possa representar outra coisa senão um estranhamento linguístico, ou seja, fruto da falta de familiaridade dos índios com um conceito geral e abstrato de *dia futuro*. Entre outras evidências, o simples fato de que essas culturas dispunham de um sistema de cálculo e marcação da passagem do tempo por meio das lunações é uma indicação clara de que estavam cientes, ao menos num sentido prático, da existência de "muitos amanhãs".

Uma das principais demandas dos índios sul-americanos aos caraíbas brancos (ver página 76) era que eles os fizessem viver por muitos anos ainda ou, se possível, para sempre. Da mesma forma, "o canibalismo", assinala um especialista, "parece ter sido, entre muitas outras coisas, o método especificamente feminino de obtenção da longa vida, ou mesmo da imortalidade, que no caso masculino era obtido pela bravura no combate e a coragem na hora fatal".[4] O herói guerreiro é credor dos juros da vida eterna; o fujão covarde paga os juros da vexação. O anseio de imortalidade pessoal — nesta ou noutra vida — tem raízes fundas na psique humana.

O ponto central de Saint-Hilaire, no entanto, permanece. A sociedade arcaica pré-agrícola vive sob a égide do *máximo local*. O que extrapola o repertório comportamental dos agrupamentos de caçadores-coletores é a noção de agir no presente tendo em vista objetivos remotos no tempo — a ideia de "guardar" algo para um hipotético amanhã ou abraçar perdas e sacrifícios palpáveis aqui-e-agora em prol de um futuro melhor.

Clara evidência disso, entre outras, foram os percalços dos padres jesuítas diante do desafio de submeter os índios sob sua tutela aos rigores do trabalho agrícola. Uma das maiores dificuldades era precisamente impedir que eles consumissem já na própria colheita, ao sabor de um impulso ou apetite momentâneo, as espigas que deveriam ser guardadas para o plantio da próxima safra. Não por acaso, a cultura esporádica feita pelos índios sul-americanos em seu habitat natural quase se resumia às duas espécies vegetais de ciclo mais curto e de mais rápido retorno do esforço despendido: mandioca e banana.[5]

Uma cena de *A tempestade* de Shakespeare é ilustrativa. Para o desgosto e a fúria do pai de Miranda, que os queria crescendo juntos, "como bons irmãos", na ilha onde viviam à margem do mundo, o selvagem caribenho Caliban trai a confiança do seu preceptor europeu e morde a fruta proibida, ou seja, não se resigna a sublimar — ou postergar até "ocasião propícia" — sua paixão pela jovem donzela. O nome do preceptor de Caliban é sugestivo: Prospero (latim *pro*: "a favor de" + *spero*: "esperar").

Como entender essa forte preferência pelo presente? A psicologia temporal fincada nas ameaças e oportunidades do momento, sem fazer conta do porvir, tem sua razão de ser. Quando nos deparamos com padrões de comportamento que caracterizam populações ou sociedades inteiras, isso é sinal de que fatores subjacentes e comuns a todos estão provavelmente em jogo. As preferências temporais dos indivíduos não surgem do nada. Elas decorrem, em grande medida, de um processo contínuo de adaptação e ajustamento às condições objetivas em que eles atuam e ganham a vida. Padrões de comportamento e escolhas intertemporais que poderiam parecer um tanto arbitrários ou surpreendentes à primeira vista com frequência se revelam perfeitamente inteligíveis e adequados quando considerados à luz dos fatores ambientais e sociais em que foram moldados e aos quais se encontram finamente ajustados.

Considere o caso dos silvícolas sul-americanos habitantes da floresta tropical. Por um lado, a natureza pródiga e a ausência de fortes flutuações climáticas não os obrigam a tomar providências para a longa e árdua travessia do inverno: nenhuma cigarra morre à míngua nos trópicos luxuriantes. Por outro lado, contudo, o sucesso na atividade de caça, pesca e coleta da qual eles tiram o sustento diário depende da extensão e principalmente da densidade de animais e vegetais disponíveis para imediato consumo no território sob o domínio da tribo. Como não há direitos de propriedade garantindo a posse da terra, as invasões pululam e as melhores áreas são continuamente disputadas entre as tribos da região. A existência de um razoável equilíbrio de forças entre essas tribos assegura que nenhuma consiga sobrepujar em definitivo as rivais.

A necessidade constante de defender, renovar e expandir as terras sob seu controle leva os índios não só à prática do nomadismo, mas — o que é crucial — a um modo de vida marcado por um estado de guerra quase ininterrupta com as tribos vizinhas — conflitos, emboscadas, escaramuças e tocaias nos quais o elemento-surpresa do ataque é o fator decisivo e a derrota ou deslize significa morte certa nas mãos do inimigo (no modo de vida errante não há como manter prisioneiros cativos ou escravos). Nesse tipo de guerra larvar, assim como na caça sem armas de fogo, astúcia e ligeireza são os nomes do jogo. Tudo é alerta e prontidão. Átimos de segundo — um mero estalo de graveto ou resfolegar — podem fazer a diferença entre o triunfo e a total desgraça. Audição aguçada, percepção acesa. Quem não mata, morre.

Ausência de inverno, nomadismo e ameaça onipresente de ataque inimigo: esses três fatores concorrem para reforçar a atenção ao momento e encurtar o horizonte temporal da comunidade indígena. Mas o quadro permaneceria incompleto se deixássemos de lembrar três outros vetores que trabalham na mesma direção: o coletivismo, o pensamento mágico e a baixa esperança de vida ao nascer.

O *coletivismo* aqui tem a ver com o fato de que no mundo tribal o padrão de consumo e a segurança de cada indivíduo dependem mais do poder coletivo da tribo e das circunstâncias que afetam o grupo que da sua ação e esforço pessoais. A consequência disso é que não há um sistema de incentivos que estimule cada membro do grupo a se dedicar e buscar os meios de garantir ou melhorar o seu amanhã, ainda que ao custo de algum sacrifício corrente. O coletivismo é um ambiente social em que o futuro pessoal de cada indivíduo pouco depende dele mesmo, ou seja, decorre apenas em pequena medida das escolhas que ele faz.

Paralelamente, o predomínio do *pensamento mágico* — há povos que ignoram o elo causal entre sexo e procriação: os bebês simplesmente acontecem, como a brisa ou a flor — torna a realidade menos permeável à deliberação humana. Os fenômenos naturais estão povoados por seres e entidades inescrutáveis, abertos talvez à barganha e negociação com os homens, mas dotados de vontade própria e teimosamente caprichosos. O corolário disso é uma fraca capacidade de prever e controlar as forças da natureza. O pensamento mágico torna essencialmente fútil a pretensão humana de tentar deliberar e influenciar o curso futuro dos acontecimentos por meio de ações calcadas em raciocínio instrumental. Como o futuro não pertence aos humanos mas aos deuses traiçoeiros, só o que resta é aplacar os seus humores: suplicar e torcer.

E, por fim, a *baixa esperança de vida* (ver páginas 25-6) leva a duração da existência a ser ainda mais incerta. Se o risco de morte tende a aumentar a impaciência por bens e satisfações no presente, se o espectro da morte prematura por causas externas (moléstias, violência, calamidades etc.) nunca anda longe e se nada assegura, portanto, que ainda se estará vivo até a próxima lua, então por que se afligir com um difuso, longínquo e duvidoso amanhã? Em nome do que deixar de gozar sem peias o dia fugaz?

A conclusão é irresistível. A resultante dessa poderosa conjunção de fatores é direta e unívoca como uma flecha: viver intensamente as possibilidades do momento e deixar que o amanhã cuide de si. A psicologia temporal dos caçadores-coletores arcaicos guarda um estreito vínculo com as condições objetivas — ecossistema e forma de vida material — de sua existência. Ela revela, entre outras coisas, como a preferência pelo bem imediato, sem fazer grande caso do porvir, é por vezes uma estratégia inteligível e perfeitamente válida, ao passo que o adiamento da gratificação, em prol de benefícios vindouros, deixa de fazer sentido quando a incerteza e a imprevisibilidade reinantes, de um lado, e a fragilidade do saber instrumental, de outro, tornam as chances de sucesso da operação muito baixas.

Daí que à fabulosa disponibilidade para a alegria, a dança e o folguedo das culturas indígenas corresponda uma não menos formidável relutância em trabalhar por objetivos remotos. Eis aí, curiosamente, o ideal de vida propugnado por Keynes quando afirmou: "Aqueles que mais verdadeiramente trilham os caminhos da virtude e da sã sabedoria são os que menos se ocupam de pensar no amanhã".[6] Salve o prazer.

O problema aparece, contudo, no momento em que essa psicologia temporal afinada ao seu meio se vê abruptamente compelida a interagir e lidar com uma cultura em que o centro de gravidade da existência se deslocou substancialmente do presente para o porvir. Os missionários cristãos no Novo Mundo, por exemplo, buscaram converter os nativos ao seu dogma e modo de vida por meio da manipulação de incentivos. Como vencer o apego dos índios ao máximo local e alterar a inclinação dos pratos da balança intertemporal na direção desejada? O medo da morte e o desejo de assegurar uma vida boa após a morte deram aos clérigos uma porta de entrada. A ideia era estimular o apelo e atratividade da fé cristã oferecendo, aos que se convertessem, juros prospectivos irrecusáveis: "renúncia e contrição agora; paz e bem-aventurança eternas no porvir". Quem aprendesse a esperar seria infinitamente recompensado, ao passo que os impacientes teriam lugar garantido no inferno. O desafio, em suma, era "salvá-los" deles mesmos: trazê-los da posição devedora para um saldo credor nos balancetes do Sumo Banqueiro celeste.

A puxada dos juros, contudo, não surtiu o efeito esperado. Fáceis de "converter", os índios logo se mostraram impossíveis de "regenerar". A hóstia sagrada era o antepasto da antropofagia; a confissão, a preliminar da orgia. A "inconstância da alma selvagem" fazia da empresa um pesadelo missionário. "A gente destas terras", bradou o padre Vieira, "é a mais bruta, a mais ingrata, a mais inconstante, a mais avessa, a mais trabalhosa de ensinar de quantas há no mundo." E emendou: "Outros gentios são incrédulos até crer; os brasis, ainda depois de crer, são incrédulos".[7] Qual a raiz da dificuldade? Ninguém, é claro, quer ir para o inferno. Porém, como lembra Freud, "nada é tão difícil para o homem quanto abdicar de um prazer que já experimentou".[8] Embora superficialmente acolhidos pelos índios, os juros cristãos não se mostraram capazes de refrear a impulsividade e virar pelo avesso a sua psicologia temporal. Compreende-se. O paraíso de Caliban — sexo, batuque e cauim — não tem o menor parentesco com o de são Tomás.

17. Origens sociais da solicitude perante o amanhã

Houve um tempo em que o metabolismo entre sociedade e natureza estava restrito à apropriação e consumo de recursos que o meio ambiente espontaneamente produzia. Os detalhes etnográficos, é certo, são específicos a cada grupo, cultura e região do planeta, mas a estrutura básica da relação entre o homem e o mundo natural era essencialmente a mesma. O poeta latino Lucrécio retratou a condição de vida nas sociedades arcaicas pré-agrícolas com palavras luminosas:

> E enquanto o sol pelo céu percorria seu périplo por inumeráveis lustros, os homens levavam a vida ao modo das feras erradias. Naquele tempo, ninguém conduzia o sinuoso arado com o braço rijo ou sabia como trabalhar os campos com o enxadão de ferro. Ninguém plantava mudas no solo ou aparava os ramos mais velhos das árvores frondosas com facões de poda. As dádivas que o sol e a chuva concediam e a terra espontaneamente gerava eram suficientes para contentar seus corações [...] Não menos então que agora, as gerações mortais deixavam a doce luz da vida com lamento e pesar.[9]

O advento da agricultura e do pastoreio alterou radicalmente esse quadro. O animal humano, que é parte da natureza e que dela depende, não se resignou a viver para sempre à mercê dos frutos e rebentos espontâneos da terra. O desafio que desde logo se insinuou e provocou os homens a buscar respostas foi: como induzir o mundo natural a somar forças e multiplicar o resultado dos esforços humanos? Como colocá-lo a serviço do homem? O passo decisivo nessa busca foi a descoberta, antes prática que teórica, de que "domina-se a natureza obedecendo-se a ela".[10] A sagacidade do animal humano soube encontrar nos caminhos e recessos do mundo como ele se *põe* (*natura naturans*: "a natureza causando a natureza") as chaves de acesso ao mundo como ele *pode ser* (*natura naturata*: "a natureza causada").

A domesticação de plantas e animais, fruto de um milenar, gradualíssimo e obstinado experimentalismo, mostrou que os processos naturais, desde que devidamente sujeitos à observação, exame e direcionamento pela mão do homem, podiam se tornar inigualáveis aliados na luta pelo sustento diário. Em vez de tão somente surpreender e pilhar os seres vivos que a natureza oferece para uso e desfrute imediato, como fazia o caçador-coletor, tratava-se de compreender suas regularidades, acatar sua lógica, identificar e aprimorar suas espécies mais promissoras e, desse modo, cooptá-los em definitivo para a tarefa de prover e potencializar os meios de vida. Se a realidade designada pelo termo *civilização* não se deixa definir com facilidade, uma coisa é certa: nenhum conceito ou definição que deixe de dar o devido peso a essa mudança radical na relação homem-natureza poderá ser julgado completo.

A domesticação sistemática, em larga escala, de plantas e animais deu à humanidade maior segurança alimentar e trouxe extraordinárias conquistas materiais. Mas ela não veio só. O advento da sociedade agropastoril teve como contrapartida direta e necessária uma mudança menos saliente à primeira vista, mas nem por isso de menor monta: a profunda transformação da psicologia temporal do animal humano. A domesticação da natureza externa exigiu um enorme empenho na domesticação da natureza interna do homem. Pois a prática da agricultura e do pastoreio, como veremos, implicou uma vasta readaptação dos valores, crenças, instituições e formas de vida aos seus métodos e exigências. Entre os acontecimentos da história mundial que modificaram de maneira permanente os hábitos mentais do homem, seria difícil encontrar algum que pudesse rivalizar com o impacto da transição para a sociedade de base agrícola e pastoril em toda a forma como percebemos e lidamos com a dimensão temporal da vida prática.

O que muda? Os caçadores-coletores vivem sob a égide da imediatidade, ou seja, do menor intervalo de tempo entre desejo, ação e satisfação. Fome, sede, medo, raiva ou atração sexual — não importa qual seja a necessidade ou desejo sentidos, a ação, que é o meio, vem praticamente colada à repleção ou anulação da carência, que é o fim. O cultivo da terra e a criação de animais quebraram essa unidade. Eles trouxeram para o primeiro plano as vantagens da *espera*, materializada no hiato de tempo entre produção e consumo. O metabolismo entre sociedade e natureza deixa de ser, por assim dizer, "da mão para a boca" — um *affaire* de ciclo curto consumado em horas ou dias — para se tornar um ciclo consideravelmente mais longo, envolvendo meses e anos de paciente preparo e execução. Essa mudança confere maior afluência e previsibilidade ao mundo do consumo e subverte por completo o mundo do trabalho. A partir desse momento, o trabalho deixa de ser uma ação impulsiva e circunstancial visando a satisfação de um desejo — uma aventura sujeita, em grande medida, aos caprichos do acaso e do inesperado — para se tornar uma atividade de caráter essencialmente instrumental, pautada pela rotina e regularidade: a arte de fazer o que não se deseja a fim de alcançar os meios de obter o que se deseja.

A consolidação do agropastoreio como modo de vida promoveu, entre outras coisas, o término do nomadismo, a fixação de direitos de propriedade sobre bens de raiz (terras) e bens fungíveis (animais, implementos etc.), a maior segurança da pessoa no cotidiano e o estreitamento dos vínculos familiares. Como observa Hegel com perspicácia, ao comentar a contribuição original da Ásia para a história universal, "na agricultura está envolvido *ipso facto* o abandono da vida errante; ela demanda presciência e uma atenção solícita pelo futuro: a reflexão numa concepção geral é dessa forma despertada, e nisso reside o princípio da propriedade e da diligência produtiva".[11]

A criação e o manejo de animais, de um lado, pressupõem um elemento considerável de cuidado e antevisão, tanto na proteção e provisão alimentar do rebanho como na escolha de preservar para procriação, engorda ou para consumo imediato. O cultivo da terra, por seu turno, requer providências de limpeza e preparo do solo, seleção de sementes e semeadura na estação propícia, colheita e transporte, além de armazenagem e deliberação sobre usos alternativos da safra (não só sementes para futuro plantio como estocagem para consumo ao longo do ano). Em ambos os casos, a dilatação do tempo envolvido no processo produtivo significa que a atividade se tornaria impraticável na ausência de um mínimo de previsibilidade e segurança acerca dos direitos de propriedade sobre os meios e frutos do trabalho.

O efeito combinado dessas mudanças é duplo: a ampliação do horizonte de tempo da sociedade e o deslocamento do pêndulo da preferência temporal em direção ao futuro. As demandas do aqui-e-agora precisam, é claro, ser atendidas; mas seu poder de comandar as ações se enfraquece. Desfrutar o momento ou cuidar do amanhã? Viver melhor agora, satisfeito com o que foi alcançado, ou poupar e investir tendo em vista um futuro melhor? Ócio ou trabalho?

São perguntas, vale frisar, sem cláusula de escape. Por mais abstratas e distantes da vida comum que possam soar à primeira vista, o fato é que elas serão de alguma forma respondidas, por meio das ações da vida prática, mesmo que ninguém as faça ou delibere conscientemente a respeito delas. Assim como, no uso da linguagem, as regras da gramática foram longamente praticadas antes de serem descobertas e formalizadas, na arte da escolha intertemporal a prática vem antes e independe de qualquer teoria sobre o seu *modus operandi*. No passado, como no presente, a prática da escolha intertemporal nunca exigiu, como condição prévia, que os princípios a que ela obedece tivessem sido devidamente identificados e analisados.

A experiência da vida molda no ser humano um certo sentido de valor. Com o advento do sistema produtivo agropastoril, novas exigências e oportunidades entram em pauta. O máximo local deixa de ser uma opção socialmente viável para a maioria. A noção de agir no presente tendo em vista o futuro ganha realidade no mundo do trabalho, ao passo que a psicologia temporal do animal humano adquire um novo perfil.

A questão decisiva que a partir desse momento desponta no horizonte e passa a ganhar contornos cada vez mais definidos é saber o que determina a forma e a intensidade da orientação de futuro de uma sociedade. A separação no tempo entre produção e consumo — o crescente descolamento entre os meios e os fins na vida prática — tornou patente o fato de que, sob determinadas condições, a espera rende frutos e os esforços correntes trazem recompensas mais tarde. A cada nova etapa alcançada, no entanto, a mesma pergunta volta a se colocar: *compensa esperar?* E, caso compense, *em que medida?* Parar por aqui ou ir além? Até que ponto mais precisamente valeria de fato a pena embarcar e se aprofundar nesse tipo de barganha com o amanhã?

18. Os determinantes da orientação de futuro

O prazer e a dor atam-nos ao presente; a apreensão, a ambição e o sonho projetam-nos ao futuro. O avanço do conhecimento técnico, a cooptação de forças naturais e da ação do tempo para o mundo do trabalho e a maior segurança e previsibilidade do ambiente social reduziram a tirania do aqui-e-agora e aumentaram substancialmente os graus de liberdade da sociedade humana. Esse conjunto de mudanças tornou factível o exercício de escolhas intertemporais de longo alcance, por meio da transferência de recursos do presente para o futuro. A grande questão é elucidar o que se esconde por trás das enormes variações que a história registra no tocante ao exercício efetivo dessa prerrogativa. O imperativo da rede protetora intergeracional, como vimos, define o piso. Mas qual será o patamar almejado e como se dá o acesso até ele? O que determina o *grau* e a *forma* da orientação de futuro de uma sociedade?

Há muita coisa em jogo: simplificar sem perder de vista o essencial é o procedimento indicado. As soluções perseguidas e os resultados obtidos em diferentes contextos e casos particulares variam ao infinito. Um grande complicador, cujo papel será provisoriamente ignorado, é a questão da agregação das preferências e ações individuais. A orientação de futuro de uma sociedade — o volume e a natureza dos recursos que ela desloca do presente para os tempos vindouros — não é o resultado de uma única e soberana vontade. Ela é o resultado da interação e ajuste recíproco de uma miríade de decisões autônomas, ou seja, escolhas entre consumir e poupar, desfrutar e labutar, e gastar e investir feitas separadamente pelos indivíduos, famílias e organizações (inclusive o governo) que atuam na sociedade. Supondo, porém, de início, que a sociedade no seu conjunto possa ser tratada como se fosse um só sujeito, isto é, um ente dotado de uma certa preferência temporal e capaz de agir com vontade própria em face das escolhas que depara na vida prática, podemos fazer uma primeira aproximação do problema.

A maior ou menor orientação de futuro de uma sociedade, não obstante a diversidade empírica de contextos históricos e situações concretas, resulta da operação de duas forças fundamentais. Seguindo o arcabouço teórico e a terminologia sugeridos por Irving Fisher em *A teoria dos juros*, podemos chamá-las: (1) o grau de impaciência da sociedade e (2) as oportunidades de investimento que nela se apresentam.[12]

O *grau de impaciência* denota o lado subjetivo dos termos de troca entre presente e futuro. Ele é um índice da urgência ou intensidade com que as necessidades e desejos — não importa se oriundos do estômago ou da imaginação — cobram imediata satisfação. Quanto *maior* a impaciência, *menor* será a disposição de abrir mão de algo agora em prol de algo no futuro e *maior* será a disposição de, na medida do possível, comprometer-se a abrir mão de algo no futuro a fim de desfrutar algo desejado desde já. Trata-se, portanto, de um traço comportamental. As *oportunidades de investimento*, em contraste, designam as características do ambiente em que a sociedade atua. Elas dizem respeito ao escopo e à qualidade das alternativas que o ambiente oferece para o uso de recursos que deixam de ser consumidos no presente e podem ser deslocados para render frutos mais à frente. As oportunidades de investimento definem, portanto, os termos de troca entre o presente e o futuro no emprego de trabalho e recursos visando fins remotos. Quanto *mais* rentáveis ou promissoras elas forem, *maior* será a disposição da sociedade no sentido de se mobilizar a fim de explorar as possibilidades de garantir e melhorar o amanhã.

O grau de impaciência e as oportunidades de investimento determinam conjuntamente a *intensidade* da orientação de futuro de uma sociedade: a proporção do trabalho social e dos recursos disponíveis que ela transfere do presente para o futuro. Mas eles nada nos dizem sobre a *finalidade* dessa transferência. "Há de voltar este tempo, bem sei; mas para mim, que não hei de voltar, é único este dia."[13] Ser paciente e saber esperar — *em nome do quê?* Poupar e investir — *com que fim?* Mesmo a noção de rentabilidade no uso de recursos escassos, vale frisar, é perfeitamente neutra no tocante ao conteúdo do que se espera alcançar. O maior ou menor grau de orientação de futuro de uma sociedade em nada condiciona ou predefine a natureza dos benefícios almejados.

Como a evidência histórica amplamente revela — vide as magníficas ruínas das antigas civilizações do Egito, Índia, Andes e México —, os benefícios futuros em nome dos quais se sacrificam, em alguma medida, oportunidades e prazeres correntes não precisam ser monetários nem sequer econômicos. As escolhas intertemporais da sociedade podem, de fato, visar os mais diferentes fins — religiosos, geopolíticos, militares, culturais etc. Uma ilustração concreta colhida do Antigo Testamento — a extraordinária saga do escravo José na corte do faraó egípcio (Gênesis, 37-50) — ajuda a visualizar com maior clareza o papel independente dos determinantes do *grau* de orientação de futuro de uma sociedade, de um lado, e das *formas* particulares que ela pode assumir, de outro.

O ESCRAVO JOSÉ E O SONHO DO FARAÓ

Os sonhos secretam o futuro. José, filho temporão de Jacó, era o claro favorito do pai. Jovem ainda, ele sonhou — e contou à família — que algum dia seria grande e poderoso, e que todos se curvariam ante sua preeminência. Movidos pelo ciúme e pela inveja, os dez meios-irmãos de José atraíram-no para uma emboscada e venderam-no como escravo, por vinte moedas de prata, a uma caravana de mercadores egípcios. Ao retornarem à casa paterna, os delinquentes ocultaram o crime dizendo ao pai que José havia morrido ao ser atacado e devorado por um animal selvagem.

No Egito, José trabalhou primeiro como escravo doméstico na casa de um capitão da guarda, oficial da corte do faraó. A mulher do capitão, entretanto, apaixonou-se por ele, mas quando ele resistiu aos seus avanços ela o acusou de tentar seduzi-la. José foi preso e, na prisão, fez amizade com o copeiro e o padeiro da corte, ambos cumprindo pena por terem ofendido o faraó. Certa manhã, o copeiro e o padeiro contam a José os sonhos que tiveram na noite anterior e lhe perguntam se ele seria capaz de interpretá-los. José prediz que o copeiro seria perdoado e voltaria ao antigo posto dali a três dias, mas o padeiro seria enforcado. A previsão se confirma. Livre, o copeiro promete ajudar José a sair da prisão, porém esquece a promessa e nada faz pelo amigo. Dois anos mais tarde, contudo, uma ocasião se oferece.

O faraó andava transtornado por conta de um sonho que tivera e que nenhum mago ou erudito da corte havia conseguido decifrar a contento. Por sugestão do copeiro, ele ordena que tragam o escravo José à sua presença e relata a ele o seu misterioso sonho: "Sonhei que estava em pé, à beira do Nilo, quando saíram do rio sete vacas, belas e gordas, que vieram pastar entre os juncos. Depois saíram outras sete, tão feias e raquíticas como jamais vira. As vacas magras e feias devoraram as sete vacas gordas, mas continuaram raquíticas como antes. Então acordei; logo, porém, adormeci e tive outro sonho. Vi sete espículas de cereal, cheias e boas, que cresciam num mesmo pé. Depois delas brotaram outras sete, murchas e mirradas, ressequidas pelo vento do deserto. As espículas magras engoliram as sete espículas boas" [Gênesis, 41: 17-24].

José interpreta o sonho. Sonhar duas vezes não é sonhar dois sonhos: o segundo sonho apenas reforça e elucida o primeiro. As vacas saindo das águas do rio Nilo e as espículas brotando da terra são os anos se sucedendo: 7 + 7. O que o sonho revela é que sete anos de abundância e prosperidade darão lugar a sete de fome e severa privação. Os anos de vacas gordas e supersafras não deixarão qualquer vestígio na vida e na memória dos súditos do faraó porque serão seguidos e devorados por sete anos de penúria e sucessivos desastres agrícolas. "Deus revelou ao faraó o que Ele está para fazer."

Em seguida, José aconselhou o faraó a tomar providências enérgicas: criar um tributo em espécie de 20% de toda a produção agrícola nos anos de bonança e nomear supervisores encarregados de recolher e armazenar os estoques de alimento em silos e entrepostos especialmente construídos, espalhados pelas principais cidades do Egito. As terras dos sacerdotes ficariam isentas do tributo para evitar que eles insuflassem os trabalhadores contra as medidas. Quando os anos de vacas magras chegassem, concluiu, esses estoques deveriam ser distribuídos gratuitamente aos súditos do faraó e vendidos a preço de ouro aos reinos vizinhos devastados pela fome. Como teriam ficado isentos do tributo, os sacerdotes também deveriam pagar pelo alimento que demandassem.

O faraó acolheu a interpretação do sonho feita por José e prontamente o nomeou primeiro-ministro do reino, com plenos poderes para implementar o plano proposto. No devido tempo, o prognóstico de José se confirma. Internamente, o Egito estava preparado para evitar a fome e enfrentar a calamidade. Nas relações externas, porém, a negociação foi dura. Quando o Nilo baixa, os preços disparam. Assolados pela seca, os reinos vizinhos não têm outro caminho salvo comprar alimentos nos estoques do faraó. Quando acaba o dinheiro, José intima-lhes que se comprometam a pagar aos cofres do Egito uma renda perpétua de 20% de toda a produção futura de suas terras. Era pegar ou largar. Premidos pela fome, o pai de José e seus outros filhos deixam sua terra natal e fixam-se no Egito, sob o amparo do faraó, mas não sem antes expiar a culpa pelo mal cometido.

Os tempos viram. A razão prudencial não toma o efêmero pelo permanente. O poder altamente centralizado e rigidamente hierárquico do Estado teocrático egípcio permitiu a pronta mobilização de recursos visando objetivos contingentes (José podia estar errado) e temporalmente remotos. (Não é à toa que, diga-se de passagem, a ocorrência de guerras e calamidades quase sempre enseja maior centralização e dirigismo estatais.) A lógica da operação é exatamente a mesma que preside a formação de gordura no corpo animal: "guardar na bonança, queimar na escassez" (pp. 30-1). A diferença é que nesse caso a mecânica do processo não é genética e vedada à deliberação humana, mas econômica e pautada por valores éticos. O Egito driblou a adversidade — e ainda lucrou com ela. Os golpes do infortúnio, quando devidamente antecipados e metabolizados, podem se revelar uma ocasião de ventura. As vacas gordas deglutiram as vacas magras.

Como se deu essa alquimia? O primeiro ponto foi a *antevisão*, ou seja, o exercício de uma consideração cuidadosa do que o futuro poderia reservar. O horizonte contemplado não se restringiu a um único período econômico — a próxima safra —, mas incorporou um ciclo de maior duração, envolvendo a alternância de padrões que poderiam influenciar a produtividade vários períodos à frente. A experiência indutiva acumulada — os ciclos de altas e baixas prolongadas vividos no passado — seguramente ajudou a dilatar o horizonte considerado no processo decisório.

A antevisão inclui um componente cognitivo ("o que *será*?") e uma escolha ética ("o que *deve ser*?"). A relação entre esses dois elementos não é trivial. Se o lado normativo não for balizado por uma apreensão realista do curso provável dos acontecimentos e do leque de ações possíveis, ele se torna quixotesco ou pior. É o problema da utopia (no mau sentido do termo): "o caminho do inferno...". Mas isso não é tudo. Na esfera das relações humanas, a direção de causalidade corre também no sentido contrário. O normativo afeta o preditivo. O que será se *nada for feito* não se confunde com o que será se *algo for feito*. No caso específico do exemplo, as flutuações do clima e o efeito disso sobre a produção vindoura não podiam ser alteradas pela vontade humana; mas as consequências desse fato sobre a sociedade dependiam de escolhas sobre *o melhor a ser feito*. A antevisão do mal inevitável despertou não o desespero, mas a ação preventiva do mal evitável. A previsão do tempo no futuro afetou o tempo futuro. O que era de outro modo uma fatalidade deixou de sê-lo ao se tornar conhecido.

Saber, porém, não basta. A transferência em larga escala de recursos do presente para o futuro é uma operação complexa. O quesito primordial é a existência de um *excedente transferível*. Se não houvesse recursos aptos a serem mobilizados para utilização futura, pouco ou nada poderia ser feito.

Imagine, por exemplo, que o sonho do faraó vaticinasse uma sequência na ordem inversa à anunciada: sete anos de vacas *magras* seguidos de sete anos de vacas *gordas*. Se a penúria viesse *antes* da bonança, não haveria como suavizar a drástica flutuação de renda alimentar fazendo do tempo um aliado do bem-estar humano. Na ausência de um mercado de crédito organizado, a sociedade não teria como antecipar recursos do futuro, por meio de empréstimos internacionais, visando compensar a queda de renda até a chegada de dias melhores. De certa forma, foi dessa realidade que a astúcia de José tirou proveito, no momento em que os povos vizinhos do Egito vieram a ele atrás de socorro. Foi graças à sua condição de monopolista, ou seja, única fonte provedora de alimento em toda a região, que ele pôde, primeiro, vender o cereal a peso de ouro e, mais tarde, exauridos os meios de compra à vista, emprestá-lo a juros perpétuos e exorbitantes, lastreados na produção futura dos devedores. Quando a alternativa é o desespero da fome, o sustento de um dia induz a hipotecar o porvir.

Como se forma o excedente transferível e o que define sua magnitude? O fato de a série ter seguido *dos* anos bons *para* os anos maus (e não o contrário) ampliou a margem de escolha da sociedade e tornou possível a mobilização do excedente. O clima benéfico no início da série foi sem dúvida um fator essencial para a obtenção das supersafras. Mas ele não garante nem explica por si a formação do excedente.

O primeiro ponto é que bons ventos sopram apenas para quem tem as velas a prumo: o clima propício dos anos de vacas gordas só foi capaz de multiplicar as colheitas porque a sociedade estava posicionada para se beneficiar dele. Na grande loteria das condições que escapam do nosso controle — a cheia do Nilo, o cenário macro, o humor do mercado etc. —, só os que compraram bilhetes e se dispuseram a correr algum risco, empatando trabalho e recursos com base numa visão de retorno que pode ou não vingar, estarão aptos a colher o bônus do tempo a favor. Igual raciocínio se aplica, é claro, só que com o sinal invertido, quando o tempo fecha e um fato inesperado — os ventos do deserto, um choque de oferta, uma tempestade no céu da política etc. — ameaça pôr tudo a perder. O elemento de aposta é inescapável: toda espera envolve incerteza. O consultor José, mestre em sonhos alheios e decifrador de futuros, é o patrono de uma antiga e (felizmente) sólida profissão. O que há de novo é que o recurso à autoridade da ciência — "mar de hipóteses" — ocupou o lugar da sanção divina.

O ponto decisivo, contudo, não é esse. A transferência de recursos do presente para o futuro tem como pré-requisito a existência de um excedente transferível. Esse excedente não cai do céu como um maná divino. Ele depende de uma decisão da sociedade de não consumir no desfrute imediato o equivalente pleno de seus esforços, ou seja: *poupar*.

As supersafras, é certo, dão margem a isso, mas não garantem o resultado. Se poupar 20% do cereal produzido num ano significasse passar fome, a impaciência da sociedade tornaria a postergação do consumo proibitivamente cara. A elevada taxa de desconto do futuro — a recíproca dos juros — não permitiria qualquer veleidade de pensar no amanhã. Por outro lado, entretanto, a bonança dos anos bons não é sinônimo de poupança. A vida é agora. A impaciência em desfrutar as coisas boas da vida, aliada a uma visão confiante do futuro, pode perfeitamente levar a sociedade a consumir sem delongas — digamos em banquetes, oferendas, fabricação de bebidas fermentadas, festas etc. — os frutos de uma sequência de safras magníficas. Ao criar um tributo sobre a produção corrente, José de fato impôs uma *redução no grau efetivo de impaciência* da sociedade. Ao fazer isso, ele decidiu, em nome de todos, assegurar a criação de uma poupança passível de ser empregada no atendimento de objetivos remotos.

Mas a propensão à espera é apenas uma parte da resposta. O outro fator determinante do volume de recursos poupados é o leque de *oportunidades de investimento rentável*. Se o grau de impaciência é absoluto, não há promessa de retorno futuro que leve a sociedade a abrir mão do que está à mão. Mas, se existe uma folga ou margem de manobra, então a disposição a poupar será influenciada pela perspectiva de rentabilidade dos investimentos possíveis. Se o retorno for alto e o risco aceitável, um pequeno custo ou sacrifício agora trará excelentes frutos mais adiante. Isso significa que os termos de troca entre presente e futuro

— os juros prospectivos da transação — compensam o esforço antecipado e a espera. Nos termos do exemplo bíblico, a grande alternativa de investimento que se abriu a partir do *insight* de José foi a ideia de deslocar cereais do presente (vacas gordas) para o futuro (vacas magras). Como em qualquer projeto de investimento, isso implicou aceitar custos antecipados — como a construção de silos e entrepostos, o custo de oportunidade do cereal armazenado e o trabalho de supervisão — e que poderiam ou não se justificar mais tarde, à luz dos resultados obtidos. A perspectiva de um brilhante retorno mobilizou a sociedade — no caso a vontade soberana do faraó — a tentar capturá-lo.

O volume de recursos poupados reflete, portanto, o hiato entre o produto e o consumo correntes e resulta da ação conjunta de dois fatores: o grau de impaciência da sociedade e as oportunidades de investimento nela existentes. Isso define a *intensidade* da orientação de futuro — a parcela do trabalho social e dos recursos destinados ao porvir. Mas isso não define a finalidade ou o *para quê* da operação. Pois o fato é que a mobilização de recursos visando objetivos remotos é uma prerrogativa que pode ser exercida em nome dos mais diferentes propósitos. A expressão monetária — ou *stricto sensu* econômica — dos termos de troca entre presente e futuro é apenas *uma* das formas de encarar os valores que fazem pender os pratos da balança intertemporal.

A decisão do faraó, por exemplo, ilustra com clareza uma modalidade específica de transferência intertemporal: a *poupança precaucionária*. O objetivo nesse caso é investir num seguro contra ameaças e contingências que possam prejudicar o bem-estar e até a vida futuros. O princípio básico aqui é a noção de que o valor de um determinado bem, digamos x toneladas de cereal, depende da sua escassez relativa. Isso significa dizer que o valor de x nos anos de vacas magras será um múltiplo do seu valor durante os anos de vacas gordas. A diferença entre os dois valores são os juros prospectivos da operação. A troca, vale notar, continuará valendo a pena mesmo na hipótese de que uma parte de x, digamos y, seja fisicamente perdida no processo em razão de dificuldades de armazenagem. Embora o juro real *medido em toneladas de cereal* se torne nesse caso negativo, é muito provável que os juros reais expressos em renda psíquica — utilidade ou satisfação humana — permaneçam altamente positivos: basta que um naco de pão na carestia conte mais para o bem-estar do que uma baguete inteira na fartura.

Numa troca comum, x é sempre mais que $x - y$. Mas, quando a troca se dá no tempo, $x - y$ em alguma data futura pode valer mais do que x agora, ou seja: *menos é mais*. De igual modo (generalizando), se há razões para crer que tempos difíceis virão — pense no pior: uma longa recessão, o fim da energia barata, o aquecimento global etc. —, *então* faz sentido poupar mesmo que o juro real medido em valor monetário seja nulo ou negativo. A razão é o fato de que a menor produtividade da economia nos anos vindouros levará a satisfação proporcionada por uma determinada quantia em dinheiro ou poder de compra no futuro a ser *maior* do que a proporcionada pela mesma soma no presente. Para que isso aconteça basta supor que, digamos, a gratificação ou renda psíquica obtida pela sociedade com um gasto de $100 em plena recessão — quando a vida está insegura e muito apertada para todos — seja superior à obtida com $130 agora, quando estão todos empregados e vivendo com certa folga no orçamento. Se a perspectiva, portanto, é de perda de renda e patrimônio no futuro, a poupança precaucionária é uma opção que se sustenta ainda que os termos de troca entre presente e futuro acarretem alguma perda real.

A aposta de José vingou. Mas o caminho por ele recomendado não era seguramente o único possível. Outras visões do futuro — ou interpretações do sonho do faraó — poderiam ter induzido outras escolhas. A vasta mobilização de recursos visando objetivos afastados no tempo não predetermina a finalidade da ação. A mecânica da criação de um excedente transferível não predefine o seu uso. De fato, como a evidência histórica e arqueológica das grandes civilizações antigas sugere, a forma dominante da orientação de futuro nessas sociedades não tinha um caráter precaucionário ou econômico *stricto sensu*, mas político-religioso. Como reconhece o jovem Marx — com uma pitada talvez de exagero —, no sistema econômico vigente nessas sociedades "a principal parte do esforço produtivo, como por exemplo na construção de templos no Egito, Índia e México, pertencia ao serviço dos deuses, assim como o produto final também a eles pertencia".[14] Se a opção causa estranheza aos olhos modernos, a recíproca não seria talvez menos verdadeira. Afinal, vale indagar, quem ousaria supor que os homens algum dia deixariam de oferecer o excedente aos seus deuses e fariam da própria geração de excedentes, cada vez maiores, o seu novo deus?

19. Poupança e acumulação: o enredo do crescimento

A poupança precaucionária é feita sob o signo da prudência. Ela reflete uma postura defensiva perante o futuro. O que se busca não é um amanhã radiante, mas precaver-se do pior: a garantia de um padrão de vida e bem-estar toleráveis, mesmo que as coisas tomem um curso ruim ou pior. Já o uso do excedente visando finalidades simbólicas define o que podemos denominar *poupança suntuária*. Ela inclui, de um lado, a transferência de trabalho e recursos do presente para o futuro feita em nome da obtenção de alguma bênção ou favor celeste (como na construção de pirâmides e templos ou na realização de sacrifícios e oferendas), assim como inclui, de outro, o emprego de esforços e sacrifícios correntes em obras voltadas para o prestígio e o engrandecimento dos governantes (como na construção de palácios, monumentos e novas capitais ou sedes de governo).

Mas enquanto os custos desse tipo de inversão suntuária têm normalmente um valor monetário bem definido — medido pelo custo do trabalho e dos materiais consumidos —, o mesmo não ocorre com o retorno ou juros prospectivos em nome dos quais ele é feito. Como estimar de maneira plausível os benefícios e a renda psíquica associados a esse tipo de investimento no porvir? Porém, o simples fato de que os recursos *foram* mobilizados — ou arrancados à força de uma população servil — revela que de algum modo "a sociedade" julgou que a operação valia a pena. O raciocínio segue uma linha conhecida. Se há alguma forma de existência após a morte e se os deuses se regalam com a materialização de vastas quantidades de trabalho humano em "súplicas de pedra" e outras homenagens, então a poupança suntuária obedece à lógica dos juros: "pagar agora, viver depois". Além disso, uma contabilidade acurada do retorno sobre o custo precisaria ainda levar em conta os *prazeres da expectativa*: a satisfação advinda do gozo antecipado dos juros infinitos do favor celeste, por parte daqueles que se sabem merecedores de tal crédito. Idem, mas com o sinal trocado, para os que se creem devedores.

As poupanças precaucionária e suntuária atendem a diferentes motivações humanas, mas têm uma característica importante em comum. São ambas economicamente *estéreis*. Quer dizer: elas não realimentam o processo produtivo de modo a expandir e incrementar sua capacidade de gerar bens e serviços para consumo futuro. Tanto o armazenamento de sementes por precaução como a arregimentação de vastas quantidades de ouro, pedras e talento artístico por vaidade ou devoção não frutificam mais de si mesmos. O grande divisor de águas — a mudança verdadeiramente capital — nessa dimensão da experiência social humana foi a descoberta e gradual consolidação de uma modalidade de poupança que, em contraste com as demais, é capaz de *procriar*, ou seja, é capaz de retroalimentar o processo produtivo que lhe deu origem, vivificando o mundo do trabalho, capitalizando-o e frutificando mais de si mesmo: a *poupança reprodutiva*. A mecânica do processo e o segredo dessa aparente magia podem ser elucidados por meio de um exemplo simples:[15]

**POUPANÇA REPRODUTIVA:
O SEGREDO DO CAPITAL**

Suponha um fabricante de móveis que trabalha por conta própria produzindo mesas de madeira. Em condições normais, usando as ferramentas e o *know-how* de que dispõe, ele produz *três* mesas por dia: o suficiente para viver com uma pequena folga. Se ele fizesse, porém, um curso de *design*, o valor de sua produção diária, fomentado pelo toque da arte na obra final, dobraria. O fabricante decide fazer o curso, mas não tem como pagá-lo nem tem acesso a crédito. Resolve, então, agir por si mesmo. O custo total do curso inclui uma taxa (para a qual consegue obter uma bolsa) e as quatro semanas de aulas em que ele não poderá trabalhar na fabricação de mesas. A questão, portanto, é como ele vai se sustentar nesse período. A solução é apertar temporariamente o cinto. Em vez de gastar em consumo, como de hábito, o valor de três mesas, o fabricante passa a poupar uma mesa por dia. A expectativa de retorno, ele avalia, compensará o sacrifício.

Durante oito semanas de trabalho, portanto, ele acumula os recursos que lhe permitirão passar quatro semanas sem trabalhar, fazendo o curso. No final das doze semanas, retorna ao trabalho, e sua renda diária é agora o equivalente a *seis* das antigas mesas, o que lhe permite restituir sem maiores transtornos a bolsa obtida. Feito isso, ele decide dar um novo passo. Com a aquisição de uma moderna máquina serradora, ele poderá dobrar a fabricação diária de mesas. O custo do equipamento terá de ser pago à vista e equivale, digamos, à mesma soma que o fabricante teve de poupar para poder fazer o curso de *design*. Por quanto tempo agora ele precisará apertar o cinto até acumular a poupança necessária? Caso repita o esforço feito anteriormente, consumindo a renda de apenas duas mesas — das antigas — por dia, ele poderá adquirir a máquina após duas semanas. No final do período, o empresário terá multiplicado sua renda diária por *quatro*. E mais: tudo sem precisar fazer qualquer alteração no número de horas trabalhadas.

A poupança reprodutiva é mãe de si mesma. Ao contrário das outras modalidades de poupança, que saem do circuito econômico ao cumprirem a função a que se destinam, ela reentra no sistema, realimentando o processo que lhe deu origem e permitindo a geração em escala ampliada de cópias de si mesma. Ela resulta, de um lado, da disposição de não consumir no desfrute imediato o equivalente pleno do trabalho realizado (paciência) e, de outro, da identificação de alguma possibilidade de inversão que ofereça um bom retorno em relação aos custos envolvidos (oportunidade de investimento). A diferença decisiva é que nesse caso o investimento se traduz em ativos que capitalizam o sistema produtivo e multiplicam os meios necessários para novas inversões. Uma vez posta em movimento, a espiral da acumulação, como uma espécie de organismo vivo autor-replicante, avança em escala ascendente e sem um termo final aparente. Na prática, é claro, como a experiência mostra, algum limite cedo ou tarde se impõe.

Nos termos do exemplo dado, os passos seguintes da escalada podem ser delineados. Animado pela experiência de que trabalho, *know-how* e capacidade de espera, desde que bem concatenados, são coroados de êxito, o fabricante de móveis promove novas rodadas de inversões no negócio, servindo-se agora do acesso ao mercado de capitais (crédito e ações) para financiar os projetos. Os novos investimentos farão sentido econômico até um ponto preciso. Quando a taxa esperada de retorno sobre os custos do melhor projeto entre todos aqueles que poderiam vir a ser implementados estiver na vizinhança da taxa de juros bancários, é sinal de que o negócio atingiu a maturidade ou ponto de saturação. O retorno de novos investimentos dificilmente cobriria o custo financeiro do projeto, ou seja, o preço do "aluguel do dinheiro" num banco. Isso significa que, nas condições vigentes, esse negócio deixou de ter a atratividade dos verdes anos. Hora de embarcar em novas alternativas de investimento, com maior potencial de retorno.

Paralelamente, contudo, o empresário também amadureceu, e acredita que é hora de repensar sua trajetória pessoal. "Por que não começar a colher os frutos de uma vida de trabalho e abnegação?" Ele resolve, então, vender o controle acionário da sua empresa e consegue obter, digamos, $3 milhões à vista. Ato contínuo — "tempo é dinheiro" —, aplica o resultado da venda em imóveis e renda fixa, a uma taxa de juros real média de 5% *ao ano*. O efeito da transação é notável. Embora razoavelmente conservadoras, essas aplicações garantem a ele uma renda permanente de $150 mil por ano sem nenhum tipo de esforço. O fluxo de renda gerado é imune à ação do tempo e capaz de sustentar não só a ele na velhice como aos seus familiares e descendentes por toda a eternidade. "Dinheiro", lembra Adam Smith, "faz dinheiro: quando se tem algum, é com frequência fácil ganhar mais; a grande dificuldade é conseguir esse algum"; ou, como pondera John Stuart Mill, "os que acham fácil ganhar dinheiro não são os pobres, mas os ricos".[16]

Não foi à toa que os gregos escolheram o termo *tokos* ("filhotes; progênie") para designar o fenômeno dos juros monetários: a procriação do dinheiro por meio do dinheiro.[17] O fenômeno dos juros embute uma promessa de imortalidade. Se a poupança suntuária acena com a recompensa da vida eterna, a poupança reprodutiva não faz por menos. Ela traz consigo a promessa da *renda eterna*.

O motivo da poupança precaucionária é o temor de ameaças que turvam com suas sombras e fumos o vácuo do porvir. A tônica dominante da poupança reprodutiva não é o medo, mas a confiança no futuro e a ambição de dias melhores: daí que a expectativa de juros reais *positivos* — termos de troca que efetivamente acenem com um amanhã melhor — seja uma condição necessária nesse tipo de aposta intertemporal. Ao mirar o seu futuro terreno, cada indivíduo tem por desafio conquistar os meios que lhe permitam virar a página do trabalho sob a compulsão da necessidade e tornar-se dono do seu próprio tempo. Embora distante do horizonte efetivo da grande maioria, a alternativa de viver da renda de juros sem precisar trabalhar — no sentido de "vender" ou "alugar" parte do seu tempo a terceiros em troca de renda — é algo que poucos recusariam (vide o sucesso das loterias). "Economia de tempo", dizia Marx, "a isso toda a economia em última instância se reduz."[18]

Ocorre, porém, que há uma assimetria entre o desejo das partes (os indivíduos) e a realidade do todo (a sociedade) a que pertencem. Pois o fato é que a sociedade *no seu conjunto* não pode viver às custas de si mesma. O titular de um crédito não existe sem o titular de um débito. Se alguém desfruta de uma renda de juros decorrente da cessão temporária de um ativo (terras, imóveis, dinheiro etc.), isso só é possível porque existe alguém na outra ponta usufruindo provisoriamente desse ativo e disposto a pagar alguma coisa pelos serviços do seu uso. (Este, aliás, o sentido original do termo latino *usura*: "uso ou proveito que se tira de algo emprestado", antes que ele ganhasse a atual conotação de "juros exorbitantes".) Uma sociedade feita só de rentistas — sem inquilinos e devedores dispostos a transferir a eles uma parte da renda do seu trabalho — é uma impossibilidade lógica. Se Shylock não existisse, a impaciência de um Antonio o criaria. A mecânica da geração e do uso da poupança reprodutiva em escala social obedece a princípios em parte distintos dos que se aplicam no caso individual.

A sociedade é constituída pelos indivíduos que a integram e não existe sem eles. Mas a interação das escolhas e ações desses mesmos indivíduos põe em movimento processos dotados de características próprias: a dinâmica do todo social tem propriedades que não se reduzem à mera soma ou agregação simples das escolhas e ações das partes.

O grau de impaciência dos indivíduos e as oportunidades de investimento com que eles se deparam são os fatores que determinam a intensidade da orientação de futuro de uma sociedade. O problema é que pode haver um conflito ou inconsistência entre esses dois fatores, ou seja: nada garante que o grau de impaciência da sociedade se coadune com sua propensão de investir num futuro melhor. Para examinar e ilustrar essa possibilidade, vejamos como se dá a criação de poupança reprodutiva numa sociedade descentralizada, isto é, na qual não há uma autoridade central — faraó, ditador ou comitê planejador — que decide em nome da coletividade a magnitude e a aplicação específica dos recursos que serão transferidos para o amanhã.

Imagine, para efeito de raciocínio, um sistema econômico ultrassimplificado no qual: (a) a produção total é igual ao consumo corrente, e (b) o período de produção equivale a um ciclo de "um dia de trabalho" (um intervalo de tempo de qualquer duração). No final do "dia" cada indivíduo se dirige até um enorme galpão central onde deposita o resultado do seu trabalho naquela jornada: alimentos, roupas, remédios, sapatos, cosméticos, cortes de cabelo etc. Na outra ponta, esses mesmos cidadãos retiram dali os bens e serviços de que carecem e que foram trazidos pelos demais. O que entra sai: tudo o que é levado ao galpão acaba sendo trocado de modo que cada um obtenha para si, como contrapartida da sua contribuição ao produto social, aquilo de que precisa para viver, trabalhar e criar os filhos. Diariamente o ciclo se repete. O sistema está em equilíbrio.

Suponha, entretanto, que um belo dia essa comunidade se canse por algum motivo de viver "da mão para a boca" — "vestindo tanga e lambendo rapadura", como diria Nelson Rodrigues — e resolva melhorar seu padrão de vida e consumo. Como chegar lá? Como dar consequência prática a essa aspiração de aumentar a produção e o consumo? A opção de trabalhar por um maior número de horas esbarra no fato de que a jornada de trabalho diária já é longa o suficiente e não comporta adições. A única saída, portanto, é aumentar a capacidade de produção da economia investindo na formação de um estoque de capital físico e humano que eleve a produtividade da hora trabalhada: trocar enxadas por tratores e o mundo do roçado pelo mundo da informática. As providências necessárias para isso — vamos também supor — foram deliberadas e devidamente encaminhadas.

A partir desse momento uma parte da força de trabalho é destacada do resto e passa a dedicar todo o seu dia de trabalho a duas atividades complementares entre si: a fabricação de *bens de produção* (máquinas, tratores, computadores, hidrelétricas etc.) e a geração de *conhecimento* (educação básica, formação de técnicos, inovações, pesquisa etc.). No final do dia, como de costume, todos os indivíduos retornam ao galpão central para entregar de um lado o que produziram e apanhar, do outro, o que necessitam. O que se verifica agora, entretanto, é que o equilíbrio do sistema foi rompido. Pois o que deu entrada no galpão no final do dia não mais coincide com o que vinha entrando e saindo nos dias anteriores. Um novo equilíbrio terá de ser buscado.

A diferença é que começou a chegar ao galpão gente que, apesar de trabalhar como os outros, não traz nada que possa ser prontamente consumido pela sociedade. Eles também precisam, é claro, levar para casa uma parte dos bens e serviços produzidos para consumo corrente, mas os frutos do seu trabalho demorarão algum tempo a se materializarem. Esses frutos só aparecerão mais à frente, no futuro, quando a sociedade puder beneficiar-se dos bens de produção e do conhecimento que aumentarão a produtividade da hora trabalhada. A existência do dinheiro, entretanto, "apaga" de certa maneira a diferença entre os que continuam produzindo para o consumo diário, de um lado, e a parte da força de trabalho que passou a trabalhar não mais para hoje, mas para um futuro melhor, de outro. No final do dia, no galpão, todos sentem que fizeram sua parte. Todos recebem um pagamento em dinheiro por seu trabalho honesto e todos naturalmente desejam continuar levando para casa pelo menos aquilo que vinham comprando e consumindo no passado, ou seja, antes que a sociedade começasse a sonhar em voar mais alto. O único problema, contudo, é que agora isso já não é possível.

O que se observa é que a oferta de bens para consumo corrente caiu na proporção do volume de recursos produtivos desviados para a formação de capital físico e humano. E, como a quantidade do que entra no galpão no final de cada dia continuará sendo, por um bom tempo, menor do que aquela que vinha entrando antes, o que vai sair dele, na outra ponta, também será. O ponto-chave na formação de *capital* reside no emprego de trabalho e recursos visando resultados econômicos remotos. Mas, por mais vantajosa que seja no longo prazo, essa operação implica custos no curto prazo. O milagre da multiplicação dos pães — o poder multiplicador do capital — passa por uma redução temporária do consumo de pães. De um modo ou de outro, portanto, o sonho de voar mais alto no futuro terá que ser pago com um voo mais baixo no presente.

O cenário do exemplo é claramente estilizado, mas permite identificar os pontos centrais no enredo do crescimento econômico.

A taxa de acumulação de capital é fixada pela margem entre produção e consumo correntes. A sociedade precisa de algum modo decidir a *proporção* dos recursos que pretende investir na formação de capital visando expandir sua capacidade produtiva no futuro; e ela precisa chegar a algum tipo de acordo sobre como será feito o *financiamento* desse investimento. A poupança reprodutiva é a parte da renda social que não é consumida no presente e que deveria *em tese* financiar a tarefa de equipar e preparar os indivíduos para exercer ocupações mais profícuas mais à frente. Qual será o desfecho da trama?

Numa sociedade descentralizada, o resultado vai depender das escolhas feitas pelos indivíduos (famílias e empresas) e pelo governo. Há diversas possibilidades. A solução virtuosa do desequilíbrio gerado pela redução temporária da oferta de "pães" disponíveis para consumo seria a *poupança voluntária*. Os membros da sociedade se dispõem a abrir mão de desfrutar no presente uma parte de sua renda, e o dinheiro poupado é usado para financiar a formação do capital físico e humano que aumentará a produtividade no futuro. A recompensa pela espera aparecerá, mais à frente, na forma de um melhor padrão de consumo da sociedade, à medida que os novos equipamentos e habilidades gradualmente forem entrando em operação.

Os termos de troca entre presente e futuro — a relação entre a parte da renda cedida para custear os investimentos, de um lado, e o valor do produto adicional obtido para consumo, de outro — definem a "taxa natural de juros" (para utilizarmos aqui a expressão cunhada pelo economista sueco Knut Wicksell).[19]

Essa taxa, é possível mostrar, funciona como um eixo ou centro de gravidade ao redor do qual flutua, em condições normais, a taxa de juros cobrada pelos bancos por empréstimos em dinheiro. Pois, se os juros bancários se descolam da taxa natural, ficando muito acima ou abaixo dela, isso provoca a entrada em operação de mecanismos de mercado que tendem a anular essa divergência.

Quando a taxa cobrada pelos bancos está, por exemplo, *acima* da taxa natural de juros, isso faz cair a demanda por empréstimos para novos investimentos e pressiona para baixo o preço dos fatores de produção, o que tende a deprimir os juros bancários e elevar o retorno esperado dos investimentos. Idem, na direção contrária, quando eles estão abaixo da taxa natural. Como sintetiza Adam Smith, "aquilo que se pode comumente dar pelo uso do dinheiro é necessariamente regulado pelo que se pode comumente obter pelo seu uso".[20]

A poupança voluntária, porém, depende de um grau de amadurecimento civilizatório e institucional que nem sempre existe. O apelo da impaciência é com frequência mais forte que a disposição à espera. "A espertsa", diz um adágio, "é sempre mais fácil que a virtude, pois ela toma o caminho mais curto para tudo."[21]

Imagine uma sociedade em que existe um elevado grau de impaciência, excelentes oportunidades de investimento e um irrefreável desejo de expandir o nível de renda por meio de altas taxas de acumulação de capital e crescimento. A saída inflacionista é a tentativa de driblar ou passar ao largo do *trade-off* da formação de capital: ela é a miragem de um atalho rápido, esperto e indolor rumo a um futuro melhor. "Poupar agora, consumir depois"? Mas por que o puritanismo da espera? Não seria mais desejável e inteligente "consumir agora e consumir *ainda mais* depois"?

Suponha que a sociedade resolveu acelerar seu processo de crescimento mas reluta em abrir mão da parcela da renda que deveria financiar os novos investimentos. Se todos insistirem em continuar consumindo exatamente como antes, gastando tudo a que têm direito na aquisição de uma oferta menor e limitada de bens e serviços, o resultado será uma elevação no nível geral de preços. Como o total disponível para consumo imediato é menor que a soma das partes demandadas, o ajuste será feito por meio de uma corrosão do valor real da recompensa monetária (salário) pelo trabalho feito. O investimento da sociedade será financiado com uma *poupança involuntária*, arrancada dos consumidores por meio de uma redução no seu poder aquisitivo.[22] Ao se perceberem mais pobres no dia seguinte, no entanto, os indivíduos naturalmente pleitearão aumentos de renda nominal que recomponham seu antigo poder aquisitivo. Nada mais justo, exceto por um pequeno problema. Se a autoridade monetária — o Banco Central — acolher o pleito da sociedade e acomodar essa demanda por renda elevando a liquidez e expandindo a oferta de moeda, a *inflação* entra em cena. Basta agora a indexação generalizada — uma defesa natural contra a progressiva erosão do padrão monetário — para que ela se torne crônica e teimosamente ascendente. Existem atalhos que fazem perder o caminho.

Outra alternativa é tentar jogar a conta de um amanhã melhor para depois de amanhã. A geração atual deseja investir e acelerar o crescimento, mas não está disposta a arcar com o sacrifício de consumo corrente necessário para financiar a empreitada. A saída do impasse é buscar na *poupança externa* os recursos que a poupança doméstica não provê. A sociedade, digamos, começa a importar bens de produção do resto do mundo sem fazer um esforço de exportação compatível e, simultaneamente, consegue cobrir o déficit em transações correntes no balanço de pagamentos com o ingresso de capitais externos. Em vez de se voar mais baixo agora para poder voar mais alto no futuro, promete-se voar um pouco mais baixo no futuro para não ter que voar muito mais baixo agora. A expectativa de uma renda mais alta no futuro, graças ao crescimento, justifica a antecipação de uma parcela dessa maior renda esperada para o presente, pela atração de recursos externos. A ideia é suavizar a disparidade entre o que se tem agora e o que se terá no futuro. Os juros pagos no exterior correspondem ao custo dessa antecipação.

A operação faz sentido. Ao contrário da esperteza inflacionária, o recurso à poupança externa é uma estratégia válida para atenuar parcialmente a restrição ao crescimento imposta por uma baixa poupança doméstica. Se tudo correr bem, a parte da poupança externa que entrou como investimento direto será paga, no futuro, com uma fatia do retorno dos projetos que ela financiou, enquanto a parcela que entrou como empréstimo será servida e amortizada com a poupança que a geração atual promete que as gerações futuras farão.

O que não se pode esquecer, contudo, sob pena de crises recorrentes de insolvência externa, é que os limites ao uso desse tipo de poupança são claros e têm de ser respeitados. O grande perigo é a tentação do abuso: ir com demasiada sede ao pote e violar a regra da sustentabilidade a médio e longo prazo do crescimento dos passivos externos líquidos e dos compromissos que eles acarretam. A regra de ouro do recurso à poupança externa é que o seu papel deve se restringir ao de um ator coadjuvante, nunca protagonista do enredo. Sua função não é *substituir*, mas apenas *complementar* o esforço de poupança de uma sociedade que sonha em acelerar o passo do crescimento. O risco de apostar uma lasca do sol antes do amanhecer é que o dia pode nascer chuvoso. Nessa falsa alvorada resta apenas o tango argentino com o FMI.

O problema de fundo no enredo do crescimento, tal como delineado acima, reside na existência de uma tensão ou inconsistência intertemporal. Há um conflito renitente entre duas forças que são isoladamente legítimas mas incongruentes entre si: a força do apego ao presente, que é o grau de impaciência da sociedade, de um lado; e a força do apelo de um futuro melhor, que é a avidez de explorar as oportunidades de investimento, de outro. Tanto a inflação como o abuso da poupança externa representam tentativas de encontrar a "solução" para esse conflito, mas sem enfrentar a raiz da questão. E o resultado nos dois casos, como é comum em ardis desse tipo, segue um padrão conhecido: "entusiasmo e euforia primeiro; ressaca e prostração prolongada depois".

A solução genuína do impasse envolveria ajustar o grau de impaciência da sociedade ao afã de investir, ou seja: garantir um volume e perfil de poupança voluntária que sejam compatíveis com as taxas de formação de capital e crescimento almejadas. Na falta de uma solução do conflito, resta como alternativa a adoção de uma política monetária altamente restritiva — leia-se: juros primários cavalares —, que iniba o consumo e freie o investimento, sustentando assim um frágil e tenso equilíbrio entre a oferta e a demanda agregadas. No conto "O empréstimo", Machado de Assis retrata os percalços de um personagem que possuía "a vocação da riqueza, mas sem a vocação do trabalho". A resultante desses dois impulsos discrepantes era uma só: *dívidas*. Há sociedades que parecem abrigar uma condição semelhante. Elas têm a vocação do crescimento, mas sem a vocação da espera. E a resultante, quando não é inflação ou crise do balanço de pagamentos, é também uma só: *juros altos*.

O conflito entre as demandas do presente vivido e as exigências do futuro sonhado é um traço permanente da condição humana. Encontrar o ponto certo para essa tensão, evitando excessos e inconsistências dos dois lados, é um dos maiores desafios do processo civilizatório em qualquer sociedade. Não se trata, é claro, de partir para um falso *tudo ou nada*. Trata-se de saber *o que* desejamos e *como* dar consistência no tempo a esses desejos. A pressa — "aqui tudo parece que é ainda construção e já é ruína"[23] — é inimiga da *prosperidade* (a etimologia, como vimos, é reveladora: o termo prosperidade vem do latim *pro*: "a favor de" + *spero*: "esperar" + *itate*: "atributo, modo de ser"). No afã de querer o melhor de dois mundos, o grande risco é terminar sem chegar a mundo algum: a cigarra triste e a formiga pobre.

20. Variações do grau de impaciência: ética e instituições

O animal humano adquiriu a arte de fazer planos e refrear impulsos. Ele aprendeu a antecipar ou retardar o fluxo das coisas de modo a cooptar o tempo como aliado dos seus desejos e valores: *isto agora* ou *aquilo depois*? Depende, é claro, do tempo de espera e da magnitude e teor do que está em jogo. O exercício incessante dessa faculdade valorativa nas mais diversas dimensões da vida prática fez do homem, como propõe Nietzsche, "o animal avaliador" por excelência; o ser que valora, mede e pondera: "Estabelecer preços, medir valores, imaginar equivalências, trocar — isso ocupou de tal maneira o mais antigo pensamento do homem, que num certo sentido constituiu o pensamento".[24] Os termos de troca entre o presente e o futuro são os juros — positivos, negativos ou nulos — inerentes a uma determinada decisão.

Ocorre, entretanto, que a disposição à espera está longe de ser um traço uniforme da nossa psicologia temporal. A mente humana é um ambiente até certo ponto refratário e hostil à prática da abstenção em prol de objetivos remotos no tempo. Abrir mão de uma gratificação que está ao nosso alcance, tendo em vista alguma coisa futura que pode ou não se materializar, não é uma tarefa aprazível. Como a experiência mostra, o exercício dessa faculdade apresenta variações acentuadas tanto entre diferentes sociedades como entre os indivíduos em cada uma delas. Essas variações, por sua vez, têm consequências importantes — e com frequência cumulativas — na sua trajetória futura. Para avaliar a força e o teor desses efeitos, é instrutivo comparar, por exemplo, duas sociedades em tudo o mais idênticas, exceto pelo fato de que na sociedade A o *grau de impaciência* dos indivíduos é em média significativamente *maior* que em B. Quais seriam os impactos do maior apreço pelas delícias e encantos do presente em A?

O *primeiro* efeito é que A destinará uma fatia maior do trabalho social para satisfazer os seus desejos de consumo, o que significa um volume menor de recursos disponíveis para viabilizar projetos que deem frutos mais à frente. *Segundo*, na escolha dos projetos de inversão, a opção de A tenderá a recair sobre aqueles que geram frutos em menor hiato de tempo, ao passo que em B serão escolhidos aqueles que prometem gerar retorno mais elevado, mesmo que isso implique maior tempo de espera. *Terceiro*, na produção de bens que não são instantaneamente destruídos pelo consumo (como prédios, máquinas, infraestrutura, moradias, móveis, veículos, eletrodomésticos etc.), a durabilidade e a qualidade do que é produzido em B tenderão a ser maiores que as do que é fabricado em A. E, finalmente, em *quarto* lugar, supondo a existência de um mercado de crédito, é plausível imaginar que A busque tomar recursos emprestados de B visando melhorar seu padrão de vida no curto prazo. Os juros e a amortização vêm depois.

Se A e B tiverem partido de um mesmo ponto de origem, o padrão de vida material em A parecerá sem dúvida mais afluente e generoso que em B no início da caminhada, mas estará fadado a perder essa condição e ficar definitivamente defasado com o correr dos anos. A impaciência larga na frente mas, como a lebre de Esopo, logo descobre ter ficado para trás. A distância relativa entre A e B, tudo o mais constante, tende a crescer com o tempo, mesmo que A avance em seu próprio ritmo. Em sociedades cujo grau de impaciência é alto, como aponta Irving Fisher, existem quatro coisas que andam juntas e tendem a se reforçarem mutuamente: "Os juros são altos, há uma tendência a incorrer em dívidas e dissipar, em vez de acumular, capital, e suas moradias e outros instrumentos são de um caráter marcadamente frágil e perecível".[25] Nas sociedades com uma intensa e firme orientação de futuro, em contraste, tendem a prevalecer juros baixos, concessão de créditos externos, acumulação de capital e grande durabilidade das edificações e demais instrumentos de trabalho. As síndromes características de A e B contêm fortes elementos de autorreforço.

Nada surge do nada. Como entender as variações na disposição à espera em diferentes sociedades? Um primeiro cuidado é evitar o economicismo. O valor econômico, ou seja, o desempenho na corrida do crescimento como critério de sucesso ou realização humana é *um valor* entre outros. A libertação da esfera do econômico das amarras e embaraços da religião seguramente não implica fazer da economia *a nova religião*. A riqueza e a renda, como a saúde, são meios de vida, não a própria vida. Se a opção de B pela acumulação e crescimento acelerados tem como contrapartida o sacrifício de outros valores — afetivos, ecológicos, estéticos ou existenciais —, então a trajetória medíocre de A do ponto de vista econômico pode refletir uma escolha ética e não um simples fracasso. A diferença entre o grau de impaciência de A e o de B refletiria, nesse caso, uma recusa perfeitamente racional e legítima da sociedade A em, digamos, trocar a alma pelo bezerro de ouro ou abrir mão de uma compreensão lúdica e amável da vida na luta por um lugar de ponta na escalada cega do consumo e da destruição ecológica.

Portanto, se a trajetória de A resulta de uma escolha ética — o menor peso atribuído ao sucesso econômico como valor social —, então não existe *problema* a ser resolvido. O que separa as duas sociedades são visões distintas da melhor vida: cada uma delas está agindo de acordo com seus valores, ciente dos custos e benefícios de fazê-lo. A defasagem no padrão de renda e consumo seria o preço pago por A ao optar por um modo de vida mais ameno e harmonioso, menos centrado no ganho e calculismo financeiros. Na perspectiva ética de A, o modelo econômico de B — a civilização da máquina, da competição feroz e do tempo medido a conta-gotas — só se justificaria na medida em que o aumento da renda e da riqueza fosse capaz de libertar os homens da servidão ao econômico — da privação e da labuta sob a compulsão da necessidade —, ao invés de enredá-los em perpétua e sempre renovada corrida armamentista da acumulação e do consumo.

A questão é saber se esse é o caso. Até que ponto a trajetória de A corresponde de fato a uma escolha ética? Embora não se possa descartar sumariamente essa possibilidade, ela parece pouco plausível. A noção de que a sociedade A esteja satisfeita com seu padrão de vida material e aceite de bom grado o seu crescente atraso econômico em relação a B não encontra respaldo nos dados da experiência e subestima o poder motivacional da riqueza na psicologia moral do animal humano.

Os pobres não riem da afluência e ostentação dos ricos: sonham com elas. O menor nível de renda em A, agravado em muitos casos pela desigualdade social interna, e o contato frequente pelos meios de comunicação e propaganda com a pletora de novidades e estímulos de consumo disponíveis em B dificilmente deixarão de transformar sua defasagem em relação a B num *problema*. "Aquilo de que os homens carecem é o que eles mais desejam"; "O melhor dos bens é o que não se possui".[26] A pobreza, mesmo que apenas relativa, tende a exacerbar o valor do dinheiro, ao passo que a precariedade das condições de vida tolhe outros valores — afetivos, ecológicos etc. — e torna nebuloso o amanhã. Se o progresso material não compra a felicidade, o que é provável, a instabilidade, o atraso e a iniquidade econômicos são fontes quase infalíveis de frustração e mal-estar social. Assim como uma doença debilitadora, uma economia encrencada restringe a margem de escolha e tiraniza a atenção dos homens.

Retido o contrabando economicista, a pergunta original se recoloca: como entender as variações na disposição à espera em diferentes sociedades? Trata-se de uma escolha ética ou representa, antes, uma falta de opção — uma injunção decorrente de fatores históricos e circunstanciais que impedem uma determinada sociedade de afirmar seus reais valores e encontrar seu grau desejado de orientação de futuro?

Do monge ao *junkie* e do asceta ao libertino, incluindo o quase infinito gradiente de variações entre esses polos extremos, cada indivíduo é portador de valores e busca fazer de sua passagem pela vida o melhor de que é capaz. A sociedade é a resultante agregada da interação dessa miríade de sonhos e planos de voo.

Mas, assim como os indivíduos que a integram, cada cultura humana particular também incorpora a seu modo, nos recessos semiconscientes do seu ser, um sonho de felicidade e realização. E, assim como no caso dos indivíduos, diferentes concepções culturais da melhor vida estão ligadas a diferenças acerca do lugar do econômico entre os valores humanos e acerca do que seriam termos de troca aceitáveis nas escolhas entre as demandas do presente e os interesses do porvir. A questão crucial a ser examinada no tocante ao caminho trilhado pela sociedade A é saber até que ponto as preferências temporais dos seus membros refletem os seus valores ou, ao contrário, estão sendo seriamente afetadas e deturpadas por fatores coletivos, ou seja, por condições sociais e institucionais adversas.

As preferências temporais dos indivíduos não nascem com eles. Se fatores genéticos têm algum papel em casos particulares (como na maior suscetibilidade à dependência de álcool e drogas), eles seguramente têm um papel ínfimo ou nulo no tocante a populações inteiras e vastos grupos sociais. Um bebê nascido de pais puritanos mas criado desde que veio ao mundo numa aldeia indígena pré-agrícola fatalmente adquirirá hábitos mentais e maneiras de lidar com o amanhã ajustados ao ambiente em que se formou. O mesmo se pode dizer, *mutatis mutandis*, de uma criança indígena submetida desde tenra idade aos rigores e disciplinas de um colégio interno suíço. Se o homem arcaico é potencialmente um civilizado, o civilizado é potencialmente um homem arcaico.

O grau de impaciência dos indivíduos, tal como ele se expressa em suas escolhas na vida prática, depende fundamentalmente de duas coisas. A primeira é a constituição do seu modo de lidar com o amanhã — o que podemos designar como *psicologia temporal dos jogadores*. E a segunda são as características gerais do ambiente com que se deparam na sociedade em que vivem e ganham a vida — *as regras do jogo*.

A psicologia temporal é o resultado da formação educacional em sentido amplo. Os elementos-chave desse processo são a família (ver páginas 94-5), a educação formal, as influências religiosas e culturais, e o mundo do trabalho. As regras do jogo, por sua vez, são as oportunidades e riscos, os incentivos e instituições em meio aos quais os jogadores identificam e avaliam as alternativas que se apresentam a eles, e fazem as suas apostas intertemporais. Essas duas variáveis têm uma realidade própria e interagem entre si. As regras do jogo afetam a psicologia temporal dos jogadores, mas também refletem, em certa medida, os seus valores e preferências. Alguns exemplos históricos permitem elucidar a forma de atuação dessas variáveis e suas implicações gerais.

Considere, de início, os efeitos do trabalho servil sobre aqueles que foram desde o nascimento submetidos ao seu jugo. Em sua viagem de pesquisa pela Região Norte do Brasil em meados do século XIX, o naturalista inglês Alfred Wallace — codescobridor da teoria da evolução ao lado de Darwin — pôde observar de perto o alcance e a gravidade da deformação da psicologia temporal provocada pelo regime de trabalho escravo:

> A infância é a fase animal da existência humana, ao passo que a maioridade é a intelectual. Quando a debilidade física, moral e mental da idade infantil permanecem na pessoa adulta, despida porém de sua simplicidade e pureza — que espetáculo

degradante! Pois é a esse estado que fica reduzido o escravo [...] Não lhe é necessário providenciar a alimentação para a família ou fazer um pé-de-meia para assegurar uma velhice tranquila. Sua motivação para o trabalho consiste unicamente no temor da punição. Para ele não existe qualquer esperança de melhoria de sua condição, ou de um futuro brilhante ao qual possa almejar. Tudo o que recebe não passa de favores. Direitos, não tem; que pode então saber sobre seus deveres? Fora do estreito âmbito de suas atividades cotidianas, qualquer desejo é simplesmente inalcançável. Prazeres intelectuais, nunca os sentiu. Tivesse educação, e talvez os conhecesse, mas eles seguramente só serviriam para amargurar-lhe a existência, conscientizando-o da inutilidade de aumentar seus conhecimentos ou de ampliar sua compreensão das maravilhas da natureza ou dos triunfos da arte.[27]

Séculos de injustiça e feroz opressão deixaram sequelas não menos duradouras. As regras do jogo mudaram, mas os hábitos mentais longamente moldados e enraizados não desapareceram com o simples ato jurídico da emancipação. Subitamente confrontados, sem educação ou preparo, com um novo regime de trabalho, os ex-escravos reagiram da única maneira que lhes era conhecida — como escravos. Assim, por exemplo, diante da eventual oportunidade de um emprego melhor remunerado, sua opção era tirar proveito disso encurtando a semana de trabalho, ou seja, gerando uma renda apenas suficiente para sobreviver no curto prazo. A forte preferência pelo máximo local tinha como contraparte um horizonte temporal exíguo, baixo autocontrole e um quase absoluto descaso pelas necessidades e contingências do amanhã.

No sul dos Estados Unidos, o acesso da população negra ao mercado de crédito deu contornos ainda mais definidos ao problema. As taxas de juros pagas pelos ex-escravos americanos no início do século XX eram da ordem de 40% *por semana*.[28] O abuso desse "filão de mercado" pelos setores mais "competitivos" do sistema bancário levou a um ato legislativo. O Uniform Small Loan Act (Lei Geral dos Pequenos Empréstimos), criado em 1916 e adotado por mais de vinte estados americanos, fixou em 3,5% ao mês o *teto* para operações desse tipo.[29]

Outro exemplo histórico envolvendo o choque entre culturas com graus de impaciência muito discrepantes é dado por Benjamin Franklin em sua *Autobiografia*. Nomeado pelo governo colonial britânico dos Estados Unidos, em 1750, para negociar com uma determinada tribo ameríndia um importante tratado sobre posse de terra, Franklin adotou uma estratégia de negociação calcada na manipulação da incontinência alcoólica dos índios: "tratado agora, bebidas depois". Ao se reunir com a delegação indígena na localidade neutra de Carlisle, ele informou que havia trazido uma generosa provisão de rum mas que a bebida só seria fornecida quando as partes tivessem chegado a um acordo "mutuamente satisfatório". O estratagema surtiu efeito. Os índios se mantiveram "sóbrios e ordeiros" durante as breves negociações, e o tratado foi assinado sem delonga — "tempo é dinheiro". Naquela mesma noite, o rum prometido foi liberado e os nativos promoveram uma festa que atravessou a madrugada e perturbou o sono da comitiva chefiada pelo inventor do para-raios.[30] É difícil imaginar quanto poderia estar rendendo hoje em dia o valor capitalizado da conta de juros dessa alegre noitada.

Assim como as operações de crédito de curtíssimo prazo com os ex-escravos (antes do Small Loan Act), o contrato de Franklin com os índios foi impecavelmente *legal* do ponto de vista jurídico e totalmente *voluntário*. Ninguém foi obrigado ou coagido a nada. Cada uma das partes fez o que julgou melhor para si. Tudo, portanto, teria se passado dentro do figurino da livre escolha. O nó da questão, porém, é que o fato de uma determinada troca ser legal e voluntária nada nos diz sobre sua validade *ética*.

Os institutos da servidão por dívida e da mutilação dos devedores inadimplentes eram práticas legais no passado, frutos da execução de contratos perfeitamente livres e voluntários. Mas isso não faz deles regras ou normas eticamente aceitáveis, e não foi por outra razão que práticas como essas foram banidas da convivência humana. Dizer que uma ação é correta simplesmente porque é legal e voluntária seria o mesmo que aceitar como normal a ação de um médico que explora a vulnerabilidade e a relativa ignorância de um paciente vendendo a ele uma cirurgia cara e desnecessária quando outro tratamento, menos lucrativo, surtiria o mesmo efeito.

O problema aqui, para retomar as situações de escolha intertemporal, não é tanto saber se as partes envolvidas ganharam com a transação ou se a divisão dos ganhos obtidos foi equitativa — é óbvio que não. O que impugna o resultado do ponto de vista ético é a *trajetória* que está por trás dos contratos.

O ponto crucial é que as preferências temporais dos ex-escravos e dos índios não expressam escolhas autônomas e informadas, quer dizer, atos pelos quais eles sejam genuinamente responsáveis. Ao contrário, elas refletem: (a) no caso dos ex-escravos, a carga de uma condição secular de opressão, crueldade e injustiça que deformou a psicologia temporal dos que foram a ela compulsoriamente submetidos, e (b) no caso dos índios, os efeitos de uma adaptação milenar a um ambiente natural e social radicalmente distinto. Cada um a seu modo, esses dois processos moldaram a psicologia temporal dos jogadores, tornando-a tragicamente disfuncional e autodestrutiva no contato com a sociedade da astúcia calculista e do ganho financeiro. Para uma analogia, imagine alguém que se preparou durante a melhor parte da vida para ser, digamos, um nadador ou flecheiro competitivo mas que, no momento de disputar uma prova séria — um certame com enormes implicações para o seu futuro —, é convocado para um torneio de xadrez. A lisura da partida não anula a fraude do jogo.

Esse argumento pode ser estendido. Considere os efeitos da pobreza acoplada a uma educação deficiente e fantasias profusas de consumo. Por um lado, o baixo nível de renda e a incerteza quanto ao amanhã naturalmente reforçam o grau de impaciência. A vida não admite solução de continuidade. Quando necessidades inadiáveis estão em jogo, o aqui-e-agora governa as ações. O que puder ser feito para atender a essas necessidades, não importando os custos futuros, valerá a pena.

Por outro lado, contudo, essa forte preferência pelo presente acaba se infiltrando e contaminando o comportamento nas mais variadas esferas e situações da vida prática. O sentido de urgência e a relativa cegueira em relação às necessidades futuras se alastram e tendem a dominar as ações mesmo quando não há necessidades inadiáveis em jogo e o exercício da espera seria amplamente compensador. Acrescentem-se a isso, como agravante, os efeitos de uma educação familiar e formal deficiente, da qual resultam uma baixa competência no trato com números e letras; o fraco desenvolvimento das faculdades e hábitos mentais ligados à antevisão e à reflexão sobre o amanhã, e, por fim, uma séria e debilitadora incapacidade de apreciar com realismo as consequências menos imediatas de escolhas envolvendo trocas entre presente e futuro.

A receita é forte, mas não está completa. A psicologia temporal não existe num vácuo. Muito vai depender das regras do jogo, ou seja, do ambiente institucional em que os jogadores fazem suas escolhas. Todo ato de espera envolve incerteza. As regras do jogo podem contribuir para reduzi-la ou intensificá-la. Quando o ambiente institucional é estável, bem-ordenado e altamente previsível, isso favorece a transferência de recursos do presente para o futuro na medida em que reduz o risco de prejuízos causados por quebras de confiança entre as partes ou por outros fatores intervenientes. A injunção bíblica — "se não ajuntaste nada na mocidade, como encontrarás alguma coisa na velhice?" (Eclesiástico, 25:3) — pressupõe a garantia do direito de propriedade de cada indivíduo sobre o que ele plantou, colheu e poupou na vida. Não foi à toa que Shakespeare escolheu a jurisdição da República de Veneza para situar o drama do conflito entre um banqueiro, que assume os riscos dos empréstimos que concede, e um empresário, que enfrenta os riscos dos negócios em que empata o capital. Foi graças à montagem de um sistema judiciário mundialmente reconhecido por sua eficiência, isenção e presteza no julgamento de litígios que Veneza conseguiu conquistar a condição de principal centro financeiro do Renascimento europeu. A confiabilidade da ordem jurídica aumenta a confiança no amanhã.

O reverso da medalha não é menos verdadeiro. A relativa insegurança dos direitos de propriedade e uma elevada incerteza jurídica e contratual fazem das trocas intertemporais um jogo caro e arriscado. O relato de um estudioso que visitou a República da Coreia no início do século XX é emblemático:

> A taxa de juros é em todos os lugares proporcional à segurança do investimento. É por essa razão que verificamos que um empréstimo na Coreia comumente rende a quem o faz 2% a 5% ao mês. Uma boa garantia colateral é em geral exigida, e pode-se indagar por que é tão precário emprestar. A resposta não honra a Justiça coreana [...] Numa nação onde o costume do suborno é quase uma segunda natureza e os direitos privados são de pouca serventia, a não ser quan-

do sustentados por algum tipo de influência, a melhor garantia aparente pode se revelar um arrimo quebrado no momento em que o credor tiver que se amparar nele.[31]

O que surpreende, nesse contexto, é que exista um mercado, ou seja, demanda efetiva por crédito. Os juros estratosféricos são aqui uma medida da insegurança e ansiedade dos que cedem recursos, de um lado, e da sofreguidão e desespero dos que tomam esses recursos, de outro. O efeito da incerteza jurídica e contratual sobre a taxa de juros nas operações de crédito é bem resumido por Adam Smith:

> Uma legislação defeituosa pode muitas vezes elevar a taxa de juros consideravelmente acima do que a condição do país, no tocante à sua riqueza ou pobreza, requereria. Quando a lei não garante a execução dos contratos, ela coloca todos os que tomam empréstimos em pé de igualdade com os insolventes ou pessoas de crédito duvidoso em países melhor regulamentados. A incerteza da recuperação do seu dinheiro leva o emprestador a exigir os mesmos juros usurários que são requeridos dos que estão falidos.[32]

A instabilidade do marco institucional — sistema judiciário, padrão monetário, sistema tributário, regime cambial, medidas discricionárias do governo etc. — mina a confiança no futuro e encurta o horizonte decisório dos indivíduos e empresas. Ela reduz o volume de recursos financeiros disponíveis para novos investimentos, estimula a fuga de capitais e induz os poupadores domésticos à adoção de práticas defensivas, como o encurtamento dos prazos das aplicações e a exigência de imediata liquidez ("A festa está boa mas é bom ficar perto da porta").[33] A criação de um arcabouço institucional favorável à formação de poupança de longo prazo, como dizia Mill sobre a segurança da propriedade, "consiste na proteção *pelo* governo e na proteção *contra* o governo".[34] O que ele não poderia supor, talvez, é que algum dia as duas coisas pudessem ser urgentes ao mesmo tempo.

A psicologia temporal dos jogadores e as regras do jogo determinam conjuntamente o grau de impaciência da sociedade. As conclusões principais da análise desenvolvida neste capítulo são duas. A *primeira* se refere às relações entre agrupamentos humanos com taxas de preferência temporal muito diferenciadas. Essas diferenças têm uma história. Quando o forte apego de um grupo social ao máximo local, em claro prejuízo dos seus interesses de mais longo prazo, resulta de condições prévias marcadamente injustas e opressivas, o livre jogo das trocas no mercado de crédito, apesar de legal e voluntário, desperta sérias dúvidas do ponto de vista ético.

A existência de uma enorme e secular desigualdade de renda, associada a uma não menos profunda assimetria de oportunidades educacionais, pode levar um grupo social a explorar outro grupo e se beneficiar injustamente dele, sem ferir as regras formais da livre escolha. A injustiça aqui não está tanto na distribuição dos ganhos da troca — embora ela acabe espelhando o vício de origem —, mas na notória falta de legitimidade do caminho que levou até essa distribuição. O problema, em suma, não reside no resultado final da partida, mas na condição desigual dos que dela participam. A liberdade de escolha desligada da capacitação para o seu exercício é uma expressão vazia. É a liberdade de um semianalfabeto para ler Joaquim Nabuco ou de um mendigo famélico para jantar fora. O mínimo legal não basta.

A *segunda* conclusão remete à diferença no grau de orientação de futuro, em sentido econômico, entre duas sociedades distintas. Como interpretar essa discrepância? Até que ponto ela reflete uma escolha autônoma baseada em valores ou uma falta de opção, isto é, a influência de fatores cerceadores que impedem a sociedade de afirmar suas preferências e encontrar seu grau desejado de cuidado com o amanhã?

A resposta depende: (a) das condições em que se formam o horizonte e o modo de lidar com o futuro na sociedade (psicologia temporal dos jogadores), e (b) das características do seu ambiente institucional (regras do jogo).

A opção por um mundo em que desfrutar o momento e viver a vida subordine o imperativo de acumular, competir e consumir sempre mais é perfeitamente racional e justificável do ponto de vista ético. Mas, para que isso reflita uma *escolha cultural*, alguns requisitos precisariam ser atendidos. A pobreza em larga escala num ambiente de profunda desigualdade de oportunidades; o descaso secular com a educação e a consequente perpetuação de um sistema de ensino vergonhosamente falho, e, por fim, a incerteza e instabilidade do marco institucional são realidades que não só distorcem os valores da convivência, como deformam, em larga medida, a psicologia temporal da sociedade. A resultante dessa combinação é o predomínio da razão curta: um estreitamento do horizonte de futuro e a exacerbação da preferência pelo aqui-e-agora em sério prejuízo dos interesses vindouros. Isso não reflete uma escolha autônoma — a vitória da "arte de viver" sobre a "arte de acumular" —, mas o jugo de distorções que cerceiam a margem de escolha dos indivíduos e encontram nos juros cronicamente altos uma de suas mais contundentes e perversas manifestações.

Os indivíduos perecem, mas a sociedade a que pertencem — obra aberta que une na mesma trama os valores dos mortos, dos vivos e dos que estão por vir — segue em frente. O passado condiciona; o presente desafia; o futuro interroga. Existem três formas básicas por meio das quais podemos preencher com o pensamento o vácuo interrogante do porvir. A previsão lida com o provável e responde à pergunta: *o que será?* A delimitação do campo do possível lida com o exequível e responde à pergunta: *o que pode ser?* E a expressão da vontade lida com o desejável e responde à pergunta: *o que sonhamos ser?*

As relações entre esses modos de conceber o futuro não são triviais. De um lado está a lógica: o desejável precisa respeitar a disciplina do provável e do possível. Mas, do outro, está o sonho. Se o sonho desprovido de lógica é frívolo, a lógica desprovida de sonho é deserta. Quando a criação do novo está em jogo, resignar-se ao provável e ao exequível é condenar-se ao passado e à repetição. No universo das relações humanas, o futuro responde à força e à ousadia do nosso querer. A capacidade de sonho fecunda o real, reembaralha as cartas do provável e subverte as fronteiras do possível. Os sonhos secretam o futuro.

Notas

PRIMEIRA PARTE
AS RAÍZES BIOLÓGICAS DOS JUROS [pp. 15-49]

1. Exceto quando indicado, o argumento sobre a relação entre reprodução sexuada e mortalidade apresentado neste capítulo segue a análise desenvolvida pelo biólogo molecular William Clark em *Sex and the origins of death*. As expressões "mais vida em nossos anos" e "mais anos em nossas vidas", usadas no parágrafo anterior, são devidas a Tom Kirkwood (*Time of our lives*, p. 240).
2. Freud, *Além do princípio de prazer*, p. 56. A noção freudiana de "instinto de morte" (*thanatos*), em oposição ao "instinto de vida" (*eros*), foi inspirada nas ideias do naturalista alemão August Weismann, que, em 1881, apresentou aquela que é considerada a primeira teoria detalhada do processo de envelhecimento e morte do soma. A outra fonte referida por Freud é o filósofo Schopenhauer: "Para ele, a morte é o 'verdadeiro resultado e, até esse ponto, o propósito da vida', ao passo que o instinto sexual é a corporificação da vontade de viver" (p. 69). Sobre a evolução da teoria da libido de Freud e sua tentativa de dar a ela fundamentação biológica consistente, ver: Brown, *Life against death*, cap. 8, e Kirkwood, *Time of our lives*, pp. 15-6. A ideia da morte como destino inescapável aparece com clareza num fragmento atribuído ao sofista grego Crítias de Atenas, membro do círculo de Sócrates no século V a. C.: "Nada é certo, exceto morrer depois de ter nascido e a impossibilidade de, enquanto se vive, escapar do destino" (*Greek sophists*, p. 264). Na *Ciência da lógica*, Hegel sugere (erroneamente) a existência de uma relação inextricável entre a condição mortal e a individualidade dos seres vivos: "A existência das coisas finitas, enquanto tal, consiste em possuir a semente do perecimento como seu modo de ser essencial: a hora do seu nascimento é a hora da sua morte" (p. 115). O verso citado ("*Le Temps mange la vie,/ Et l'obscur Ennemi qui nous ronge le coeur/ Du sang que nous perdons croît et se fortifie!*") é do poema "O inimigo", de Baudelaire (*Poesia e prosa*, p. 113).
3. O exemplo da reprodução exponencial das bactérias em meio não restritivo foi dado por Sagan, *Bilhões e bilhões*, pp. 21-2. Exemplo semelhante é oferecido em Clark, *Sex and the origins of death*, p. 62.
4. Cada célula viva existente no mundo, afirma o biólogo Max Delbrück (Nobel de Medicina e Fisiologia em 1969), "consiste mais num fato histórico do que físico, [pois] carrega consigo as experiências de bilhões de anos de experimentação por parte de suas ancestrais" (citado por Georgescu-Roegen, *Entropy law and economic process*, p. 125). Na mesma linha, Kirkwood argumenta: "Cada célula no meu corpo (e também no seu) é o produto de uma cadeia ininterrupta de divisões celulares que remonta no tempo aos primórdios da vida na Terra. Os ingredientes celulares, que foram sendo renovados e substituídos inúmeras vezes, não podem ter progressivamente acumulado os danos e estragos de um processo natural de desgaste, pois isso os condenaria a ter perecido

há muito tempo. Isso prova, para além de qualquer dúvida, que a Segunda Lei da Termodinâmica [Lei da Entropia] não condena automaticamente os seres vivos à morte pelo desgaste natural" (*Time of our lives*, pp. 54-5). O verso citado no parágrafo seguinte ("*The course of true love never did run smooth*") aparece em Shakespeare, *Midsummer night's dream* (primeiro ato, cena 1, linha 134).

5. Sobre a criopreservação (grego *krýos*: "gelo") celular, ver: Kirkwood, *Time of our lives*, p. 88, e Clark, *Sex and the origins of death*, p. 86. A demonstração empírica de que as células mitóticas, ou seja, capazes de divisão por mitose, têm um número limitado de divisões ("limite de Hayflick"), mesmo em condições ideais de reprodução, foi feita por Leonard Hayflick e Philip Moorhead num artigo publicado em 1961 no *Experimental Cell Research*, depois de ter sido recusado pelo prestigioso *Journal of Experimental Medicine*. Ao contrário das células bacterianas, que se dividem indefinidamente desde que o meio seja não restritivo, o soma mitótico apresenta um número de divisões celulares finito, predeterminado, que declina de acordo com a idade do indivíduo.

6. Cícero, *Tusculan disputations*, livro 1, § 39: "*Natura dedit usuram vitae, tanquam pecuniae, nulla praestituta die*" (p. 110). À luz da biologia moderna, como veremos a seguir, a analogia de Cícero se revela bem mais que simples recurso retórico. Uma comparação semelhante foi sugerida por Sêneca. O sábio, afirma, não teme os golpes do acaso, uma vez que para ele não só "as propriedades e a dignidade, mas também o seu corpo, olhos e mãos, e tudo o que torna mais querida a vida, e até a si mesmo, todas essas coisas, enfim, ele as conta no rol das coisas precárias, e vive como se seu ser lhe fosse emprestado e haverá ele de devolvê-lo sem tristeza aos que o reivindicarem [...] Que nos intime a natureza, nossa primeira credora; a ela diremos: 'Recebe uma alma melhor que aquela que me confiaste; não me esquivo nem busco evasivas'" (*Sobre a tranquilidade da alma*, XI. 1-3). Ver também a nota 21 da terceira parte abaixo.

7. Sobre a construção da curva estatística de sobrevivência e a maior idade de que há registro para um ser humano — a da francesa Jeanne Calment (1875-1997) —, ver Kirkwood, *Time of our lives*, pp. 31-3 e 39. A "lei dos grandes números" foi originalmente formulada pelo matemático suíço Jacob Bernoulli no início do século XVIII (a ciência grega não chegou a desenvolver a ideia moderna de probabilidade). Base do método de amostragem estatística, a "lei dos grandes números" pode ser resumida pela noção de que a diferença entre o valor observado de uma amostra e o seu valor verdadeiro tende a diminuir à medida que o número de observações da amostra aumenta: "probabilidade é grau de certeza, e difere da certeza absoluta assim como a parte difere do todo" (Bernoulli, citado em Bernstein, *Against the gods*, p. 123). Daí que seja mais fácil prever um padrão de resultados numa sequência de lances num jogo de azar do que o resultado de um lance isolado. Sua aplicação ao estudo da ação humana transparece na afirmação de Hume de que "o que depende de poucas pessoas deve, em grande medida, ser atribuído ao acaso ou a causas secretas e desconhecidas; o que depende de um grande número, em geral, provém de causas determinadas e conhecidas" ("Of the rise and progress of the arts and sciences", p. 112).

8. Para uma revisão da teoria evolucionária do envelhecimento e a distinção entre o simples envelhecer e a senescência biológica propriamente dita, ver: Charlesworth, "Fisher, Medawar, Hamilton and the evolution of aging", e Medawar e Medawar, "Aging". O biólogo John Maynard Smith definiu a senescência como "uma progressiva e generalizada debilitação das funções que resulta em maior probabilidade de morte" (citado em Kirkwood, *Time of our lives*, p. 35). O ponto central da teoria é bem resumido por Charlesworth: "A teoria evolucionária moderna demonstrou que, numa espécie em que há clara distinção entre pais e filhos, a senescência é um resultado quase inevitável do fato de que os genes que afetam a sobrevivência ou fecundidade apenas nas fases iniciais da vida têm impacto seletivo maior do que os genes cujos efeitos só se manifestam mais tarde na vida" (p. 927). A controvérsia entre os biólogos é quanto ao mecanismo biomolecular específico que domina o processo: "Nosso entendimento da evolução da senescência está, em dado nível, bastante completo; sabemos que a senescência é a resposta evolucionária da efetividade decrescente da seleção com relação à idade". Os dois principais mecanismos envolvidos no processo são: (1) a acumulação de mutações nocivas que se manifestam tardiamente e (2) a fixação

de mutações com efeitos próximos favoráveis e efeitos remotos deletérios. A grande dificuldade é determinar qual deles "tem o papel decisivo, sobretudo tendo em vista que não são possibilidades que se excluem mutuamente" (p. 930). O argumento deste capítulo, como veremos a seguir, baseia-se por inteiro no segundo mecanismo referido acima.

9. Sobre as evidências e interpretação da progéria (síndromes de Werner e de Hutchison-Gilford), ver: Clark, *Sex and the origins of death*, pp. 82-5, e Kirkwood, *Time of our lives*, pp. 98-9 e 241. Outra evidência do componente genético na determinação da longevidade humana, assinala Clark, é o fato de que, quanto mais próximos geneticamente são dois indivíduos, menor tende a ser a diferença em sua expectativa de vida. Ao passo que os gêmeos univitelinos morrem, em média, com 36 meses de intervalo, e os dizigóticos com 75 meses, a diferença na duração média de vida entre irmãos aleatoriamente selecionados é de 106 meses ou 8,8 anos (p. 82).

10. A senescência como fenômeno de manifestação tardia e, portanto, imune ao crivo excludente da seleção natural é discutida por Medawar e Medawar, "Aging", pp. 7-8 (cf. a nota 8 acima). A ideia de que nenhum dos nossos ancestrais diretos morreu jovem aparece em Dawkins, *Selfish gene*, p. 40. Ao discutir a teoria da senescência de Medawar, Dawkins faz uma conjectura pitoresca sobre como aumentar a duração da vida humana: "Nós poderíamos banir a reprodução antes de uma certa idade, digamos quarenta anos. Depois de alguns séculos, essa idade mínima poderia ser elevada para cinquenta anos, e assim por diante. É plausível supor que, por esse modo, a longevidade humana pudesse ser incrementada até alcançar vários séculos" (p. 41).

11. O artigo seminal de Hamilton sobre a lógica evolucionária da senescência foi publicado, em 1966, no *Journal of Theoretical Biology*. Embora não conste do *paper* original, a expressão citada no texto ("*live now, pay later*") foi utilizada por Hamilton como título da introdução que escreveu por ocasião da reimpressão do artigo no volume que reúne seus trabalhos científicos (*Narrow roads of gene land*, p. 85). Ver também: Hrdy, *Mãe natureza*, p. 293; e Pinker, *Como a mente funciona*, p. 415: "A luta para reproduzir-se é uma espécie de economia, e todos os organismos, inclusive as plantas, precisam 'decidir' entre usar recursos agora ou poupá-los para o futuro. Algumas dessas decisões são tomadas pelo corpo; tornamo-nos mais frágeis com a idade porque nossos genes descontam o futuro e constroem corpos fortes na juventude às custas de corpos fracos na velhice". O termo *bioeconomia* aparece já no artigo publicado por Hamilton em 1966 (p. 14). A aproximação entre as duas ciências era uma das principais propostas do economista inglês Alfred Marshall, para quem a biologia, e não a física teórica, deveria constituir "a meca da economia" (*Principles*, p. xii). Existe hoje um periódico especializado voltado a esse fim — o *Journal of Bioeconomics*.

12. O modelo matemático e o experimento mental envolvendo a gradual penetração e fixação do par juventude-senescência no genoma de uma população originalmente imune aos seus efeitos estão em Hamilton, "The moulding of senescence by natural selection", pp. 23-7.

13. As glândulas de armazenagem de espermas localizadas no oviduto das galinhas podem estocar mais de meio milhão de espermatozoides (dezenas deles são normalmente necessários para fecundar com sucesso um único ovo). O prazo de utilização desse estoque se estende por até três semanas, embora a fertilidade da galinha decline após um período de três ou quatro dias depois da última cópula. Para uma revisão das inúmeras modalidades de seleção sexual e fecundação no mundo natural, ver Partridge e Halliday, "Mating patterns and mate choice". Uma (pitoresca) descoberta recente é o fato de que algumas variedades de galinha são capazes de expelir fisicamente do organismo, logo após o coito, o esperma de um galo com o qual não desejavam copular (Pizzari e Birkhead, "Female feral fowl eject sperm of subdominant males").

14. Exceto quando indicado em nota, os exemplos de troca intertemporal nos reinos vegetal e animal apresentados e discutidos a seguir (caps. 3 e 4) têm como fonte o artigo "The evolution of patience", de Alex Kacelnik. Como será visto, a troca intertemporal no mundo vegetal e animal é o resultado de um filtro seletivo natural e não pressupõe nenhum tipo de escolha ou deliberação consciente. "O comportamento projetado para lidar com *trade-offs* intertemporais", observa Kacelnik, "é uma peculiaridade universal dos sistemas vivos, e é de esperar que eles solucionem esses

trade-offs como se levassem em conta os custos, benefícios e relações temporais de todas as suas ações. Como tomadores de decisão eficientes, os seres vivos levam em conta que os custos podem ser pagos mais cedo quando isso conduz a ganhos suficientemente altos mais tarde" (p. 116). O ganho adicional que justifica (ou não) a espera equivale aos juros da operação.

15. Em ambientes marcados por fortes oscilações pluviométricas, o início da estação seca deflagra um mecanismo análogo de desmobilização programada da folhagem e da capacidade fotossintética em diversas plantas. Em ambos os casos, o processo envolve a ação coordenada de supressão (e posterior ativação) de pelo menos 130 genes com funções específicas. Entre os cuidados preventivos da operação, está a formação de uma "zona de abscisão" que isola e cicatriza as conexões vasculares das folhas antes do seu desligamento definitivo da planta — isso previne a contaminação por micróbios e impede a ocorrência de vazamentos. Como observam Levey e Wingler, a morte e o renascimento sazonal das folhas "podem ser componentes decisivos no *trade-off* entre investimento em capacidade fotossintética e reprodução" ("Natural variation in the regulation of leaf senescence", p. 223). Sobre o potencial econômico da manipulação genética de alguns desses mecanismos, ver o artigo "Abolishing autumn" (*Economist*, 13/1/1996).

16. Goethe, *Máximas e reflexões*, § 1412, pp. 309-10.

17. Esta passagem foi adaptada de uma observação feita por Pinker em *Como a mente funciona*, p. 202.

18. Como observam os especialistas em dieta Herman e Polivy ao analisar as estratégias e armadilhas no caminho das tentativas de perder peso e aumentar a longevidade, "nós não estamos cientes de nenhum tipo de pesquisa sobre a composição de 'últimas refeições' encomendadas por presidiários no corredor da morte, mas ficaríamos surpresos se aqueles que estão certos de morrer amanhã se importassem em restringir sua ingestão de alimentos ou em alimentar-se de uma forma preocupada com a saúde. As pessoas fazem dieta numa zona de guerra?" ("Dieting as an exercise in behavioral economics", p. 478).

19. Blake, "Proverbs of hell" (*Complete poems*, p. 183).

20. A descrição do experimento com pombos feita a seguir, conduzida por Leonard Green e colaboradores e publicada originalmente no *Behavior Analysis Letters* (1981), baseia-se em relatos feitos por: Fehr, "The economics of impatience", p. 269, e Kacelnik, "The evolution of patience", pp. 133-4. Para uma discussão do desconto hiperbólico baseada em experimentos semelhantes com pombos e ratos, ver: Ainslie, *Picoeconomics*, p. 131, e Lea, Tarpy e Webley, *The individual in the economy*, p. 218.

21. Para um relato, em linguagem não excessivamente técnica, desse novo e florescente programa de pesquisa, ver: Manuck, Flory, Muldoon e Ferrel, "A neurobiology of intertemporal choice", e as referências citadas na nota 8 da terceira parte abaixo.

22. Machado de Assis, *Dom Casmurro*, cap. 11, p. 17.

23. Agostinho, *Confissões*, livro 8, cap. 7, p. 199. O contexto pessoal e intelectual da sentença do jovem Agostinho é discutido por Simon Blackburn em *Lust*, pp. 49-63. Para uma revisão cuidadosa da literatura econômica sobre escolha intertemporal e desconto hiperbólico, ver Frederick, Loewenstein e O'Donoghue, "Time discounting and time preference: a critical review" (publicado originalmente no *Journal of Economic Literature* de 2002). Ver também Ainslie, *Picoenomics*, especialmente pp. 77-82, e Elster, *Ulysses unbound*, cap. 1.

24. Sobre a "*big-bang reproduction*" e outros exemplos de conflito entre os objetivos de sobrevivência e reprodução, ver Kirkwood, *Time of our lives*, p. 162. A lógica evolucionária do sacrifício da vida em prol da antecipação da procriação é analisada por Horn e Rubenstein: "A seleção natural favorece aqueles indivíduos que transmitem cópias dos seus genes em maior abundância para as gerações futuras. Essa tarefa demanda uma alocação apropriada de recursos limitados entre os requisitos conflitantes da reprodução e sobrevivência, num ambiente que é na melhor das hipóteses caprichoso e, na pior, previsivelmente hostil [...] A reprodução pode ser vista como o investimento de um indivíduo no futuro genético de sua população. Quanto mais cedo for feito esse

investimento, maior o tempo em que a taxa de reprodução poderá gerar juros compostos. Muitos animais, não obstante, retardam a reprodução mesmo depois de terem atingido a maturidade fisiológica [...] As alternativas que se oferecem a um genitor são, de um lado, a reprodução conservadora e a sobrevivência potencial para reproduzir de novo e, de outro, a reprodução exaustiva para gerar uma prole adicional na primeira estação e morrer em consequência. O esforço que envolve autossacrifício terá valido a pena se o genitor puder produzir um número de filhos que cubra o seu potencial reprodutivo futuro. Esse número mágico de filhos adicionais precisa considerar o risco médio de mortalidade do genitor e dos filhos e o fato de que cada filho é uma réplica apenas parcial dos pais" ("Behavioural adaptations and life histories", pp. 279-80).

25. Para uma revisão sistemática das estratégias alternativas de acasalamento no mundo natural, ver Partridge e Halliday, "Mating patterns and mate choice", pp. 236-40. Uma análise econômica dos investimentos em rituais de cortejo e dotes ornamentais visando acasalamento é oferecida por Hirshleifer em "Economics from a biological viewpoint", pp. 26-34. Um dos exemplos mais impressionantes de investimento nupcial no mundo animal é o do "*spotted bower-bird*" (Chlamydera maculata) encontrado na Austrália e Nova Guiné. O macho dessa ave constrói um edifício sofisticado de gravetos finos e grama para ser usado não como ninho, mas como alcova no cortejo de fêmeas. Duas paredes paralelas (com 12-22 cm de espessura e até 0,5 m de altura e 0,75 m de extensão cada) formam um corredor entre si, com cerca de 15-22 cm de largura. A parte interna das paredes é pintada pelo macho com o bico, usando uma mistura de cinzas, vegetais e saliva, o que dá uma aparência acolhedora ao aposento. Quando as paredes ficam prontas, o macho passa a coletar objetos, como ossos de pequenos mamíferos, chaves ou tampas coloridas, que são dispostos ao longo do corredor e perto das entradas. Em alguns casos, mais de 1300 ossos foram achados numa única alcova (daí o apelido "pássaro-sepulcro" dado a essa ave). Atraída pela obra enfeitada, a fêmea se aproxima e permite ao macho consumar o acasalamento, muitas vezes na própria alcova (ver o ensaio "Mate selection" no *Oxford companion to animal behaviour*, p. 361).

26. Ataulpho Alves, "Laranja madura", samba de 1967.

27. O exemplo dos corvos quebra-nozes foi extraído do estudo de Sara Shettleworth sobre as modalidades e limites do aprendizado no mundo animal e a questão do uso da memória na localização de alimento entesourado ("Learning and behavioural ecology", pp. 180-1).

28. O exemplo do entesouramento feito por roedores está no capítulo sobre "Poupança" em Lea, Tarpy e Webley, *The individual in the economy*, p. 227. Em experimentos de laboratório, *hâmsters* privados de alimento por um único dia passam a incrementar a quantidade de alimento entesourado sem, no entanto, aumentar o volume de comida ingerida. Para uma evidência de poupança não alimentar no mundo animal, ver o exemplo descrito na nota 25 acima. A classificação sistemática proposta por Keynes dos oito motivos de ordem subjetiva — precaução, antevisão, cálculo, ambição de melhoria, independência, empreendedorismo, orgulho e avareza — que levam as pessoas a poupar em vez de gastar está em *General theory*, p. 108.

29. Uma demonstração simples e elegante da tridimensionalidade do espaço é oferecida por Quine: "Prenda dois palitos retos em cruz, de modo a que formem um grande sinal de mais. Em seguida prenda um terceiro palito aos outros dois, no seu ponto de interseção, de modo a que fique perpendicular a ambos. Evidentemente isso pode ser feito. Mas será possível prender ainda um quarto palito aos outros três, na sua interseção e perpendicular a eles? Evidentemente não. Eis aqui uma lei notavelmente simples e básica da natureza: a tridimensionalidade do espaço. Não é uma lei da geometria pura; a geometria funciona bem com qualquer número de dimensões. É uma lei física [...] tente o quanto desejar, não será possível prender um quarto palito que seja perpendicular aos outros três" ("Space-time", p. 196).

30. Como apontam estudiosos da peça, a ideia e os principais detalhes da trama do "meio quilo de carne" em *O mercador de Veneza* foram diretamente adaptados por Shakespeare de um conto renascentista, publicado em 1558 na Itália, de autoria de Ser Giovanni (Mahood, pp. 2-6). Entre as fontes mais remotas da história estão o Talmude judaico e o Mahabárata hindu, no qual

o rei Usinara salva um pombo perseguido por um falcão oferecendo a ele um naco de carne do seu próprio corpo (Halio, p. 17). Ao ser acusado da crueldade do seu ato, Shylock se defende com o argumento de que ainda mais cruel era a prática da escravidão por dívida (quarto ato, cena 1, linhas 90-8). Sobre a motivação de Shylock ao exigir a execução da garantia do contrato, ver também a nota 41 da terceira parte abaixo.

31. A lógica subjacente à mutilação do devedor inadimplente pelo credor foi analisada por Nietzsche: "O devedor, para infundir confiança em sua promessa de restituição, para garantir a seriedade e a santidade de sua promessa, para reforçar na consciência a restituição como dever e obrigação, por meio de um contrato empenha ao credor, para o caso de não pagar, algo que ainda 'possua', sobre o qual ainda tenha poder, como seu corpo, sua mulher, sua liberdade, ou mesmo sua vida [...] Sobretudo, o credor podia infligir ao corpo do devedor toda sorte de humilhações e torturas, por exemplo, cortar tanto quanto parecesse proporcional ao tamanho da dívida — e com base nisso, bem cedo e em toda parte houve avaliações precisas, terríveis em suas minúcias, avaliações legais de membros e partes do corpo. Já considero um progresso, prova de uma concepção jurídica mais livre, mais generosa, mais romana, que a lei das Doze Tábuas decretasse ser indiferente que os credores cortassem mais ou menos nesse caso" (*Genealogia da moral*, segunda dissertação, § 5, pp. 53-4). As Doze Tábuas são o mais antigo código legal escrito da Roma antiga do qual se tem registro. Embora o texto original das leis tenha desaparecido por ocasião da invasão e incêndio de Roma pelos gauleses, sabe-se por outras fontes que elas continham regras facultando ao credor, como derradeiro recurso, mutilar o devedor.

SEGUNDA PARTE
IMEDIATISMO E PACIÊNCIA NO CICLO DE VIDA [pp. 51-82]

1. A ideia de que a percepção do tempo cinde a unidade natural do desejo se baseia na análise feita por Aristóteles no livro 3 do tratado psicológico *De anima* (433b5): "Mas surgem desejos que estão opostos um ao outro, e isso acontece quando a razão [*logos*] e os apetites se opõem, o que tem lugar em criaturas que possuem uma percepção do tempo; pois o intelecto nos aconselha a resistir por conta do futuro, ao passo que os apetites nos induzem a agir por conta do que é imediato, e aquilo que é imediatamente prazeroso parece ser absolutamente aprazível e absolutamente bom, desde que não sejamos capazes de mirar o futuro" (p. 70). Sobre o papel do tempo na psicologia da ação e no conflito intrapessoal, ver também: Platão, *Protagoras*, 355a-356e (pp. 49-50); Bacon, *Advancement of learning*, livro 2, cap. 18, pp. 140-1, e Locke, *Essay concerning human understanding*, livro 2, cap. 21, pp. 274-6.

2. O emprego de *fatica* no sentido geral de "trabalho" aparece, por exemplo, no tratado *Da moeda*, do economista iluminista italiano Ferdinando Galiani (livro 1, cap. 2, p. 83). Aos olhos de Marx, essa opção terminológica revelava uma atitude peculiar dos povos latinos diante do mundo do trabalho. Ao comentar o emprego desse termo por Galiani, Marx observa: "É caracteristicamente meridional designar o trabalho pela palavra *fatica*" (*Contribuição para a crítica da economia política*, p. 72). Sobre o uso de *batente* em nossa língua, ver, por exemplo, o samba "O que será de mim", de Ismael Silva, Nilton Bastos e Francisco Alves, cujo refrão (censurado no Estado Novo sob a alegação de "antissocial") diz: "Se eu precisar algum dia/ De ir pro batente/ Não sei o que será/ Pois vivo na malandragem/ E vida melhor não há/ [...] O trabalho não é bom/ [...] Oi, trabalhar só obrigado/ Por gosto ninguém vai lá". Embora o sentimento confessado pelo sambista continue bastante vivo — e não menos praticado —, a tolerância em relação à sua expressão pública parece ter desaparecido em nossos dias.

3. Valéry, "Politics of the mind", pp. 97-8. Observação semelhante aparece no *De officiis* (livro 1, § 11), de Cícero: "A principal diferença entre o homem e os animais inferiores é que estes somente respondem às impressões imediatas dos sentidos e apenas às coisas que estão presentes e

à mão, pouco cientes de passado ou futuro; o homem, contudo, participa da razão, e isso permite a ele perceber as consequências, compreender as causas das coisas [...] e ligar e combinar acontecimentos futuros e presentes, sendo capaz assim de mirar o curso completo da vida e preparar aquilo que se revela necessário para vivê-la" (p. 6). Essa passagem de Cícero e algumas de suas implicações econômicas foram analisadas em Rae, *New principles*, p. 81.

4. Locke, *Essay concerning human understanding*, livro 2, cap. 21, p. 252. Sobre a filosofia da ação lockiana, e as importantes mudanças introduzidas na segunda edição (1694) do *Essay*, ver: Colman, *John Locke's moral philosophy*, cap. 8, e Cranston, *John Locke*, cap. 20.

5. O *Dhammapada* é parte das escrituras sagradas do budismo, organizadas pelos discípulos do Buda ("iluminado") cerca de um século após sua morte em 483 a. C. Ele reúne uma antologia de epigramas e pequenos poemas em páli (língua canônica do budismo) que teriam sido oralmente legados pelo próprio Buda. O termo *dhamma* (sânscrito: *dharma*) denotava originalmente a lei fundamental da vida a que estavam submetidos deuses, humanos e animais; a descoberta dessa lei teria permitido ao Buda a profunda transformação interior que precede o despertar espiritual e a conquista da paz e imunidade em meio ao sofrimento da vida (ver Armstrong, *Buddha*). A passagem citada no texto foi discutida em Rozin, "Preadaptation and the puzzles and properties of pleasure" (p. 114). A crítica do prazer como valor ético e alvo maior da existência humana reaparece em diferentes fases e contextos da filosofia grega, em larga medida por influência de tradições místicas orientais; um exemplo eloquente disso é a rejeição do corpo em Platão, *Fédon* (66a-67d). Na *Ética a Nicômaco* (livro 7, seções 11-13), Aristóteles discute três argumentos de que o prazer não é um bem a ser perseguido, e adota uma postura bem menos ascética do que a defendida por platônicos e estoicos. Schopenhauer, no entanto, retomando a perspectiva ética do budismo, afirma: "Eu considero como a primeira regra de toda a sabedoria de vida a sentença incidentalmente expressa por Aristóteles na *Ética*: 'O homem prudente visa a ausência de dor, não o prazer'" (*Parerga*, vol. 1, p. 404). Sobre a influência do budismo na filosofia alemã, ver Dumoulin, "Buddhism and nineteenth-century German philosophy". O exemplo do mendigo que guarda comida nos bolsos, usado no parágrafo anterior, é devido a Guto Pompeia e Sapienza, *Na presença do sentido*, p. 238.

6. A definição hobbesiana de "homem mau" aparece no prefácio do tratado *De cive* (p. 18). A glosa de Diderot está no artigo que ele escreveu sobre Hobbes para a *Encyclopédie* (*Political writings*, pp. 28-9). "Uma criança pequena", observa Adam Smith, "não possui autocontrole algum; sejam quais forem as suas emoções, medo, desconforto ou raiva, ela buscará sempre, pela violência de seus berros, chamar o quanto puder a atenção de seus pais ou ama" (*Theory of moral sentiments*, p. 145). Observador arguto, Adam Smith antecipou-se a Freud na "descoberta" da sexualidade infantil: "Todos os apetites que se originam de algum estado do corpo parecem sugerir os meios de sua própria gratificação [...] No apetite por sexo, que com frequência e, segundo creio, quase sempre, surge um longo tempo antes da puberdade, isso é perfeita e distintamente evidente" (*Essays on philosophical subjects*, p. 165). Ver também: Damásio, *O erro de Descartes*, p. 28, e Mischel e outros, "Sustaining delay of gratification over time", p. 187. O verso que abre o parágrafo anterior é do poema "Nascer de novo" de Carlos Drummond de Andrade (*Paixão medida*, p. 39).

7. Italo Svevo, citado em Levi, *The drowned and the saved*, p. 57. A sentença citada entre aspas a seguir neste parágrafo é de Valéry, "Politics of the mind", p. 97.

8. Os experimentos de "gratificação postergada" com crianças em idade pré-escolar (*preschool delay paradigm*) relatados a seguir foram concebidos e implementados pelo psicólogo Walter Mischel e sua equipe ("Sustaining delay of gratification over time", pp. 179 e 187). Ver também Elster, *Ulysses unbound*, p. 52. Sobre a interpretação desses resultados à luz da gradual formação, entre os quatro e os doze anos de idade, das regiões do cérebro (hipocampo e lobo frontal) associadas ao desenvolvimento da capacidade de espera, ver, além do artigo de Mischel e outros, a avaliação do "estado da arte" nesse campo de investigação em Manuck e outros, "A neurobiology of intertemporal choice", e a revisão em Lea, Tarpy e Webley, *The individual in the economy*, pp. 216-9.

9. Os resultados dos estudos longitudinais são relatados e discutidos em Mischel e outros,

"Sustaining delay of gratification", p. 179 e 190: "Mesmo numa amostra bastante homogênea de participantes de alta classe média, aqueles que postergaram por mais tempo aos quatro anos de idade haviam alcançado, ao atingirem cerca de 28 anos, níveis de educação superior significativamente mais altos", e em Baumeister e Vohs, "Willpower, choice, and self-control", p. 202. Essa evidência empírica corrobora, de certo modo, a observação de Locke em *Thoughts concerning education* (1693): "Se uma criança obtiver doces e uvas sempre que se sentir inclinada a isso, em vez de se deixar que ela chore ou fique de mau humor, então por que, quando crescida, ela não precisaria igualmente ser satisfeita, toda vez que seus desejos a levassem ao vinho e às mulheres?" (citado em Cranston, *John Locke*, p. 240). A frase de Baudelaire citada no próximo parágrafo está em "Projéteis" (*Poesia e prosa*, p. 521); ver também nota 15 abaixo.

10. La Rochefoucauld, *Maxims*, § 271, p. 73. "Em que idade se é grande ator?", indaga Diderot. "É na idade em que se está cheio de fogo, em que o sangue ferve nas veias, em que o mais ligeiro choque leva a perturbação ao fundo das entranhas, em que o espírito se inflama à menor centelha?" (*Obras*, vol. 2, p. 42). A testosterona é o hormônio esteroide masculino cuja produção desencadeia a puberdade e atinge seu pico quando o homem está entre os vinte e trinta anos de idade. Um dos efeitos da testosterona é aumentar a impulsividade. Isso ajuda a entender por que a incidência da criminalidade, abuso de álcool e drogas, violência familiar e suicídio (completo) tende a ser maior entre os adolescentes e jovens do sexo masculino. Nos Estados Unidos, por exemplo, cerca de 80% das vítimas de assassinato e cerca de 90% dos assassinos são homens jovens, a maioria dos quais na casa dos vinte e poucos anos e motivados por conflitos ligados a status e relações afetivas (ver *Economist*, "Are men necessary?"). Embora o estrogênio (hormônio feminino) tenha efeitos menos dramáticos, ele também afeta o comportamento das mulheres mais jovens e ajuda a entender por que as adolescentes costumam ser pouco cooperativas nos afazeres domésticos e no cuidado de irmãos mais novos. "As meninas próximas da menarca", observa a bióloga Sarah Hrdy, "estão realmente entregues a um árduo trabalho de uma outra espécie [que não as tarefas do dia a dia], reprogramando seus hipotálamos e ovários, armazenando recursos como um pagamento à vista por conta da exigente carreira reprodutiva que estão prestes a iniciar" (*Mãe natureza*, p. 291).

11. Schopenhauer, *Parerga*, vol. 1, p. 483. A assimetria da vida prospectiva, que parece ser tão longa na juventude mas breve na visão retrospectiva da velhice, define o que ele denomina "a ilusão de ótica inevitável do olho da mente" (p. 412). A psicologia temporal dos jovens e a relação pródiga com o dinheiro nessa fase da vida foram examinadas por Aristóteles na *Art of rhetoric*, 1389a-b (pp. 173-4).

12. Hölderlin, *Hipérion*, p. 15; Machado de Assis, *Dom Casmurro*, p. 106; Hume, *Second enquiry*, p. 264, e Smith, *Wealth of nations*, p. 126. Sobre os sonhos da infância e da juventude e sua relação com as realidades da vida adulta, ver também a derradeira mensagem de Posas a Carlos, no *Dom Carlo*s de Schiller: "Diga-lhe que, quando ele for um homem-feito, ele deverá reverenciar os sonhos de sua juventude" (citado em Carlyle, *Life of Schiller*, p. 59), e os versos de Álvaro de Campos, heterônimo de Fernando Pessoa: "Temos todos duas vidas:/ A verdadeira, que é a que sonhamos na infância,/ E a que continuamos sonhando, adultos num substrato de névoa;/ A falsa, que é a que vivemos em convivência com outros,/ Que é a prática, a útil,/ Aquela em que acabam por nos meter num caixão" (*Obra*, p. 389). Sobre o otimismo espontâneo dos jovens ("abundância de espíritos animais") na escolha de uma profissão, ver: Malebranche, *Search after truth*, p. 403, e os comentários de Marshall nos *Principles*, pp. 460-2. Em carta de 9 de abril de 1863, dirigida ao seu colaborador Friedrich Engels, Marx (então com 45 anos) lamenta a perda de ilusões juvenis: "Ao reler o seu livro [*A condição da classe operária na Inglaterra* (1844)], dei-me conta com pesar do avanço de nossa idade. Quão vigorosa e apaixonadamente, com que ousadia e ausência de dúvidas científicas tudo era ainda tratado ali! E a própria ilusão de que o resultado irromperia à luz clara da história logo no dia seguinte ou no próximo dá ao livro um tom caloroso e jovial, perto do qual o 'cinza sobre cinza' de agora representa um maldito e desagradável contraste" (*Correspondence*, p. 147).

13. A análise das preferências temporais na juventude e idade adulta apresentada neste capítulo desenvolve e elabora noções originalmente sugeridas por Irving Fisher em sua magistral *Theory of interest* (p. 90). A expressão latina *carpe diem* ("desfrute o dia fugaz") foi empregada por Horácio na ode "Tu ne quaesieris" (livro 1, § 11, linhas 7-9): "Seja sábio, decante o vinho,/ creia o mínimo possível no porvir./ Enquanto falamos, a vida se esvai:/ desfrute o dia fugaz, sem dar atenção ao amanhã" (*Odes*, p. 79). O verso anterior ("pernas de louça") é da canção "Quando o carnaval chegar" (1972), de Chico Buarque de Hollanda.

14. Baudelaire, "O inimigo" (*Poesia*, p. 113).

15. As fontes das três citações de Baudelaire feitas neste parágrafo são respectivamente: "Meu coração a nu" (*Poesia*, p. 537), "Do vinho e do haxixe" (*Poesia*, p. 364) e "O inimigo" (*Poesia*, p. 113). As informações biográficas e o episódio do leilão póstumo das obras do poeta, arrematadas por uma quantia que era aproximadamente a metade da dívida que ele deixou ao morrer ou o equivalente a não mais que seis meses de suas despesas correntes, baseiam-se em: Starkie, *Baudelaire*, e Pichois e Ziegler, *Baudelaire*. Entre as diversas passagens que evidenciam a luta do artista pelo autocontrole, merece destaque aquela em que, redigindo uma espécie de pró-memória para uso futuro, ele se refere de forma explícita ao fenômeno dos juros: "Estudar em todas as suas modalidades, nas obras da natureza e nas do homem, a lei universal e eterna da gradação, do pouco a pouco, do passo a passo, como acumulação crescente de forças, como os juros compostos, em matéria de finanças. Passa-se o mesmo com a habilidade artística ou literária — ou com o tesouro flutuante da vontade" (*Obras*, p. 544).

16. Aristóteles, *Art of rhetoric*, 1390b, pp. 176-7. Curiosamente, Aristóteles acreditava que o apogeu físico do ser humano se dava entre seus trinta e 35 anos de idade, ao passo que o apogeu intelectual ocorreria em torno dos 49 anos. Seria interessante saber com que idade o estagirita teria chegado a essa conclusão. O tema da maturidade requerida em diferentes esferas de atividade reaparece na *Ética a Nicômaco* (1142a7): "Ao passo que homens jovens se tornam geômetras e matemáticos e adquirem saber em tais assuntos, acredita-se que um jovem dotado de sabedoria prática não pode ser encontrado. A razão é que tal sabedoria concerne não apenas aos universais, mas também aos particulares que se tornam familiares a partir da experiência [...] mas é somente a passagem do tempo que dá experiência; de fato, poderíamos indagar também por que um menino pode se tornar um matemático mas não um filósofo" (p. 148).

17. Goethe, *Máximas e reflexões*, § 292, p. 80.

18. O conselho de Hume ao jovem sobrinho e a anotação de leitura (à margem das *Réflexions critiques sur la poésie et sur la peinture* (1719), do Abbé Dubos) estão em Mossner, *Life of David Hume*, pp. 69 e 71. Numa anotação esparsa sobre o lugar da pressa na investigação filosófica Wittgenstein observa: "Em filosofia, o vencedor da corrida é aquele que consegue correr mais devagar. Ou seja: o que chega por último" (*Culture and value*, p. 34e).

19. Aristóteles, *Politics*, 1339a, p. 339. Comentando essa passagem da *Política*, Schopenhauer recorre à terminologia econômica: "No começo da vida, até alcançarmos a maturidade, nós nos parecemos, no tocante à energia vital, com aqueles que acrescentam os juros recebidos ao seu capital. Não só as despesas são devidamente compensadas, mas o capital aumenta [...] Oh, juventude feliz! Oh, triste velhice! Não obstante, é preciso cuidar adequadamente do vigor da nossa juventude [...] Isso se aplica tanto à energia muscular como, e com mais razão, à energia nervosa, cujas manifestações são todas as realizações intelectuais" (*Parerga*, vol. 1, p. 486). Sobre as fantasias que alimentam o recurso aos anabolizantes e os custos diferidos desse atalho, ver o impressionante depoimento do professor de educação física carioca Eduardo Conradt, em entrevista, a Dorrit Harazim: "Se você precisa de dois dias para se recuperar de um treino intensivo, com o anabolizante você pode voltar a treinar os mesmos músculos logo mais — sem dor [...] É a idade em que você ainda se acha imortal, nada te atinge" (*O Globo*, 14/9/2004). O caso do ciclista britânico Tom Simpson (1937-67), vítima de exaustão e colapso cardíaco durante o Tour de France, está relatado em Davenport-Hines, *The pursuit of oblivion* (p. 248).

20. Quincey, *Confessions*, p. 214. Para uma análise da formação do hábito e posterior dependência do uso de drogas e suas ligações com alterações nos padrões de preferência temporal, ver: Loewenstein, "A visceral account of addiction", e Ainslie, "The dangers of willpower".

21. Rilke, *Cartas*, pp. 32-3. O narrador dos *Cadernos de Malte Laurids Brigge* (um *alter ego* de Rilke: ver a nota 50 da terceira parte abaixo) aborda a mesma questão: "Tenho 28 anos e praticamente nada fiz [...] Ah, mas versos significam muito pouco se escritos cedo demais. É preciso esperar, reunir sentido e doçura por toda uma vida, se possível bastante longa, e só então, bem no fim, talvez se consiga escrever dez versos bons. Pois versos não são, como as pessoas imaginam, simples sentimentos (esses temos cedo demais) — são experiências" (p. 19). A proliferação de jovens fazedores de verso livre levou Mário de Andrade a sugerir: "Devia ser proibido por lei indivíduo menor de idade, quero dizer, sem pelo menos 25 anos, publicar livro de versos. A poesia é um grande mal humano. Ela só tem direito de existir como fatalidade que é, mas esta fatalidade apenas se prova a si mesma depois de passadas as inconveniências da aurora [...] Escrevam se quiserem, mas não se envolvem" (*Aspectos da literatura brasileira*, p. 42). O crítico francês Roger Callois complementa: "Quando se estuda a natureza da inspiração, torna-se evidente que ela nunca é uma dádiva, mas uma restituição. Quando o poeta é surpreendido por uma imagem ou uma estrofe que alguma força vinda de fora parece ter lhe dado sem nenhuma razão aparente e que os seus próprios esforços nunca teriam descoberto, é porque ele não parou para lembrar como o milagre de hoje é a recompensa do seu empenho anterior. Ele não vê a conexão entre o esforço passado e a facilidade do momento" (citado em Elster, *Ulysses unbound*, p. 213, nota 95). Ponto análogo aparece na reflexão de Baudelaire sobre a formação da habilidade artística na nota 15 acima.

22. Aristóteles, *Art of rhetoric*, 1390a, p. 176.

23. Keynes, "Clissold", p. 353. A citação de Aristóteles feita a seguir neste parágrafo está em *Art of rhetoric*, 1389b, p. 175.

24. Schopenhauer, *Parerga*, vol. 1, p. 493. Segundo o economista E. C. K. Gonner, "se o período de desejo futuro fosse ilimitado, a acumulação e o adiamento [do consumo] poderiam prosseguir indefinidamente e sem restrição. [Mas] se esse período for claramente limitado, qualquer pessoa inteligente que tiver poupado desejaria que a totalidade da sua poupança estivesse exaurida no final do período" (*Interest and savings*, p. 99). Entretanto, ao contrário do que preveria a hipótese do ciclo de vida de Franco Modigliani, segundo a qual os idosos tenderiam a despoupar e consumir o patrimônio, sobretudo após a aposentadoria, a evidência empírica sugere que a aversão ao risco e a vontade de deixar herança crescem com a idade: "Os dados das pesquisas de domicílio [nos Estados Unidos] mostram com segurança que não há evidência alguma de desacumulação de ativos entre os idosos [...] A motivação de legar é consideravelmente mais importante do que pensávamos" (Deaton, *Understanding consumption*, p. 217). Isso confirma a intuição de Marshall: "A afeição familiar é o principal motivo da disposição a poupar" (*Principles*, p. 189). Para uma revisão da teoria do ciclo de vida e das evidências sobre o impacto da idade na poupança, ver Lea, Tarpy e Webley, *The individual in the economy*, pp. 237-8.

25. Hume, "Of poligamy and divorces" (*Essays*, p. 188).

26. A anedota sobre o rei Alfonso X aparece em Adam Smith, *Essays*, p. 70. O verso citado no final do parágrafo é da canção "Partido alto" (1972), de Chico Buarque de Hollanda.

27. Sobre o formato em U, com piso na meia idade, da curva de bem-estar subjetivo em relação à idade, ver: Oswald, "Happiness and economic performance", p. 1823, e Argyle, "Causes and correlates of happiness", pp. 354-5.

28. Baudelaire, "Conselhos aos jovens literatos" (*Poesia*, p. 563).

29. Tertuliano ("Carta aos mártires") e Valério, bispo de Cimiez, França ("A excelência do martírio"), ambos citados em Battin, *The death debate*, p. 59: "Os autores teológicos do século III d. C. passaram a sustentar que aqueles que morriam de fato pela fé — não só os confessores [fiéis submetidos a prisão e tortura], mas todos os mártires — tinham assegurada a salvação imediata. Eles acreditavam que o batismo de sangue eliminava inteiramente os pecados e tornava o sofredor

alguém merecedor de admissão imediata ao paraíso. Isso ajudou, também, a estimular a sujeição voluntária às perseguições". Como observa o economista Gary Becker: "A religião com frequência aumenta o peso atribuído às utilidades futuras, especialmente quando ela promete uma vida atraente após a morte" (*Accounting for tastes*, p. 11).

30. Sobre a prática do martírio voluntário e do suicídio nos primórdios do cristianismo, até a sua violenta condenação por meio da pregação de Agostinho no século IV d. C., ver a análise cuidadosa em Battin, *The death debate*: "Seja como meio de escapar do pecado inevitável [...] ou como modo de alcançar a salvação imediata como mártir, a morte voluntária passou a ser epidêmica na comunidade cristã, em especial no Norte da África. Ela se verificava individualmente, mas também em suicídios grupais ou em massa. Foi contra essa situação que Agostinho assumiu uma posição firme, que se tornou a proposição central do cristianismo sobre a questão do suicídio: o suicídio é proibido pelo mandamento 'Não matarás' e, exceto quando expressamente ordenado por Deus, uma falta da maior gravidade. O pecado do suicídio é de tal gravidade que nenhum outro pecado — seja fornicação, dano a outrem ou apostasia — pode ser evitado por meio dele; nenhum tipo de salvação pode ser alcançado dessa maneira" (p. 60). Como Battin deixa claro, um estudo detalhado dos textos bíblicos mostra que, embora nove episódios de morte voluntária sejam descritos, nem o Antigo nem o Novo Testamento chegam a condenar ou proibir explicitamente a prática do suicídio (pp. 24-5). "O cristianismo", observa Nietzsche, "fez da enorme ânsia de suicídio, que havia no tempo em que nasceu, uma alavanca para o seu poder: deixou apenas duas formas de suicídio, revestiu-as de suprema dignidade e elevadas esperanças, e proibiu de forma terrível todas as demais. Mas foram permitidos o martírio e o prolongado autoaniquilamento físico dos ascetas" (*Gaia ciência*, § 131, p. 151).

31. Platão, *Phaedo*, 63e8-64a2: "As pessoas comuns", prossegue Sócrates, "em geral estão longe de se dar conta de que todos aqueles que praticam verdadeiramente a filosofia não se dedicam a outra coisa além do morrer e do estar morto. Sendo assim, seria de fato estranho para eles dedicar toda uma vida a tal fim e, não obstante, ficarem descontentes quando aquilo que foi por tanto tempo o objeto de seus esforços e empenho afinal se avizinha [...] os que praticam corretamente a filosofia estão se exercitando em morrer e, com mais razão para eles do que para os demais, a morte não suscita terror algum" (p. 8). Ao defender-se perante o tribunal que o condenou à morte, Sócrates aventa duas possibilidades: "Existem duas alternativas — ou a morte é um estado de anulação e total inconsciência ou, como dizem alguns, há uma migração da alma deste para outro mundo [...] Mas, se a morte for uma jornada rumo a outro mundo e lá, como se diz, estiverem os mortos, então que bem poderia ser maior que esse? [...] O que não daria um homem se pudesse conversar com Orfeu e Musaeus, Hesíodo e Homero? Se é assim, meus amigos e juízes, deixem-me morrer não uma, mas diversas vezes" (*Apology*, 60c, p. 46). Nas *Leis* (873c), entretanto, Platão condena o suicídio, exceto em circunstâncias de calamidade, desgraça ou condenação judicial. Em seu diálogo sobre a morte, Cícero menciona o caso de um jovem filósofo grego, Cleombrotus de Ambrácia, que, mesmo sem sofrer qualquer infortúnio, teria cometido suicídio atirando-se ao mar depois de ter lido o *Fédon* de Platão (*Tusculan*, livro 1, § 34, p. 99). Sobre esse tema, ver também o ensaio de Montaigne, "De como filosofar é aprender a morrer" (*Ensaios*, pp. 48-55).

32. A interpretação e o contexto do fragmento (67) de Heráclito — "Existem coisas que aguardam os homens após a morte as quais eles não esperam e das quais não possuem noção alguma" — são discutidos em Wheelwright, *Heraclitus*, pp. 68-82. A sentença original de Epicuro — "Enquanto somos, a morte não é; quando a morte for, não mais seremos" — aparece na "Carta a Meneceu" (reproduzida em Diógenes Laércio, *Lives*, vol. 2, p. 651). Para uma discussão minuciosa das questões ligadas à morte e ao temor que ela naturalmente desperta na filosofia epicurista, ver Nussbaum, *Therapy of desire*, pp. 192-238. Ver também Schopenhauer, *World as will*, vol. 2, p. 468, e Nagel, "Death".

33. Hume, "Of the immortality of the soul" (*Essays*, p. 598). A recomendação de Hume decorre da observação de Malebranche segundo a qual "todas as paixões procuram a sua própria

justificação" e raramente deixam de encontrá-la (*Search after truth*, p. 399). O trecho de Nietzsche citado neste parágrafo, escrito no contexto de uma defesa do ponto de vista epicurista ou "científico" sobre o após-a-morte como algo que "já não nos diz respeito", está em *Aurora*, § 72, p. 57. Os temas da morte e do após-a-morte reaparecem em diversas outras passagens, entre as quais: *Gaia ciência*, § 278: "Fico feliz em ver que os homens não querem ter o pensamento da morte!" (p. 189), e *Anticristo*, § 43: "A grande mentira da imortalidade pessoal destrói toda razão, toda natureza que há no instinto — tudo o que é benéfico nos instintos, que propicia a vida, que garante futuro, desperta agora desconfiança" (p. 155).

34. Montaigne, "Da arte de conversar" (*Ensaios*, p. 429). O desnudar do falso saber certo de si — a ignorância que ignora a si mesma — é uma das marcas registradas da filosofia socrática, imortalizada na fórmula "só sei que nada sei" (Platão, *Apologia*, 20-22). Pensamento semelhante aparece na recomendação do filósofo chinês Confúcio, contemporâneo de Sócrates, ao discípulo Tzu-lu: "Devo ensinar-lhe no que consiste o conhecimento? Quando souber algo, reconhecer aquilo que sabe, e, quando não souber, reconhecer que não sabe. Isso é conhecimento" (*Analects*, livro 2, p. 91).

35. O uso da promessa de "imortalidade" como arma de conversão religiosa das lideranças indígenas sul-americanas pelos jesuítas foi examinado pelo antropólogo Viveiros de Castro: "O principal da aldeia [chefe tamoio] ouviu maravilhado sobre 'o inferno e a glória', e advertiu seus companheiros para que não fizessem mal ao padre: 'Se nós outros temos medo de nossos feiticeiros, quanto mais o devemos ter dos padres, que devem ser os verdadeiros santos...'; por fim pediu a intercessão de [padre] Anchieta junto a Deus: 'rogai-lhe que me dê longa vida, que eu me ponho por vós outros contra os meus...'. Embora os jesuítas fossem os destinatários ideais, essa demanda de longa vida parece ter sido dirigida também a outros europeus eminentes". Ao colonizador francês Villegagnon os índios pediram: "Faça com que não morramos mais" (*A inconstância da alma selvagem*, p. 200). A receita do padre Nóbrega para dissuadir as mulheres índias da prática do canibalismo era: "Y promételes vida longa, y que las viejas se han de tornar moças" (idem, p. 257). Tática análoga de conversão foi empregada pelos missionários cristãos junto a reis e chefes bárbaros na baixa Idade Média europeia; um belo exemplo disso aparece no episódio que abre a reflexão sobre a imortalidade do ensaísta americano Ralph Waldo Emerson ("Immortality", *Works*, p. 703).

36. As estatísticas demográficas citadas têm como fonte: Kirkwood, *Time of our lives*, p. 5, e Maddison, *The world economy*, p. 31. "Entre os diversos sucessos da causa igualitária no século XX", observa Robert Fogel, "o mais impressionante é de longe o aumento de expectativa de vida, que cresceu 29 anos desde 1900 para o conjunto da população americana. Em 1900, apenas metade das pessoas de uma mesma coorte ainda vivia aos quarenta anos de idade. Hoje, 95% de uma mesma coorte chegam até os quarenta, e só aos 79 anos é que apenas a metade continua viva" (*Fourth great awakening*, pp. 165-6).

37. Minha análise da expulsão da morte do nosso campo de atenção consciente elabora algumas observações e a discussão do tema oferecidas pelo psicanalista junguiano italiano Luigi Zoja (*Growth and guilt*, pp. 187-8) e pelo poeta e ensaísta mexicano Octavio Paz (*El laberinto de la soledad*, pp. 192-3). A sentença de Guimarães Rosa citada na abertura do parágrafo anterior é do conto "O espelho" (*Primeiras estórias*, p. 71).

38. Keynes, *General theory*, p. 162. A ideia de que os heróis e realizadores não se deixam intimidar diante da própria morte é antiga. No *Júlio César*, de Shakespeare, por exemplo, César reage às premonições de Calfurnia afirmando seu destemor: "Os covardes morrem muitas vezes antes suas mortes;/ Os valentes nunca sentem o gosto da morte, exceto uma vez" (segundo ato, cena 2, linhas 32-3). Há que distinguir, contudo, como sugere Adam Smith, entre não se deixar perturbar perante a própria morte e a ideia de evitar a todo custo pensar nela: "Muitos heróis da história antiga e moderna, lembrados com o mais peculiar agrado e afeto, morreram no cadafalso pela causa da verdade, liberdade e justiça e ali se portaram com o desassombro e magnanimidade

que lhes eram próprios. Se os inimigos de Sócrates tivessem permitido a ele morrer quieto em seu leito, é possível que até a glória desse grande filósofo não tivesse adquirido o esplendor em que foi contemplada pela posteridade" (*Theory of moral sentiments*, p. 238). Ver também a nota 30 acima.

39. Borges, "There are more things" (*Obras*, vol. 3, p. 33).

40. La Rochefoucauld, *Maxims*, § 26, p. 40. O nó epistêmico envolvido na tentativa de se conceber a própria morte foi bem apontado por Freud: "É de fato impossível imaginar a nossa própria morte; e, sempre que tentamos fazê-lo, percebemos que permanecemos ainda presentes como espectadores. Por isso a escola psicanalítica avançou a tese de que, no fundo, ninguém crê em sua própria morte ou, para dizer de outro modo, de que inconscientemente cada um de nós está convencido de sua própria imortalidade" (citado em Battin, *The death debate*, p. 226, nota 3).

41. Hölderlin, "Lamentos de Ménon por Diotima" (*Poemas*, p. 191).

42. Goethe, *Poesia e verdade*, vol. 1, p. 298. Ao comentar esse "provérbio alemão", destacado como epígrafe da segunda parte de suas memórias, Goethe sustenta: "Nossos desejos são os pressentimentos das faculdades que levamos em nós, os precursores do que somos capazes de fazer [...] É assim que vemos alguns homens alcançarem pela perseverança os proveitos terrenos: cercam-se de esplendor, riqueza e honras. Outros buscam, numa marcha ainda mais segura, as riquezas espirituais: adquirem uma visão clara das coisas, a paz da alma e a segurança para o presente e o futuro". A sabedoria no exercício da escolha intertemporal permitiria que a velhice fosse não a derrocada, mas o coroamento de uma existência bem conduzida.

TERCEIRA PARTE
ANOMALIAS INTERTEMPORAIS [pp. 83-123]

1. A análise da seletividade dos sentidos apresentada neste capítulo baseia-se em Rue, *By the grace of guile*, pp. 84-93. Ver também Koestler, *Roots of coincidence*, p. 59. Sobre a descoberta experimental dos espectros aquém (infravermelho) e além (ultravioleta) do espectro visível a olho nu, ver Zajonc, *Catching the light*, pp. 228-31. Tanto o bronzeado da pele como a fotossíntese das plantas dependem em boa medida da luz ultravioleta do Sol. O verso citado neste parágrafo é de Carlos Drummond de Andrade (*Poesia completa*, p. 277).

2. Blake, "The marriage of heaven and hell" (*Complete poems*, p. 188).

3. A ideia de revisitar visualmente o passado mirando a Terra de um telescópio plantado em algum ponto específico do cosmos baseia-se numa conjectura de Alan Lightman em *Viagens no tempo*, p. 44. A doutrina metafísica do eterno retorno foi proposta e defendida por Nietzsche na coletânea póstuma *Will to power* (§ 1066, pp. 548-9). Sobre a noção heraclitiana de fluxo temporal, ver os fragmentos citados no capítulo 5 (pp. 43-4).

4. A decomposição do tempo de reação (neurológico e motor) e as primeiras tentativas de medir experimentalmente sua duração foram feitas em meados do século XIX pelo físico e psicólogo alemão Hermann Helmholtz e pelo oftalmologista holandês F. Donders (*Oxford companion to the mind*, pp. 671-2).

5. O exemplo da criança que aprende a reagir por antecipação, tirando a mão do fogo antes que a sensação de calor ou queimadura a leve a fazê-lo, como se o calor estivesse realmente alojado na chama, ilustra o que Malebranche denominava "juízo natural": "Se tivéssemos que inferir da nossa sensação de calor que o fogo está queimando nossa mão, nós levaríamos mais tempo para afastar a mão do que levamos quando temos a sensação de que o calor está de fato no fogo" (McCraken, *Malebranche and British philosophy*, p. 282). As bases da inferência indutiva presentes no comportamento animal e humano foram examinadas por Hume na seção 9 ("Of the reason of animals") da *First enquiry* (pp. 104-8).

6. Eliot, "Burnt Norton" (*Four quartets*, p. 15). O título do poema é o nome de uma casa de campo em Gloucestershire, Inglaterra, visitada pelo poeta no verão de 1934.

7. "A vizinha do lado", de Dorival Caymmi (essa canção integra o disco *Eu não tenho onde morar*, de 1960). No diálogo platônico *Carmides*, que versa sobre a prudência, Sócrates enfrenta uma situação análoga (155d-e). A certa altura Sócrates, como assinala Nussbaum, "inflamado de paixão pela visão do corpo nu de Carmides entrevisto sob uma túnica folgada, perde todo o controle sobre si mesmo e sobre seus juízos práticos, tornando-se como um leão ao encalço de uma presa. Mas, tanto antes como depois desse momento, ele vem sustentando a tese de que as belezas da alma e do corpo são similares e comensuráveis, e de que as da alma são de muito maior importância" (*Fragility of goodness*, p. 92). O verso citado entre aspas no parágrafo anterior é de autoria de Carlos Drummond de Andrade (*Poesia completa*, p. 278).

8. Ver McClure, Laibson, Loewenstein e Cohen, "Separate neural systems value immediate and delayed monetary rewards". A iminência da gratificação, como assinalam os autores do artigo, seria apenas um dos fatores capazes de exacerbar a impaciência por meio da ativação do sistema límbico: "Nossos resultados ajudam a explicar por que diversos fatores além da proximidade temporal, tais como a percepção visual, olfativa ou tátil de um objeto desejado, estão associados ao comportamento impulsivo. Se a conduta impaciente é propelida pela ativação do sistema límbico, segue-se que qualquer fator que produza tal ativação pode ter efeitos similares ao da imediatidade" (p. 506). Essa linha de pesquisa e suas implicações para o estudo do comportamento foram resumidas e comentadas em: "Mind games" (*Economist*, 15/1/2005), e Coy, "Why logic often takes a backseat" (*Business Week*, 28/3/2005). Sobre a capacidade de estímulos visuais, como fotos de lindas mulheres, alterarem as preferências temporais dos homens, conforme experimentos realizados pelos psicólogos canadenses Margo Wilson e Martin Daly, ver também: Penman, "Pretty women scramble men's ability to assess the future" (*New Scientist*, 10/12/2003), e "Hey, big spender" (*Economist*, 20/12/2003). Uma ilustração clara desse fenômeno aparece na canção "Bolinha de papel" (1945), de Geraldo Pereira, na qual um homem apaixonado promete à namorada: "Tiro você do emprego/ Dou-lhe amor e sossego/ Vou ao banco e tiro tudo pra gente gastar/ Posso, Julieta, lhe mostrar a caderneta/ Se você duvidar".

9. Montaigne, "Da incoerência de nossas ações" (*Ensaios*, p. 165). A fonte do verso citado a seguir no parágrafo é Blake, "Proverbs of hell" (*Complete poems*, p. 183). O verso citado entre parênteses no parágrafo anterior é da canção "Com açúcar, com afeto" (1966), de Chico Buarque de Hollanda.

10. O autor do experimento, Walter Mischel, comenta: "As crianças oriundas de domicílios com o pai ausente tinham provavelmente menos experiências em que agentes sociais do sexo masculino mantinham suas promessas de prover recompensas futuras; subsequentemente, essas mesmas crianças revelaram menor confiança em receber recompensas prometidas por um experimentador do sexo masculino após um dado intervalo de espera ou uma expectativa mais baixa de obtê-las" (Mischel e outros, "Sustaining delay of gratification over time", p. 177). O papel fundamental dos pais e do ambiente doméstico da primeira infância na formação ética do indivíduo foi enfatizado pelo sofista Protágoras no diálogo platônico que leva seu nome (325b). Ao condenar a prática de separar os filhos pequenos de seus pais a fim de educá-los em creches e internatos distantes de casa (como era comum entre as famílias abastadas inglesas e francesas na época), Adam Smith observa: "Seguramente, nenhum benefício que possa advir do que é chamado educação pública poderá de algum modo compensar aquilo que é quase certa e necessariamente perdido por causa dela. A educação doméstica é a instituição da natureza; a educação pública, um artifício humano. Decerto não é preciso dizer qual das duas será com toda a probabilidade a mais sábia" (*Theory of moral sentiments*, p. 222).

11. A importância da estrutura familiar no processo formativo ético e cognitivo é tema recorrente nas reflexões pioneiras de Marshall sobre o capital humano. Entre as questões discutidas por ele está a da possibilidade de um conflito de interesses entre pais e filhos, por conta da maior participação e melhor remuneração das mulheres no mercado de trabalho: "Trata-se de um grande benefício [para as mulheres], na medida em que promove o desenvolvimento das suas faculda-

des; mas produz efeitos danosos, na medida em que as induz a menosprezar o dever de constituir um verdadeiro lar e investir seus esforços no capital pessoal das habilidades e do caráter de seus filhos" (*Principles*, p. 570). O economista britânico Kenneth Boulding argumenta: "Não há instituição mais importante que a família, já que o caráter da sociedade é determinado mais pelo caráter de suas famílias do que por qualquer outra coisa; a família, na verdade, é a única instituição que produz gente" (*Eminent economists*, pp. 80-1). Em "A família como instituição econômica" procurei examinar a relação entre estrutura familiar e desempenho escolar considerando, em particular, o caso das crianças e dos jovens asiáticos em diversos países (*As partes & o todo*, pp. 83-8). Ver também a nota 26 abaixo.

12. Montaigne, "Da incoerência de nossas ações" (*Ensaios*, p. 165). O verso citado a seguir no parágrafo ("fiz de mim o que não soube") é de Fernando Pessoa (*Obra*, p. 365).

13. A ambição de uma carreira militar e a breve incursão do jovem René, em 1618, no exército de Maurício de Nassau seguem o relato e comentário de Alexandre Koyré (*Descartes*, pp. xvii-xviii): "Teria ele [Descartes] se arrependido de abandonar a ação pela contemplação? Ao que parece, não. Ele conta que, quando considera 'as várias atividades e objetivos humanos, não há quase nenhum que não me pareça vão e inútil [e] se existe qualquer ocupação humana que possui algum valor e importância sólidos, aventuro-me a crer que é aquela que escolhi'. A opção feita em 1619, quando ele perguntou a si mesmo '*Quod vitae sectabor iter?*' [Que rumo tomar na vida?], trouxe-lhe satisfação". O desapontamento do pai do filósofo com os caminhos do caçula pode ser avaliado pelo que declarou ao receber o primeiro livro publicado de Descartes, o *Discours de la méthode*, de 1637: "Apenas um dos meus filhos me dá desgosto. Como posso ter gerado um filho tolo o suficiente para ser encadernado em couro de novilho" (citado em Gaukroger, *Descartes*, p. 23). Sobre os contextos biográfico e intelectual do *cogito, ergo sum*, ver: Gaukroger, *Descartes*, cap. 8, e Rée, *Philosophical tales*, pp. 11-24.

14. Os principais fatos da carreira estudantil de Darwin e a viagem à América do Sul foram analisados por Robert Wright, à luz da psicologia evolucionária, em *Moral animal*, pp. 19-32; ver também Richard Keynes, "The Darwins and Cambridge". Relembrando a relação com o pai médico, Darwin (a essa altura mundialmente consagrado) relatou: "Para minha profunda mortificação, meu pai uma vez me disse: 'Você não se importa com nada a não ser com cães, tiros de espingarda e caçar ratos — você será uma desgraça para si mesmo e sua família'" ("Recollections", p. 10). Sobre o papel do tio (e futuro sogro), Josiah Wedgwood II, que, além de aplacar a oposição paterna, tornou a aventura possível, Darwin refletiu: "A viagem do *Beagle* foi de longe o acontecimento mais importante da minha vida e marcou toda a minha carreira; não obstante, ela dependeu de algo tão trivial como a circunstância de o meu tio se prontificar a me oferecer transporte até Shrewsbury, distante trinta milhas, o que poucos tios fariam" ("Recollections", p. 42).

15. Afora a atividade intermitente de Marx como jornalista *freelance* para o *New York Daily Tribune* (cerca de quinhentos artigos ao todo, embora pelo menos 125 deles escritos de fato por Engels), sua única "tentativa" de obter um emprego estável, como funcionário de uma companhia ferroviária londrina, ocorreu em setembro de 1862 (ver Mehring, *Karl Marx*, pp. 48-9, e Johnson, *Intellectuals*, p. 74). Desde os tempos de jovem universitário em Berlim, os apertos financeiros de Marx — e os pedidos de ajuda — foram nota constante em sua vida. A considerável herança deixada pelo pai foi dissipada em panfletos e levantes populares; a herança da mãe (que no final da vida cortou o auxílio) foi antecipada na forma de empréstimos e gasta antes mesmo de ser recebida. Em 1850, a família de Marx chegou a ser despejada pelo não pagamento de aluguel. Em carta a Engels, dez anos mais tarde, ele ironizou: "Não creio que alguma vez alguém tenha escrito sobre o dinheiro com tanta falta dele". Curiosamente, numa redação que fez ao concluir o curso médio, Marx, com dezessete anos, já intuía o seu futuro: "A natureza do homem torna possível para ele alcançar sua realização somente por meio do trabalho para a perfeição e o bem-estar da sociedade. Se alguém trabalha apenas para si mesmo, pode talvez tornar-se um acadêmico de fama, um poeta

renomado, mas jamais um homem completo e genuinamente grande" ("Reflections of a youth on choosing an occupation", p. 39).

16. Noel Rosa e Alcebíades Barcelos, "Fui louco", samba de 1932.

17. O impacto do 11 de Setembro na demanda por produtos dietéticos nos Estados Unidos foi analisado em Herman e Polivy, "Dieting as an exercise in behavioral economics", pp. 478-9. Outro exemplo aparece no impressionante relato do historiador grego Tucídides sobre a situação de Atenas no final da era de Péricles, quando uma epidemia assolou a cidade em meio à Guerra do Peloponeso: "E, desse modo, vendo que suas vidas e suas posses eram igualmente efêmeras, eles justificavam a sua busca de satisfação rápida em prazeres fáceis. Quanto a fazer o que era considerado nobre, ninguém se daria esse trabalho, visto que era incerto se morreriam ou não antes de realizá-lo. Mas o prazer do momento, e tudo o que contribuía para isso, tornou-se o padrão de nobreza e utilidade. Ninguém recuava com assombro, fosse por temor dos deuses ou das leis [...] Todos sabiam que uma sentença muito mais severa pairava agora sobre suas cabeças, e, antes que ela desabasse, eles tinham uma razão para tirar algum prazer da vida" (livro 2, § 53, p. 128). Sobre esse episódio, Hume comenta: "Informa-nos Tucídides que, durante a célebre praga de Atenas, quando a morte parecia estar diante de todos, um júbilo dissoluto e um ânimo jovial tomaram conta do povo, com as pessoas exortando umas às outras a tirar o máximo proveito da vida enquanto ela durasse. Observação semelhante fez Boccaccio sobre a praga em Florença. Esse mesmo princípio leva os soldados a se tornarem, durante uma guerra, os mais inveterados farristas e perdulários. O prazer do momento é sempre importante, e o que quer que diminua a importância das demais coisas lhe conferirá um valor e influência adicionais" (*Essays*, p. 177). Difícil não lembrar, nesse contexto, do samba de Assis Valente, "... E o mundo não se acabou" (1937): "Anunciaram e garantiram que o mundo ia se acabar [...]/ Acreditei nessa conversa mole [...]/ E sem demora fui tratando de aproveitar/ Beijei na boca de quem não devia/ Peguei na mão de quem não conhecia/ Dancei um samba em traje de maiô [...]/ Chamei um gajo com quem não me dava/ E perdoei a sua ingratidão/ E festejando o acontecimento/ Gastei com ele mais de quinhentão [...]/ Ih, vai ter barulho e vai ter confusão/ Porque o mundo não se acabou".

18. Conforme relato em Parks, *Medici money*, p. 128. O papa que assinou a bula — depois gravada em pedra, como um contrato bancário, num dos portais do mosteiro — foi Eugênio IV. Sobre o banqueiro florentino, Maquiavel comenta que "na construção dos templos e nas esmolas que continuamente despendia [Cosimo] se lamentava, às vezes, com os amigos, que jamais havia podido gastar o bastante em louvor de Deus para encontrar isso em seus livros de devedores" (*História de Florença*, VII.6, p. 336). Para Gustavo III, por sua vez, "o dia da morte é melhor que o dia do nascimento" (Eclesiastes, 7:1).

19. "O grande conceito moral de culpa [*Schuld*] teve origem no conceito muito material de dívida [*Schuld*]" (Nietzsche, *Genealogia da moral*, segunda dissertação, § 4, p. 52). Da mesma forma, "inocente" em alemão é *unschuldig*, ao passo que "devedor" é *Schuldner*. Uma interpretação psicanalítica da relação entre culpa e dívida é oferecida por Brown em *Life against death*, pp. 267-72.

20. Machado de Assis, *Dom Casmurro*, p. 115. Na língua portuguesa, a oração pai-nosso foi alterada pela Igreja Católica para: "Perdoai nossas *ofensas*, assim como nós perdoamos a quem nos tenha *ofendido*".

21. Nas pegadas de Cícero e Sêneca (ver a nota 6 da primeira parte acima), Schopenhauer propõe que a vida é uma dívida sobre a qual pagamos juros: "Longe de ser uma dádiva, a existência humana possui o caráter de uma dívida contraída. O serviço dessa dívida aparece na forma das necessidades urgentes, dos desejos atormentantes e da miséria sem trégua produzidos pela existência. Em regra, despendemos toda a vida pagando essa dívida, mas isso cobre só os juros. O pagamento do principal se dá por meio da morte. E quando essa dívida é contraída? Na concepção" (*World as will*, vol. 2, p. 580; a frase citada no texto está na página 574). Sobre o enorme apego de Schopenhauer à vida (e obra), ver o perspicaz diagnóstico de Nietzsche: "Sua cólera era, como para os cínicos da Antiguidade, seu bálsamo, seu descanso [...] sua felicidade" (*Genealogia*, p. 96).

Uma filosofia *per se* poderia ser causa de suicídio? É duvidoso. A neurociência mostra que existe uma relação forte e consistente entre baixos níveis de serotonina no cérebro e comportamento suicida. Essa relação seria, segundo os especialistas, "a mais replicada observação da psiquiatria biológica" (Manuck e outros, "A neurobiology of intertemporal choice", p. 153; a citação feita no início do parágrafo é devida à psicóloga Kay Jamison e aparece na página 152 desse mesmo artigo).

22. Sobre os efeitos do consumo de drogas na formação de preferências temporais, ver os artigos referidos na nota 20 da segunda parte acima. A sentença citada entre parênteses é do conto "Famigerado", de Guimarães Rosa (*Primeiras estórias*, p. 9).

23. Ramsey, "A mathematical theory of saving", p. 261.

24. Rae, *New principles*, p. 119. John Rae foi o primeiro economista a tratar a escolha intertemporal como tópico específico de investigação. Nascido em Aberdeen, na Escócia, em 1796, ele imigrou para o Canadá em 1822, onde trabalhou como professor secundário por mais de duas décadas antes de mudar-se para a Califórnia em plena corrida do ouro e, posteriormente, fixar-se no Havaí, onde residiu quase até morrer, em 1872. Sua principal obra, os *New principles* (não confundir com *Sociological theory of capital* (1905), que é uma reedição apenas parcial do texto original), foi publicada em Boston, em 1834, sem despertar nenhum interesse nos meios acadêmicos ou do público em geral. O que salvou o livro do total esquecimento foi o fato de ele ter caído, quase acidentalmente, em mãos do economista inglês Nassau Senior, que o recomendou a John Stuart Mill justamente na época em que este trabalhava nos seus *Princípios* (1848). Mill soube reconhecer o mérito e a originalidade da contribuição de Rae, e faz várias referências a ela em seu influente tratado: "Em nenhum outro livro de que tenho conhecimento tanta luz é lançada sobre as causas que determinam a acumulação de capital, tanto do ponto de vista teórico como histórico" (p. 102). A admiração pelo trabalho de Rae não ficou restrita à escola clássica. Irving Fisher, o pai indisputado da moderna teoria dos juros, não só dedicou a ele (e ao austríaco Böhm-Bawerk) a sua *opus magnum* de 1930, como afirmou: "Em economia é difícil provar originalidade; pois a semente de toda ideia nova será reencontrada inúmeras vezes em autores do passado [...] Cada parte essencial [da minha teoria dos juros] foi pelo menos adumbrada por John Rae em 1834" (*Theory of interest*, p. ix).

25. "*In this world nothing is certain but death and taxes.*" Embora atribuída por vezes a Mark Twain, a frase foi originalmente cunhada por Benjamin Franklin em carta de 1789 ao físico e escritor francês Jean-Baptiste Leroy. Aos 83 anos, Franklin certamente sabia muito bem do que estava falando.

26. Sobre o investimento na formação do cérebro e suas implicações para a relação entre pais e filhos, ver: Pinker, *Como a mente funciona*, pp. 167-8; Wright, *Moral animal*, pp. 58-60, e Young, *Philosophy and the brain*, parte 1. A comparação entre o "pior arquiteto" e a "melhor abelha", feita a seguir neste parágrafo, está em Marx, *Capital*, livro 1, cap. 5, p. 202.

27. Locke, *Essay*, livro 2, cap. 21, p. 279, e Russell, *Analysis of mind*, p. 292.

28. Hume, *Treatise*, livro 3, parte 2, seção 7, p. 538. "Os objetos contíguos", argumenta Hume no livro 2, "têm uma influência muito superior à dos distantes e remotos. Assim, como observamos na vida comum, os homens se importam sobretudo com aquilo que não está muito afastado no tempo e no espaço, desfrutando o presente e deixando o que está longe aos cuidados do acaso e da sorte. Fale com uma pessoa sobre sua condição daqui a trinta anos, e ela não lhe dará ouvidos. Fale com ela sobre o que deverá ocorrer amanhã, e ela ficará atenta [...] Ainda que o espaço e o tempo tenham ambos um efeito considerável sobre a imaginação, e por esse meio sobre a vontade e as paixões, as consequências da distância no espaço são muito inferiores às de um afastamento no tempo" (parte 3, seção 7, p. 428).

29. Guimarães Rosa, "O espelho" (*Primeiras estórias*, p. 72). Ou, como dirá Borges em "There are more things": "Não existe outro enigma senão o tempo, essa infinita urdidura do ontem, do hoje, do porvir, do sempre e do nunca" (*Obras*, vol. 3, p. 36).

30. A expressão "*deficient telescopic faculty*", denotando a subestimação sistemática do amanhã, é devida ao economista inglês A. C. Pigou (*Economics of welfare*, pp. 24-5). Em *Ulysses unbound*, Jon

Elster propõe distinguir entre os casos de desconto hiperbólico "puros", ou seja, aqueles em que a inconsistência entre intenção e ação resulta da "pura passagem do tempo" (como não despertar no horário previsto), de um lado, e aqueles em que a reversão de preferência é causada por "paixões e desejos compulsivos" (como nas resoluções de parar de beber, fumar, jogar etc.), de outro (pp. 29-30). É duvidoso, porém, que seja possível separar na prática essas duas modalidades de inconsistência dinâmica. Se não houver um forte desejo de continuar dormindo quando toca o despertador, por que alguém iria deixar de cumprir a intenção, fixada na noite anterior, de acordar cedo na manhã seguinte? Como se pergunta o apostador inveterado, quando a roleta anda longe: "Será realmente impossível começar a jogar sem imediatamente ser contaminado pela superstição?" (Dostoiévski, *The gambler*, p. 31). Na quase-totalidade dos casos, parece razoável concluir, a conduta míope resulta de uma combinação sutilmente articulada de fatores cognitivos e motivacionais.

31. Os dados e a conclusão estão em "Miles to go: a status report on Americans' plans for retirement", pesquisa conduzida por Steve Farkas e Jean Johnson para o instituto Public Agenda. Cientes da dificuldade da operação, 76% dos entrevistados prefeririam que a poupança para a aposentadoria fosse feita por meio de descontos automáticos no salário, ao passo que apenas 19% preferem decidir cada vez que o recebem. A pesquisa define ainda quatro tipos de personalidade em relação à poupança: (a) os "planejadores" (26% habituados a poupar regularmente); (b) os "batalhadores" (21% que estão sempre tentando recomeçar); (c) os "negadores" (20% que não querem se preocupar com o assunto para melhor desfrutar a vida), e (d) os "impulsivos" (13% que sentem euforia ao comprar e vivem endividados no cartão). Sobre a discrepância entre a intenção de poupar e a ação efetiva observada nos Estados Unidos, ver: Angeletos e outros, "The hyperbolic consumption model", e Hong, "Behavior economics and savings" (trabalho apresentado no Ibmec São Paulo em junho de 2005).

32. Sobre o desconto hiperbólico, ver as notas 20 e 23 da primeira parte acima. A fonte do verso citado acima no parágrafo ("*the strongest oaths are straw to the fire in the blood*") é Shakespeare, *The tempest* (quarto ato, cena 1, linha 52).

33. Johnson, *Lives of poets*, vol. 2, p. 207. Como afirma Bacon em "Of adversity": "A prosperidade melhor revela o vício, mas a adversidade melhor revela a virtude" (*Essays*, p. 14).

34. Epicuro, fragmento citado em Diógenes Laércio, *Lives*, vol. 2, p. 655. A aplicação da arte (*techné*) da mensuração ao cálculo hedonista já havia sido proposta por Sócrates no diálogo platônico *Protágoras*: "As mesmas magnitudes parecem ser de maior tamanho quando vistas de perto [...] a preservação da nossa vida depende de uma escolha correta do prazer e da dor, seja ele mais ou menos, maior ou menor" (356c-357a). No artigo "*Protagoras*: a science of practical reasoning", Martha Nussbaum oferece uma análise cuidadosa do contexto e do argumento desenvolvido por Sócrates sobre a necessidade de uma ciência prática da mensuração voltada para a solução racional de conflitos no campo da ética.

35. O mistério do poema "Instantes" contém elementos dignos de um conto de Borges. Embora quase universalmente atribuído ao poeta argentino e inúmeras vezes publicado como sendo de sua lavra, ele não consta de suas obras completas. Sua viúva e curadora literária, Maria Kodama, indignada com o que considera uma traição à memória e à reputação do autor de "El remordimiento", chegou a ingressar na Justiça argentina para registrar que o poema não é de autoria do seu ex-marido e que ela, como herdeira, não aceita receber direitos autorais por ele. A hipótese mais provável (pelo que pude apurar na internet) é que a verdadeira autora seja uma obscura poeta americana chamada Nadine Stair. O verso citado no parágrafo anterior é do samba "Fui louco" (1932), de Noel Rosa e Alcebíades Barcelos.

36. Pascal, citado em Davenport-Hines, *Pursuit of oblivion*, p. 148. Em *Moral purity and persecution in history*, o cientista político americano Barrington Moore Jr. ilustra a validade desse princípio por meio de alguns episódios históricos concretos de terror e perseguição coletiva perpetrados em nome da religião e virtude. Na esfera da legislação, sugere Montesquieu, algo semelhante acontece: "Leis extremas para o bem dão ensejo ao mal extremo" (*Spirit of the laws*, p. 422).

37. Minha interpretação da anorexia segue de perto a análise feita por George Ainslie em *Picoeconomics*, pp. 219 e 237.

38. Marx, *Capital*, livro 1, cap. 3, p. 147. O haicai citado a seguir no parágrafo é devido ao poeta Paulo Leminski.

39. Franklin, "Advice to a young tradesman, written by an old one".

40. Schopenhauer, *Parerga*, vol. 2, p. 590. Para Keynes, o amor ao dinheiro como um fim em si mesmo era "a grande motivação substituta, o perfeito *Ersatz*, o anódino para todos aqueles que, na verdade, nada desejam". Esse padrão de conduta seria a expressão por excelência da "propositalidade" (*purposiveness*) — uma forma de vida marcada por uma desmesurada prudência, calculismo e preocupação com o amanhã: "A propositalidade significa que estamos mais preocupados com os resultados futuros remotos de nossas ações do que com a qualidade delas ou com seus efeitos imediatos em nosso ambiente. O 'homem proposital' [*purposive man*] sempre procura garantir uma imortalidade espúria e ilusória para os seus atos, projetando seu interesse neles para mais adiante no tempo. Ele não ama o seu gato, mas sim os filhotes dele; nem, na verdade, os filhotes, mas somente os filhotes dos filhotes, e assim sucessivamente até o final da estirpe dos gatos. Para ele, geleia não é geleia, a não ser que seja um caso de geleia amanhã, e nunca hoje. Desse modo, deslocando a sua geleia sempre para adiante em direção ao futuro, ele se esforça em garantir uma forma de imortalidade para sua ação de fervê-la" (*Essays in persuasion*, pp. 356 e 370).

41. "*Omnis inordinatus animus sibi ipsi fit paena*" (lema latino atribuído a Agostinho, citado por Frank Kermode em sua introdução a *The tempest*, de Shakespeare, pp. xxix e 114, nota 27). A fuga de Jessica, numa noite de carnaval em Veneza, ocorre justamente no momento em que o pai está jantando fora de casa, a convite de Antonio. Como sugere um dos editores da peça, "a deserção [da filha] e as circunstâncias que a cercam reacendem o amargor de Shylock contra os cristãos e o leva a ficar preso a um sentimento inabalável de vingança [...] Como um golpe desferido contra tudo a que ele tem apego, a fuga da filha conduz ao clímax da resolução de Shylock de perpetrar sua vingança contra a comunidade cristã por meio da cobrança da garantia dada por Antonio" (Halio, pp. 43-4). A execução do contrato ("meio quilo de carne"), desafia Shylock, "se não saciar mais nada, saciará a minha vingança" (terceiro ato, cena 1, linhas 50-1). Em seu estudo sobre a família de banqueiros Medici, da Florença renascentista, Tim Parks observa: "Se ganhar dinheiro tornou-se um vício, a família não obstante permite considerar o ganho de dinheiro como um meio visando um fim. A família fornece um valor e uma razão de viver que é a um só tempo mais nobre que a mera acumulação e mais imediata que os prazeres do paraíso" (*Medici money*, p. 26).

42. Blake, "The marriage of heaven and hell" (*Complete poems*, p. 185).

43. Nietzsche, *Anti-Christ*, § 43, p. 155. A "grande mentira da imortalidade pessoal", prossegue, teria privado a vida humana de sua racionalidade, vigor e razão de ser. "Viver de tal modo que não tem mais nenhum sentido viver, este se torna agora o 'sentido' da vida" (p. 156). Ver também *Gaia ciência*, § 135, pp. 152-3.

44. As fontes dos versos citados no parágrafo são respectivamente: Lupicínio Rodrigues, "Ela disse-me assim" (1959), e Manuel Bandeira, "Pneumotórax" (*Estrela da vida inteira*, p. 107). Sobre o papel das emoções como dispositivos que podem reforçar o controle da impaciência e da impulsividade, ver: Lovejoy, *Human nature*, pp. 80-1, e Elster, *Ulysses unbound*, pp. 48-9.

45. Sêneca, *Epistulae*, 101.10: "*Singulos dies singulas vitas puta*". A sentença foi usada — e ironicamente emendada — por Machado de Assis no parágrafo de abertura do conto "O empréstimo" (p. 382); ver também Annas, *Morality of happiness*, pp. 42-3. A imagem do sono como "irmão da morte" remonta à *Ilíada*, de Homero (XIV.231).

46. Engels, "Sobre a autoridade" (*Textos*, p. 120). A frase "Abandonai toda autonomia, vós que entrais" evoca a inscrição no portal do Inferno (canto III.3) de Dante: "*Lasciate ogne speranza, voi ch'entrate*".

47. As estimativas do aumento do "tempo livre" desde o final do século XIX baseiam-se em Fogel, *Fourth great awakening*, p. 185.

48. Com base na tradução de Octavio Paz em *Versiones y diversiones*, pp. 520-1. Lieu Ling, esclarece Paz, pertencia a um grupo de poetas e intelectuais que se opunha à ética confuciana e defendia a preeminência da vida privada sobre a pública. A última frase do poema alude à crença de que o casulo do bicho-da-seda podia converter-se numa vespa. À mesma linhagem de "Elogio do vinho" pertencem algumas das melhores páginas do grande poeta islâmico do século XIV — "o príncipe dos poetas persas" (R. W. Emerson) —, Hafiz: "É de manhã, copeiro, encha meu copo com vinho./ Faça-o depressa, pois a abóbada celeste desconhece a demora./ Antes que esse mundo passageiro se arruíne e destrua,/ arruíne-me com uma *flûte* de vinho rosado./ O sol do vinho desponta no leste da taça./ Siga os prazeres da vida, abandone os sonhos,/ e no dia em que a roda fizer jarras de minha argila,/ cuide de encher meu crânio com vinho!/ Nós não fomos feitos para a piedade, as penitências e as pregações,/ preferimos um sermão em louvor do vinho translúcido./ O culto ao vinho é uma nobre tarefa, ó Hafiz;/ erga-se e prossiga firme em sua nobre incumbência". O poema em prosa "Embriagai-vos", de Baudelaire, é outro exemplo: "É necessário estar sempre bêbado. Tudo se reduz a isso: eis o único problema. Para não sentirdes o fardo horrível do tempo, que vos abate e vos faz pender para a terra, é preciso que vos embriagueis sem cessar. Mas — de quê? De vinho, de poesia ou de virtude, como achardes melhor. Contanto que vos embriagueis. [...] Para não serdes os martirizados escravos do tempo, embriagai-vos; embriagai-vos sem tréguas!" (*Poesia*, p. 322). As fontes dos versos citados neste parágrafo e no anterior são: Baudelaire (*Poesia*, p. 216) e Fernando Pessoa (*Obra*, p. 259).

49. Goethe, *Máximas e reflexões*, § 99, p. 45, e Nietzsche, *Humano, demasiado humano*, § 31, p. 38. Em *Sobre a tranquilidade da alma*, Sêneca faz uma defesa do recurso ao álcool como uma espécie de "sauna periódica" do sistema nervoso: "Às vezes também é preciso chegar até a embriaguez, não para que ela nos trague, mas para que nos acalme: pois ela dissipa as preocupações, revolve até o mais fundo da alma e a cura da tristeza assim como de certas enfermidades. E Líber foi chamado o inventor do vinho não porque solta a língua, mas sim porque liberta a alma da escravidão das inquietações; restabelece [a alma] [...] e a faz mais audaz para todos os esforços. Mas, como na liberdade, também no vinho é salutar a moderação" (p. 73).

50. Obra juvenil de Rilke, *Os cadernos* encerram claros elementos autobiográficos. Parte do texto se baseia em cartas do poeta, então com 26 anos, a Lou Andreas-Salomé. O título provisório do livro era "Diários do meu outro eu". Como comenta o tradutor do romance para o inglês, "em suas páginas Rilke buscou enfrentar e superar os pesadelos de sua vida presente" (p. xiv). A essa altura da vida, Rilke, recém-casado e pai de uma filha, vivia uma fase de grande incerteza sobre o seu futuro e morava num acanhado quarto de aluguel num bairro pobre de Paris. Estava sem emprego fixo, sem mesada paterna e, pior, sem o menor desejo de voltar a morar com a família na Alemanha natal. O autor ficcional dos cadernos (o *alter ego* Malte) seria a *persona* dinamarquesa — em oposição à *persona* solar-mediterrânea — do poeta. No livro, Malte conta que soube do estranho caso do seu vizinho russo, condenado a viver na cama, graças a um estudante que costumava visitar esse vizinho mas que um dia tocou por engano a campainha do seu quarto e acabou entrando. Ver também a nota 21 da segunda parte acima.

51. Os dois versos citados neste parágrafo são do poema "Ou isto ou aquilo", de Cecília Meireles (*Poesia completa*, p. 1484).

52. Pela ordem em que aparecem no parágrafo: Baxter, citado em Weber, *Protestant ethic*, p. 261, nota 14; Bacon, "Of dispatch" (*Essays*, p. 60), e Franklin, "Advice to a young tradesman, written by an old one". Em "Way to wealth", Franklin afirma: "Se o tempo é de todas as coisas a mais preciosa, desperdiçar o tempo é a maior prodigalidade. O tempo perdido nunca será recuperado; e o que chamamos tempo bastante sempre se revela pouco suficiente" (p. 214). O uso racional e calculado do tempo, assinala Weber, está no cerne da ética pessoal protestante: "O desperdício de tempo é desse modo o primeiro e, em princípio, o mais mortal dos pecados. A extensão da vida humana é infinitamente curta e preciosa para se estar seguro da própria eleição. A perda de tempo por meio da sociabilidade, da conversa ociosa, da luxúria, e até mesmo de mais sono que o

necessário para a saúde, no máximo seis a oito horas, é merecedora da condenação moral absoluta" (*Protestant ethic*, pp. 157-8). Um claro eco dessa postura transparece em carta do jovem Darwin a sua irmã Susan: "Um homem que ousa desperdiçar uma hora do seu tempo não descobriu o valor da vida" (citado em Wright, *Moral animal*, p. 292).

53. Emerson, "Old age" (*Works*, p. 463).
54. Valéry, "The outlook for intelligence", p. 141. "O pior mal do nosso tempo — um tempo em que a nada é permitido amadurecer", reflete Goethe, "é que um momento consome o seguinte, o dia se dissipa dentro do dia, de modo que sempre se vive 'da mão para a boca', sem que nada valioso seja alcançado. Já não possuímos noticiosos para cada parte do dia! Uma pessoa esperta poderia ainda inserir mais um ou dois. Assim, tudo o que se faz ou intenciona fazer ou escrever é imediatamente servido ao público [...] e tudo se faz segundo o princípio da rapidez e da velocidade" (*Máximas*, § 479, p. 128). A preocupação com a aceleração do tempo — "por falta de tranquilidade nossa civilização se transforma numa nova barbárie" — é tema recorrente na obra de Nietzsche (ver: *Cinco prefácios*, pp. 38-9; *Humano, demasiado humano*, §§ 282-5, pp. 190-2; *Aurora*, § 454, p. 234, e *Gaia ciência*, § 329, p. 218: "A autêntica virtude, hoje em dia, consiste em fazer algo em menos tempo que os demais").

QUARTA PARTE
JUROS, POUPANÇA E CRESCIMENTO [pp. 125-62]

1. A constituição e funcionamento da rede protetora intergeracional no ambiente arcaico foram analisados por Hrdy em *Mãe natureza*, pp. 285-307. A hipótese de Hrdy é de que as mulheres idosas (pós-menopausa) cumpriam um papel crucial no sustento e proteção das mães e filhos pequenos. Isso, segundo ela, explicaria a razão evolucionária pela qual existem somente três espécies de mamíferos em que as fêmeas sobrevivem por muitos anos após o início da menopausa: humanos, elefantes e baleias-azuis. Nos três casos são espécies de alta longevidade nas quais uma infância hiperlonga exige cuidados especiais por parte das gerações adultas.

2. Saint-Hilaire, *Viagem à província de São Paulo*, pp. 160-1 e nota 404. O naturalista francês esteve no Brasil entre 1816 e 1822.

3. Hölderlin, *Reflexões*, p. 127: "Entendo esse ímpeto de avanço, esse sacrifício de um presente seguro por um inseguro, por um outro melhor e sempre melhor como o fundamento originário de tudo o que os homens que me cercam fazem e exercem. Por que eles não vivem como o selvagem na floresta, na suficiência, no limite do solo e da alimentação que se encontra imediatamente ao seu redor, numa coesão com a natureza tal como a criança no peito da mãe?". Marx, por sua vez, especula sobre os motivos pelos quais o modo de produção capitalista, baseado "no domínio do homem sobre a natureza", não teria surgido nos trópicos, e conclui: "Uma natureza demasiado pródiga em suas dádivas, 'segura o homem pela mão, como a uma criança suspensa por cordões de andar'. O desenvolvimento do homem não é, neste caso, uma necessidade imposta pela natureza. A pátria do capital não são os trópicos, com a sua vegetação exuberante, mas a zona temperada" (*Capital*, vol. 1, p. 589). Sobre a origem do verso citado por Marx nessa passagem, numa resenha escrita por ele em 1850, ver a nota 14 do meu livro *Vícios privados, benefícios públicos?* (pp. 219-20). Em suas aulas sobre a filosofia da história, Hegel propunha algo semelhante: "A natureza, diferentemente do espírito, é uma massa quantitativa cujo poder não pode ser tão grande a ponto de torná-la uma força onipotente. Na zonas extremas [da Terra], o homem não tem um movimento livre; o frio e o calor são aqui poderosos em demasia para permitir ao espírito construir um mundo para si próprio" (*Philosophy of history*, p. 80). Ver também a nota 11 abaixo.

4. Viveiros de Castro, *A inconstância da alma selvagem*, p. 257. Segundo Jean de Léry (um artesão calvinista francês que veio ao Brasil na missão chefiada por Villegagnon no século XVI), os

tupinambás "não distinguem os dias por nomes específicos, nem contam semanas, meses e anos, apenas calculando e assinalando o tempo por lunações" (*Viagem à terra do Brasil*, pp. 205-6).

5. A fonte primária da informação sobre as dificuldades de acostumar os índios sul-americanos à disciplina da espera na atividade agrícola é o relato do padre jesuíta Pierre François Xavier de Charlevoix (citado em Rae, *New principles*, p. 141). Ver também Macdonell, *A survey of political economy*, pp. 59-60: "Os jesuítas que antes governavam o Paraguai só com grande dificuldade conseguiam impedir os selvagens paraguaios de devorar todas as sementes de cereal, de tal modo era alheio aos seus hábitos o adiamento da satisfação". Sobre o cultivo da banana, ver o testemunho de Alexander von Humboldt sobre sua visita à América do Sul (reproduzido em *Vícios privados, benefícios públicos?*, p. 159). A análise da psicologia temporal dos indígenas apresentada nos parágrafos a seguir elabora e desenvolve alguns pontos originalmente sugeridos por John Rae em *New principles* (pp. 132-42). A etimologia de Prospero proposta a seguir no parágrafo baseia-se parcialmente numa sugestão de Turner, *Shakespeare's twenty-first century economics*, p. 130.

6. Keynes, "Economic possibilities for our grandchildren" (*Essays*, p. 372). Ver também a passagem citada na nota 40 da terceira parte acima. O filósofo romeno E. M. Cioran vai além: "Onde quer que os homens civilizados tenham aparecido pela primeira vez, eles foram vistos pelos nativos como demônios, fantasmas e espectros. Nunca como homens vivos! Eis aí uma intuição inigualável, um insight profético, se jamais houve algum" (*Trouble with being born*, p. 140).

7. Vieira, "Sermão do Espírito Santo", pp. 422-3. Essa passagem é comentada por Viveiros de Castro em *A inconstância da alma selvagem* (p. 185). Observação análoga à de Vieira aparece em Léry, *Viagem à terra do Brasil*, p. 218. Ver também o comentário de Octavio Paz sobre a dificuldade de converter os astecas mexicanos ao dogma cristão: "Do mesmo modo que uma pirâmide asteca recobre por vezes um edifício mais antigo, a unificação religiosa só afetava a superfície da consciência, deixando intactas as crenças primitivas" (*Laberinto de la soledad*, p. 232).

8. Freud, "Escritores criativos e devaneios" (*Obras*, p. 103).

9. Lucrécio, *De rerum natura*, livro 5, linhas 930-8, p. 217.

10. Essa máxima ("*Natura non nisi parendo vincitur*") apareceu originalmente no tratado *Novum organum*, de Francis Bacon (livro 1, § 129, p. 119), e sintetiza o projeto baconiano de transformar a ciência em fonte de poder sobre o mundo natural tendo em vista a melhoria e resgate da condição humana.

11. Hegel, *Philosophy of history*, p. 101. Na visão hegeliana da história, o grau zero do desenvolvimento do espírito estaria no modo de vida dos povos nativos pré-agrícolas da África e América, "ainda envoltos nas condições de mera natureza". Daí que, apesar de se declarar contrário à escravidão, Hegel considerava que a situação moral do escravo era *superior* à "existência sensual" do silvícola: "Pois, na medida em que se dá nos marcos de um Estado, a escravidão é em si mesma uma etapa de avanço em relação a uma existência isolada meramente sensual — uma fase de educação —, um modo de se tornar participante de uma moralidade mais elevada e da cultura a ela ligada" (p. 99).

12. Em sua obra-prima de 1930, *The theory of interest*, Fisher retoma e complementa a teoria apresentada em seu livro de 1907, *The rate of interest*. A grande diferença entre as duas obras é a maior ênfase dada à oportunidade de investimento como determinante, ao lado do grau de impaciência, dos termos de troca entre presente e futuro. Segundo Paul Samuelson, "é difícil imaginar um livro melhor para levar a uma ilha deserta do que este clássico de 1930" (citado em Allen, *Fisher*, p. 12). Lionel Robbins descreve o livro de Fisher como "o mais grandioso trabalho sobre economia real vindo da América na primeira metade deste século [XX]" (*A history of economic thought*, p. 291). Sobre a influência de John Rae na teoria de Fisher, ver a nota 24 da terceira parte acima. Para uma discussão das diferenças entre a teoria neoclássica dos juros (Böhm-Bawerk, Wicksell e Fisher) e a abordagem de equilíbrio geral contemporânea (Ramsey, Debreu e Arrow), ver Mandler, *Dilemmas in economic theory*, cap. 7.

13. *Tanka* (japonês *tan*: "curta" + *ka*: "canção"), do poeta japonês Ki no Tsurayuki, com base na tradução de Octavio Paz (*Versiones y diversiones*, p. 573).

14. Marx, *Economic and philosophical manuscripts*, p. 330. Na interpretação do jovem Marx, a religião seria o véu da dominação e exploração social: "O ser alheio a quem o trabalho e o produto do trabalho pertencem, para cujo serviço o trabalho é executado e para cuja satisfação o produto do trabalho é criado, não pode ser outro senão o próprio homem" (p. 330). Para uma interpretação psicanalítica da "alienação religiosa" discutida por Marx e do processo de geração de poupança suntuária, ver Brown, *Life against death*, pp. 241 ss.

15. O fato estilizado apresentado a seguir é uma adaptação do exemplo oferecido por Gonner (com base numa sugestão original de Frédéric Bastiat) em *Interest and savings*, pp. 50-1. Ver também o modelo análogo em Roemer, *Free to lose*, pp. 55-8.

16. Smith, *Wealth of nations*, livro 1, cap. 9, p. 110, e Mill, "Nature", p. 25. Em carta de 23 de setembro de 1919, o especulador financeiro Keynes comenta: "O dinheiro é uma coisa gozada [*a funny thing*]. Parece impossível acreditar que se permita ao sistema atual continuar por muito tempo. Pois graças a um pequeno conhecimento extra e um certo tipo especial de experiência ele simplesmente (e sem nenhum merecimento em qualquer sentido absoluto) vem até nós de roldão [*comes rolling in*]" (citado em Skidelski, *Keynes*, p. 382). Sobre a crítica de Keynes aos juros e sua proposta de "eutanásia do *rentier*", ou seja, "eutanásia do poder opressivo cumulativo do capitalista de explorar o valor de escassez do capital", ver Garrison, "Keynesian splenetics", pp. 475-80.

17. No mundo grego antigo, os empréstimos em dinheiro eram na maioria dos casos feitos entre cidadãos que se conheciam pessoalmente, sem a cobrança de juros e visando cobrir necessidades temporárias. Os banqueiros serviam como "emprestadores em última instância para os cidadãos, e somente um cidadão de má reputação teria que recorrer a um deles, uma vez que sua baixa confiabilidade o excluía dos empréstimos normais feitos com base na reciprocidade. O empréstimo produtivo, ou adiantamento de capital a juros para empresários produtivos, praticamente inexistia" (Meikle, *Aristotle's economic thought*, p. 65). Esse contexto ajuda a entender a condenação dos juros *per se* feita por Aristóteles na *Política* (1258b): "Pois o dinheiro tem como finalidade o seu uso na troca, e não crescer a juros. E esse termo *juros* [*tokos*], que significa o nascimento do dinheiro por meio do dinheiro, é aplicado para a multiplicação do dinheiro porque a prole se parece com os genitores. Desse modo, de todas as modalidades de obtenção de riqueza, essa é a mais contrária à natureza" (p. 29). Contrariamente a um mito que atravessou os séculos, Aristóteles jamais empregou a fórmula segundo a qual o dinheiro seria "metal estéril" ou "por natureza estéril" (ver o simpósio organizado por Cannan e outros, "Who said 'barren metal'?", pp. 105-11). Sobre a promessa de imortalidade implícita na noção de juros, Keynes especula: "Talvez não seja apenas um acidente o fato de que a raça que mais fez para trazer a promessa de imortalidade para o coração e a essência das nossas religiões tenha também sido a que mais fez pelo princípio do juro composto" (*Essays*, p. 371).

18. Marx, *Grundrisse*, p. 173. Uma vez superada a anarquia do mercado competitivo, ponderava Marx, a questão do uso do tempo se tornaria o principal foco da atenção social: "Quanto menos tempo a sociedade requer para produzir trigo, gado etc., mais tempo ela ganha para outras formas de produção, material ou mental. Assim como no caso de um indivíduo, a multiplicidade do seu desenvolvimento e a satisfação dos seus desejos e sua atividade dependem da capacidade de economizar o tempo. Economia de tempo, a isso toda a economia em última instância se reduz".

19. Wicksell, *Lectures on political economy*, vol. 2, p. 154. Segundo Lionel Robbins, na introdução da edição inglesa das *Lectures*, "não existe outro economista cujo trabalho melhor exemplifique tanto o elemento de continuidade como o de progresso na tradição central da teoria econômica. Poucos conheceram melhor as obras dos clássicos ingleses ou usaram-nas com melhor proveito" (p. ix).

20. Smith, *Wealth of nations*, livro 2, cap. 4, p. 356. Observação análoga sobre a relação entre juros bancários e lucros empresariais havia sido feita por Hume: "Nenhum homem aceitará lucros baixos onde ele pode ter juros elevados, e nenhum homem aceitará juros baixos onde ele pode ter lucros elevados" ("Of interest", p. 303). Ver também Rae, *New principles*, p. 197: "Os empréstimos,

de fato, se passam sob o nome de dinheiro, mas o dinheiro é tão somente um meio de efetivar o empréstimo que, na realidade, consiste nos instrumentos que são cedidos, e estes precisam render em troca não muito menos do que é pago por seu uso, de outro modo não seriam tomados, e não muito mais, de outro modo não seriam cedidos em empréstimo".

21. Samuel Johnson, citado por Boswell, *A journal of a tour to the Hebrides*, p. 176.

22. Um precedente histórico pitoresco do recurso à inflação vem do Império Tártaro. O imperador mongol Kubilai Khan — um dos netos do temível Gêngis Khan (*khan*: "senhor dos senhores") —, que assumiu o trono em 1259, foi um dos primeiros governantes na história a usufruir da prerrogativa de criar e forçar a circulação de uma moeda puramente fiduciária. "Na cidade de Cambalu [atual Beijing]", conforme o relato de Marco Polo, "está a casa da moeda do Grande Khan, de quem se pode dizer que possui o segredo dos alquimistas" (*Travels*, p. 147). Lá era fabricado um dinheiro feito de papel escuro, com a parte interna da casca das amoreiras, que depois era cortado em pedaços de diferentes tamanhos e valores, e finalmente autenticado com assinaturas e com o selo imperial. A falsificação dessas notas, assim como a recusa em recebê-las como meio de pagamento, era crime punido com a sentença de morte. "O Khan dispõe de uma tal quantidade desse dinheiro, que com ele poderia comprar todo o tesouro do mundo. Com essa moeda ele ordena que pagamentos sejam feitos em todas as províncias e regiões do seu império" (p. 147). Além de utilizar essa moeda em gastos militares, Kubilai Khan serviu-se dela para financiar a construção de palácios e obras públicas. O único limite ao seu uso eram os pagamentos feitos aos mercadores estrangeiros. Sobre a "descoberta" de Kubilai Khan — uma arma cujo poder destruidor teria feito inveja ao avô —, ver: Hartwell, "The evolution of the Northern Sung monetary system", e Soddy, *Wealth, virtual wealth, and debt*, p. 144.

23. Caetano Veloso, "Fora da ordem" (música do CD *Circuladô*, de 1991).

24. Nietzsche, *Genealogia da moral*, segunda dissertação, § 8, p. 59.

25. Fisher, *Theory of interest*, p. 375. Essa passagem é citada e comentada por Price em *Time, discounting, and value*, p. 113. Como sintetiza Hume, "nada é mais indicativo da condição florescente de uma nação do que a prevalência de baixos juros [...] E, assim, se considerarmos toda a cadeia de causas e efeitos, os juros são o barômetro do Estado, e, quando são baixos, isso é sinal quase infalível da condição florescente de um povo" ("Of interest", pp. 295 e 303).

26. Aristóteles, *Art of rhetoric*, 1389b, p. 175, e Machado de Assis, "Anedota pecuniária", p. 117.

27. Wallace, *Viagens pelos rios Amazonas e Negro*, p. 84. Os efeitos da escravidão sobre a psicologia temporal da sociedade foram destacados por Joaquim Nabuco: "A influência da escravidão, sobre o território e a população que vive dele, foi em todos os sentidos desastrosa [...] O caráter da sua cultura é a improvidência, a rotina, a indiferença pela máquina, o mais completo desprezo pelos interesses do futuro, a ambição de tirar o maior lucro imediato com o menor trabalho próprio possível, qualquer que seja o prejuízo das gerações seguintes" (*O abolicionismo*, pp. 108-9). Reagindo contra a tendência de alguns românticos ingleses, como Thomas Carlyle, de considerar as diferenças entre os povos colonizados (índios e escravos) e os colonizadores (brancos europeus) como oriundas de fatores inatos, Mill afirmou: "De todos os modos vulgares de fugir da consideração do efeito das influências sociais e morais sobre a mente humana, o mais vulgar de todos é aquele que atribui as diversidades de conduta e caráter a diferenças naturais inatas. Que raça não seria indolente e improvidente se as coisas estivessem arranjadas de tal maneira que os indivíduos não derivassem benefício algum da antevisão e do esforço" (citado em Winch, *Classical political economy and colonies*, p. 168; para uma revisão do debate entre Mill e Carlyle, ver Levy, *How the dismal science got its name*, especialmente cap. 5). "As características da antevisão, do autocontrole e da consideração pela posteridade", observa Irving Fisher, "são em parte inerentes e em parte induzidas pelas condições do ambiente [...] O desperdício inconsequente foi criado em larga medida entre os negros pela tirania e pela escravidão" (*Theory of interest*, p. 377).

28. Sobre as taxas de juros pagas pelos ex-escravos americanos, ver: Fisher, *Theory of interest*, p. 375, nota 3, e Knight, "Interest", p. 259. A opção dos escravos emancipados pelo ócio, em vez

do trabalho, é comentada por: Quincey, *Logic of political economy*, p. 143, e Marx, *Grundrisse*, p. 325. Ver também as observações de Celso Furtado sobre o que chama de "reduzido desenvolvimento mental da população submetida à escravidão": "Podendo satisfazer seus gastos de subsistência com dois ou três dias de trabalho por semana, ao antigo escravo parecia muito mais atrativo 'comprar' o ócio que seguir trabalhando quando já tinha o suficiente 'para viver'" (*Formação econômica do Brasil*, p. 140). O encontro entre grupos sociais com taxas de preferência temporal radicalmente distintas, como observa Fisher, tende a gerar uma espiral de desigualdade. "Quanto mais pobre um homem se torna, mais intensa tende a se tornar sua apreciação pelos bens presentes [...] Inversamente, quando um indivíduo já poupou um capital considerável, sua taxa de preferência pelo presente diminui mais ainda e a acumulação se torna mais fácil ainda. Desse modo, em muitos países, os ricos e os pobres terminam ficando ampla e permanentemente separados, com os primeiros constituindo uma aristocracia hereditária da riqueza e os últimos um proletariado incapaz de defender a si mesmo" (*Theory of interest*, pp. 335-6). Esse fenômeno ilustra o que podemos chamar de "efeito são Mateus": "Ao que tem muito, mais lhe será dado e ele terá em abundância; mas ao que não tem, até mesmo o pouco que lhe resta será retirado" (Mateus, 25:29).

29. Sobre a adoção do Uniform Small Loan Act nos Estados Unidos, ver: Fisher, *Theory of interest*, pp. 214-5, e Knight, "Interest", p. 259. Em "Neither a borrower nor a lender be", Glaeser e Scheinkman propõem um modelo matemático que busca entender a prática recorrente da imposição de restrições legais às taxas de juros como um instrumento de seguro social que transfere riqueza para indivíduos temporariamente afetados por choques adversos de renda. O modelo prevê que a introdução desse tipo de restrição tende a ser mais frequente e intensa quando a desigualdade de renda é alta e o crescimento baixo. No livro 22 de *O espírito das leis* (caps. 19 a 22), Montesquieu faz uma revisão das tentativas de limitar legalmente a cobrança de juros sobre empréstimos em dinheiro desde a Antiguidade. Não deixa de ser surpreendente que os pais do liberalismo econômico, François Quesnay e Adam Smith, tenham ambos defendido a existência de um teto legal para os juros, desde que fixado acima da menor taxa de mercado, mas não demasiado acima dela: "Se a taxa de juros legal na Grã-Bretanha, por exemplo, fosse fixada em nível tão alto como 8% ou 10% [ao ano], a maior parte do dinheiro emprestado seria cedida a perdulários e aventureiros [*prodigals and projectors*], uma vez que apenas eles estariam dispostos a pagar juros tão elevados" (*Wealth of nations*, livro 2, cap. 4, p. 357). No contexto inglês, a abolição das chamadas "leis da usura" se deu por etapas sucessivas entre 1833 e 1854. A primeira defesa sistemática da completa liberdade no mercado de crédito foi feita por Jeremy Bentham, em oposição direta a Adam Smith, no *Defence of usury*, de 1787. Foi numa carta de 1786 que Bentham cunhou sua conhecida fórmula: "Você sabe que é uma velha máxima minha a de que os juros, tal como o amor e a religião, e tantas outras coisas adoráveis, deveriam ser livres" (*Economic writings*, p. 23).

30. Franklin, *Autobiography*, pp. 153-5.

31. H. B. Hurlbert, *The passing of Korea* [1906], citado em Fisher, *Theory of interest*, p. 382. A precariedade dos contratos de crédito e a frequência das moratórias, observa Marshall, não impediram o enorme enriquecimento dos banqueiros europeus nos séculos XIV e XV: "Pois as taxas de juros usuais correspondiam à impaciência e à falta de habilidades aritméticas dos monarcas e grandes ricos daquela época, que não estavam acostumados a ser contrariados e não tinham aptidão para fazer contas [...] Os juros sobre empréstimos têm propriedades ainda mais fantásticas quando um tomador sanguíneo e apressado aceita emprestar por curtos períodos, digamos três meses, a uma taxa de 5%. Se nenhum pagamento for feito, os juros compostos acumulados levarão o valor original a triplicar em seis anos [...]. A 5% ao mês, uma taxa pela qual alguns tomam empréstimos hoje em dia [1919], uma dívida de £1 se tornaria £100 se fosse permitido a ela se acumular por oito anos. Poucas pessoas refletem sobre tais resultados aritméticos, mas o emprestador profissional sempre soube deles" (*Industry and trade*, p. 710).

32. Smith, *Wealth of nations*, livro 2, cap. 9, p. 112. Sobre o papel das instituições na determinação da taxa de juros, Galiani observa: "Para reduzir os juros [...] basta evitar o monopólio

do dinheiro e garantir a devolução. Não foi, então, unicamente a abundância de metais preciosos que fez baixar e quase extinguiu as usuras de dois séculos para cá [1751], mas principalmente o bom governo que existiu em quase todos os reinos. Sendo os litígios breves, a justiça certa, havendo muito trabalho e parcimônia entre o povo, todos os ricos estarão propensos a emprestar dinheiro. E como há um número muito grande de pessoas que ofertam, as condições de oferta não podem ser muito duras e os pobres serão tratados sem crueldade" (*Da moeda*, livro 5, cap. 1, p. 341). Na mesma linha, Frank Knight propõe uma distinção entre *risco* e *incerteza* no mercado de crédito: "O elemento mensurável de incerteza, risco em sentido próprio, pode ser eliminado pela aplicação de alguma forma de princípio atuarial. Mas o elemento individual e subjetivo de incerteza não é passível de padronização; é uma questão do grau de confiança que alguém sente em suas opiniões sobre o curso futuro dos fatos e da coragem de agir com base nessas convicções. A incerteza, mais ou menos ligada aos custos, explica as maiores diferenças entre taxas de juros em diferentes segmentos do mercado de dinheiro. As taxas são elevadas em países novos e áreas de fronteira, em parte porque a experiência não oferece uma base acurada para previsões do futuro ou avaliações objetivas de risco e, em parte, porque os emprestadores tipicamente moram longe, nos velhos centros, e precisam depender de fontes de informação nas quais depositam limitada confiança" ("Interest", p. 263). A transformação da incerteza em risco atuarial por meio da criação de um mercado de seguros é discutida em North, "Institutions", pp. 105-8.

33. Em "Credit, interest, and jurisdictional uncertainty", Arida, Bacha e Lara-Resende examinam o papel da incerteza jurisdicional e do viés antipoupador e anticredor das ações governamentais na ausência de um mercado de crédito de longo prazo no Brasil. Uma das consequências dessa incerteza é a tendência de grandes poupadores privados de procurar manter "a salvo", ou seja, em contas no exterior, parte ponderável dos seus recursos financeiros. O problema, é claro, vem de longe. No "Sermão do diabo", crônica publicada em 1892, Machado de Assis recomendava: "Não queirais guardar para vós tesouros na terra, onde a ferrugem e a traça os consomem, e donde os ladrões os tiram e levam. Mas remetei os vossos tesouros para algum banco de Londres, onde a ferrugem nem a traça os consomem, nem os ladrões os roubam, e onde ireis vê-los no dia do juízo. Não vos fieis uns nos outros. Em verdade vos digo, que cada um de vós é capaz de comer o seu vizinho, e boa cara não quer dizer bom negócio" (*Obras*, p. 113).

34. Mill, *Principles*, livro 5, cap. 8, p. 240. Esta passagem foi citada e comentada por Marshall em *Economics of industry*, p. 12, e, de modo mais aprofundado, por Sidgwick em *Principles*, pp. 109-10.

Bibliografia

AGOSTINHO, santo [345-430 d. C.]. *Confissões*. Trad. J. Santos e A. de Pina. Porto, 1958.
AINSLIE, G. "Beyond microeconomics: conflict among interests in a multiple self as a determinant of value". In *Multiple self*. Ed. J. Elster. Cambridge, 1986.
_____. *Picoeconomics*. Cambridge, 1992.
_____. "The dangers of willpower". In *Getting hooked: rationality and addiction*. Eds. J. Elster e O. Skog. Cambridge, 1999.
ALLEN, R. L. *Irving Fisher: a biography*. Cambridge, Mass., 1993.
ANDRADE, M. de. *Aspectos da literatura brasileira*. Rio de Janeiro, 1943.
ANGELETOS, G. M.; LAIBSON, D.; REPETTO, A.; TOBACMAN, J. & WEINBERG, S. "The hyperbolic consumption model: calibration, simulation, and empirical evaluation". In *Time and decision*. Eds. G. Loewenstein, D. Read e R. F. Baumeister. Nova York, 2003.
ANNAS, J. *The morality of happiness*. Oxford, 1993.
ARGYLE, M. "Causes and correlates of happiness". In *Well-being: the foundations of hedonic psychology*. Eds. D. Kahneman, E. Diener e N. Schwarz. Nova York, 1999.
ARIDA, P.; BACHA, E. & LARA-RESENDE, A. "Credit, interest, and jurisdictional uncertainty: conjectures on the case of Brazil". In *Inflation targeting, debt, and the Brazilian experience*. Eds. F. Giavazzi, I. Goldfajn e S. Herrera. Cambridge, Mass., 2005.
ARISTÓTELES [384-322 a. C.]. *Politics*. Trad. E. Baker. Oxford, 1946.
_____. *De anima*. Trad. D. Hamlyn. Oxford, 1968.
_____. *Nicomachean ethics*. Trad. D. Ross. Oxford, 1980.
_____. *The art of rhetoric*. Trad. H. Lawson-Tancred. Londres, 1991.
ARMSTRONG, K. *Buddha*. Londres, 2001.

BACON, F. *The new organon* [1620]. Ed. F. H. Anderson. Indianapolis, 1960.
_____. *The essays* [1625]. Londres, 1906.
_____. *Advancement of learning* [1633]. Ed. A. Johnston. Oxford, 1974.
BANDEIRA, M. *Estrela da vida inteira*. Rio de Janeiro, 1974.
BATTIN, M. P. *The death debate: ethical issues in suicide*. New Jersey, 1996.
BAUDELAIRE, C. *Intimate journals*. Trad. I. Irsherwood. San Francisco, 1983.
_____. *Poesia e prosa*. Ed. Ivo Barroso. Rio de Janeiro, 1995.
BAUMEISTER, R. & VOHS, K. "Willpower, choice, and self-control". In *Time and decision*. Eds. G. Loewenstein, D. Read e R. F. Baumeister. Nova York, 2003.
BECKER, G. *Accounting for tastes*. Cambridge, Mass., 1996.
BENTHAM, J. *Defence of usury* [1787]. In *Economic writings*. Ed. W. Stark. Londres, 1952.
BERNSTEIN, P. L. *Against the gods: the remarkable story of risk*. Nova York, 1996.

BICKEL, W. & JOHNSON, M. "Delay discounting: a fundamental behavioral process of drug dependence". In *Time and decision*. Eds. G. Loewenstein, D. Read e R. F. Baumeister. Nova York, 2003.
BLACKBURN, S. *Lust*. Oxford, 2004.
BLAKE, W. *The complete poems*. Ed. A. Ostriker. Harmondsworth, 1977.
BORGES, J. L. *Obras completas*. Vol. 3. Buenos Aires, 1996.
BOSWELL, J. *A journal of a tour to the Hebrides with Samuel Johnson*. Londres, 1928.
BOULDING, K. "From chemistry to economics and beyond". In *Eminent economists*. Ed. M. Szenberg. Cambridge, 1992.
BROOME, J. "Discounting the future". In *Ethics out of economics*. Cambridge, 1999.
BROWN, N. *Life against death: the psychoanalitical meaning of history*. Middletown, Conn., 1959.

CANNAN, E.; ROSS, W. D.; BONAR, J. & WICKSTEED, P. H. "Who said 'barren metal'?: a symposium". *Economica* 5(1922), 105-11.
CAPLIN, A. "Fear as a policy instrument". In *Time and decision*. Eds. G. Loewenstein, D. Read e R. F. Baumeister. Nova York, 2003.
CARLYLE, T. *Life of Schiller* [1825]. Londres, 1873.
CHAPMAN, G. B. "Time discounting of health outcomes". In *Time and decision*. Eds. G. Loewenstein, D. Read e R. F. Baumeister. Nova York, 2003.
CHARLESWORTH, B. "Fisher, Medawar, Hamilton and the evolution of aging". *Genetics* 156(2000), 927-31.
CÍCERO [106-43 a. C.]. *Tusculan disputations*. Trad. J. E. King. Cambridge, Mass., 1945.
_____. *On duties*. Trad. M. Griffin e E. Atkins. Cambridge, 1991.
CIORAN, E. M. *The trouble with being born*. Trad. R. Howard. Nova York, 1976.
CLARK, W. R. *Sex and the origins of death*. Oxford, 1996.
COLMAN, J. *John Locke's moral philosophy*. Edimburgo, 1983.
CONFÚCIO [551-479 a. C.]. *The analects*. Trad. Arthur Waley. Nova York, 1938.
COY, P. "Why logic often takes a backseat". *Business Week*, 28/3/2005.
CRANSTON, M. *John Locke*. Oxford, 1957.

DAMÁSIO, A. *O erro de Descartes*. Trad. D. Vicente e G. Segurado. São Paulo, 1996.
DARWIN, C. "Recollections of the development of my mind and character" [1876]. In *Autobiographies*. Eds. M. Neve e S. Messenger. Londres, 2002.
DAVENPORT-HINES, R. *The pursuit of oblivion: a global history of narcotics 1500-2000*. Londres, 2001.
DAWKINS, R. *The selfish gene*. Oxford, 1989.
DEATON, A. *Understanding consumption*. Oxford, 1992.
DIDEROT, D. "Hobbisme" [1765]. In *Political writings*. Trad. J. H. Mason e R. Wokler. Cambridge, 1992.
_____. *Obras*. Vols. 1 e 2. Trad. J. Guinsburg. São Paulo, 2000.
DIÓGENES LAÉRCIO. "Epicurus". In *Lives of eminent philosophers*. Vol. 2. Trad. R. D. Hicks. Cambridge, Mass., 1925.
DOSTOIÉVSKI, F. *The gambler*. Trad. J. Coulson. Harmondsworth, 1966.
DRUMMOND DE ANDRADE, C. *Poesia completa e prosa*. Rio de Janeiro, 1977.
_____. *Paixão medida*. Rio de Janeiro, 1980.
DUMOULIN, H. "Buddhism and nineteenth-century German philosophy". *Journal of the History of Ideas* 42(1981), 457-70.

Economist. "Are men necessary?", 5/1/1996, p. 109.
_____. "Abolishing autumn", 13/1/1996, p. 80.

Economist. "Hey, big spender", 20/12/2003, pp. 115-6.
_____. "Mind games", 15/1/2005, p. 71.
ELIOT, T. S. *Four quartets* [1944]. Londres, 1979.
ELSTER, J. *Ulysses unbound*. Cambridge, 2000.
EMERSON, R. W. *Complete works*. Ed. A. C. Hearn. Edimburgo, 1907.
ENGELS, F. "Sobre a autoridade" [1873]. In *Textos: Karl Marx e Friedrich Engels*. Vol. 2. São Paulo, 1976.

FARKAS, S. & JOHNSON, J. "Miles to go: a status report on Americans' plans for retirement". Public Agenda, 1997 (disponível no site www.publicagenda.org).
FEHR, E. "The economics of impatience". *Nature* 415(2002), 269-72.
FISHER, I. *The theory of interest*. Nova York, 1930.
FOGEL, R. *The fourth great awakening and the future of egalitarianism*. Chicago, 2000.
FRANKLIN, B. "Advice to a young tradesman, written by an old one" [1748] (disponível na íntegra no site www.historycarper.com/resources/twobf2/ advice.htm).
_____. "The way to wealth" [1757]. In *Norton anthology of American literature*. Vol. 1. Ed. N. Baym. Nova York, 1990.
_____. *Autobiography* [1818]. Boston, 1886.
FREDERICK, S. "Time preference and personal identity". In *Time and decision*. Eds. G. Loewenstein, D. Read e R. F. Baumeister. Nova York, 2003.
_____. LOEWENSTEIN, G. & O'DONOGHUE, T. "Time discounting and time preference: a critical review". In *Time and decision*. Eds. G. Loewenstein, D. Read e R. F. Baumeister. Nova York, 2003.
FREUD, S. "Escritores criativos e devaneios" [1908]. In *Obras psicológicas completas*. Vol. 9. Trad. Maria A. M. Rego. Rio de Janeiro, 1976.
_____. *Além do princípio de prazer* [1920]. In *Obras psicológicas completas*. Vol. 18. Trad. Christiano M. Oiticica. Rio de Janeiro, 1976.
FURTADO, C. *Formação econômica do Brasil*. São Paulo, 1976.

GALIANI, F. *Da moeda* [1780]. Trad. M. T. Vicentini. Curitiba, 2000.
GARRISON, R. W. "Keynesian splenetics: from social philosophy to macroeconomics". *Critical Review* 6(1993), 471-92.
GAUKROGER, S. *Descartes: an intellectual biography*. Oxford, 1995.
GEORGESCU-ROEGEN. *The entropy law and the economic process*. Cambridge, Mass., 1971.
GIANNETTI DA FONSECA, E. *Vícios privados, benefícios públicos?*. São Paulo, 1993.
_____. *As partes & o todo*. São Paulo, 1995.
GLAESER, E. L. & SCHEINKMAN, J. A. "Neither a borrower nor a lender be: an economic analysis of interest restrictions and usury laws". NBER Working Paper Series § 4954. Dez. 1994.
GOETHE, J. W. von. *Poesia e verdade* [1831]. Trad. Leonel Vallandro. Porto Alegre, 1971.
_____. *Máximas e reflexões* [1907]. Trad. Afonso T. da Mota. Lisboa, 1987.
GONNER, E. C. K. *Interest and savings*. Londres, 1906.
Greek sophists. Trad. J. Dillon e T. Gergel. Londres, 2003.

HAMILTON, W. "The moulding of senescence by natural selection". *Journal of Theoretical Biology* 12(1966), 12-45. Reproduzido em *Narrow roads of gene land*. Vol. 1. Nova York, 1996.
HARAZIM, D. "Processo doloroso como o de viciados em drogas" (entrevista com Eduardo Conradt). *O Globo*, 14/9/2004, p. 10.
HARTWELL, R. "The evolution of the Northern Sung monetary system". *Journal of the American Oriental Society* 87(1967), 280-9.

HEGEL, G. W. F. *Ciencia de la lógica* [1816]. Trad. Augusta e Rodolfo Mondolfo. Buenos Aires, 1974.
_____. *The philosophy of history* [1830]. Trad. J. Sibree. Nova York, 1956.
HERMAN, C. P. & POLIVY, J. "Dieting as an exercise in behavioral economics". In *Time and decision*. Eds. G. Loewenstein, D. Read e R. F. Baumeister. Nova York, 2003.
HIRSHLEIFER, J. "Economics from a biological viewpoint". *Journal of Law and Economics* 20(1977), 1-52.
HOBBES, T. *Do cidadão* [1642]. Trad. Renato Janine Ribeiro. São Paulo, 1992.
HÖLDERLIN, F. *Hipérion* [1797]. Trad. E. Paschoal. São Paulo, 2003.
_____. *Poemas*. Trad. Paulo Quintela. Coimbra, 1959.
_____. *Reflexões*. Trad. Marcia Cavalcante e Antonio Abranches. Rio de Janeiro, 1994.
HONG, H. "Behavioral economics and savings". Ibmec São Paulo. Jun. 2005.
HORÁCIO, Q. [65-8 a. C.] *The complete odes and epodes*. Trad. W. G. Shepherd. Harmondsworth, 1983.
HORN, H. S. & RUBENSTEIN, D. "Behavioural adaptations and life histories". In *Behavioural ecology*. Eds. J. R. Krebs e N. B. Davies. Oxford, 1984.
HRDY, S. B. *Mãe natureza: uma visão feminina da evolução*. Trad. Álvaro Cabral. Rio de Janeiro, 2001.
HUME, D. *A treatise of human nature* [1739]. Ed. L. A. Selby-Bigge. Oxford, 1978.
_____. *Enquiries concerning human understanding and concerning the principles of morals* ou *First* [1748] *and second* [1751] *enquiries*. Ed. L. A. Selby-Bigge. Oxford, 1975.
_____. "Of the rise and progress of the arts and sciences", "Of interest", "Of poligamy and divorces" e "Of the immortality of the soul". In *Essays moral, political and literary* [1756]. Ed. E. F. Miller. Indianapolis, 1985.

JOHNSON, P. *Intellectuals*. Londres, 1988.
JOHNSON, S. *Lives of the English poets* [1778]. Londres, 1925.

KACELNIK, A. "The evolution of patience". In *Time and decision*. Eds. G. Loewenstein, D. Read e R. F. Baumeister. Nova York, 2003.
KEYNES, J. M. "Clissold" e "Economic possibilities for our grandchildren". In *Essays in persuasion* [1931]. Nova York, 1963.
_____. *The general theory of employment, interest and money* [1936]. Londres, 1973.
KEYNES, R. "The Darwins and Cambridge". *Darwin College Magazine*. Mar. 1995.
KIRKWOOD, T. *Time of our lives: the science of human aging*. Oxford, 1999.
KNIGHT, F. "Interest" [1932]. In *The ethics of competition*. New Brunswick, 1997.
KOESTLER, A. *The roots of coincidence*. Londres, 1972.
KOYRÉ, A. "Introduction". In *Descartes: philosophical writings*. Eds. E. Ascombe e P. Geach. Londres, 1954.

LA ROCHEFOUCAULD, duque de. *Maxims* [1678]. Trad. L. Tancock. Harmondsworth, 1967.
LEA, S.; TARPY, R. & WEBLEY, P. *The individual in the economy*. Cambridge, 1987.
LÉRY, J. de. *Viagem à terra do Brasil* [1578]. Trad. Sérgio Milliet. Belo Horizonte, 1980.
LEVEY, S. & WINGLER, A. "Natural variation in the regulation of leaf senescence and relation to other traits in Arabidopsis". *Plant, Cell & Environment* 28(2005), 223-31.
LEVI, P. *The drowned and the saved*. Trad. R. Rosenthal. Londres, 1989.
LEVY, D. M. *How the dismal science got its name: classical economics and the urtext of racial politics*. Ann Arbor, 2002.
LIGHTMAN, A. *Viagens no tempo e o cachimbo do vovô Joe*. Trad. Carlos A. Malferrari. São Paulo, 1998.
LOCKE, J. *An essay concerning human understanding* [1694]. Ed. P. Nidditch. Oxford, 1975.

LOEWESTEIN, G. "A visceral account of addiction". In *Getting hooked: rationality and addiction*. Eds. J. Elster e O. Skog. Cambridge, 1999.

———. & ANGNER, E. "Predicting and indulging changing preferences". In *Time and decision*. Eds. G. Loewenstein, D. Read e R. F. Baumeister. Nova York, 2003.

LOVEJOY, A. *Reflections on human nature*. Baltimore, 1961.

LUCRÉCIO, T. [99-55 a. C.]. *De rerum natura*. Trad. C. Bailey. Oxford, 1910.

MACDONELL, J. *A survey of political economy*. Edimburgo, 1871.

MACHADO DE ASSIS, J. M. "O empréstimo" [1882] e "Anedota pecuniária" [1883]. In *Contos: uma antologia*. Ed. John Gledson. Vols. 1 e 2. São Paulo, 1998.

———. "Sermão do diabo" [1892]. In *Obras completas*. Vol. 26. Rio de Janeiro, 1958.

———. *Dom Casmurro* [1900]. São Paulo, 1997.

MADDISON, A. *The world economy: a millenial perspective*. OECD, Paris, 2001.

MALEBRANCHE, N. *The search after truth* [1712]. Trad. T. Lennon e P. Olscamp. Cambridge, 1997.

MANDLER, M. *Dilemmas in economic theory: persisting foundational problems in microeconomics*. Oxford, 1999.

MANUCK, S. B.; FLORY, J.; MULDOON, M. & FERREL, R. "A neurobiology of intertemporal choice". In *Time and decision*. Eds. G. Loewenstein, D. Read e R. F. Baumeister. Nova York, 2003.

MAQUIAVEL, N. *História de Florença* [1532]. Trad. N. Canabarro. São Paulo, 1998.

MARSHALL, A. *Industry and trade*. Londres, 1919.

———. *Principles of economics* [1920]. Londres, 1979.

———. & MARSHALL, M. P. *The economics of industry*. Londres, 1879.

MARX, K. *Economic and philosophical manuscripts* [1844]. In *Early writings*. Trad. R. Livingstone. Londres, 1975.

———. *Grundrisse: foundations of the critique of political economy* [1857]. Trad. Martin Nicolaus. Londres, 1973.

———. *Contribuição para a crítica da economia política* [1859]. Trad. M. H. Alves. Lisboa, 1974.

———. *O capital: crítica da economia política* [1867]. Vol. 1. Trad. Reginaldo Sant'Anna. Rio de Janeiro, 1975.

———. & ENGELS, F. *Correspondence 1846-1895*. Trad. D. Torr. Londres, 1934.

MCCLURE, S. M.; LAIBSON, D.; LOEWENSTEIN, G. & COHEN, J. "Separate neural systems value immediate and delayed monetary rewards". *Science* 306(2004), 503-7.

MCCRACKEN, C. J. *Malebranche and British philosophy*. Oxford, 1983.

MEDAWAR, P. B. & MEDAWAR, J. S. "Aging". In *Aristotle to zoos: a philosophical dictionary of biology*. Cambridge, Mass., 1983.

MEHRING, F. *Karl Marx: vida e obra*. Vols. 1 e 2. Trad. R. T. Wahnon e M. Cary. Lisboa, 1974.

MEIKLE, S. *Aristotle's economic thought*. Oxford, 1995.

MEIRELES, Cecília. "Ou isto ou aquilo" [1964]. In *Poesia completa*. Vol. 2. Org. Antonio Carlos Secchim. Rio de Janeiro, 2001.

MILL, J. S. *Principles of political economy* [1848]. Ed. D. Winch. Harmondsworth, 1970.

———. "Nature" [1874]. In *Nature and utility of religion*. Ed. G. Nakhnikian. Indianapolis, 1958.

MISCHEL, W.; AYDUK, O. & MENDOZA-DENTON, R. "Sustaining delay of gratification over time: a hot-cool systems perspective". In *Time and decision*. Eds. G. Loewenstein, D. Read e R. F. Baumeister. Nova York, 2003.

MONTAIGNE, M. de. *Ensaios* [1580]. Trad. Sérgio Milliet. São Paulo, 1972.

MONTESQUIEU, barão de. *The spirit of the laws* [1748]. Trad. A. Cohler, B. Miller e H. Stone. Cambridge, 1989.

MOORE JR., B. *Moral purity and persecution in history*. Princeton, 2000.

MOSSNER, E. C. *The life of David Hume*. Oxford, 1980.

NABUCO, J. *O abolicionismo* [1883]. In *Intérpretes do Brasil*. Ed. Silviano Santiago. Rio de Janeiro, 2000.
NAGEL, T. "Death". In *Mortal questions*. Cambridge, 1979.
NIETZSCHE, F. *Cinco prefácios* [1872]. Trad. Pedro Sussekind. Rio de Janeiro, 1996.
_____. *Humano, demasiado humano* [1878]. Trad. Paulo César de Souza. São Paulo, 2000.
_____. *Aurora* [1881]. Trad. Paulo César de Souza. São Paulo, 2004.
_____. *A gaia ciência* [1882]. Trad. Paulo César de Souza. São Paulo, 2001.
_____. *Genealogia da moral* [1887]. Trad. Paulo César de Souza. São Paulo, 1998.
_____. *Anti-Christ* [1888]. Trad. R. J. Hollingdale. Harmondsworth, 1968.
_____. *Will to power*. Trad. W. Kaufmann. Nova York, 1968.
NORTH, D. C. "Institutions". *Journal of Economic Perspectives* 5(1991), 97-112.
NUSSBAUM, M. C. *The therapy of desire: theory and practice in hellenistic ethics*. Princeton, 1994.
_____. "The *Protagoras*: a science of practical reasoning". In *The fragility of goodness*. Cambridge, 2001.

O'DONOGHUE, T. & RABIN, M. "Self-awareness and self-control". In *Time and decision*. Eds. G. Loewenstein, D. Read e R. F. Baumeister. Nova York, 2003.
OSWALD, A. "Happiness and economic performance". *Economic Journal* 107(1997), 1815-31.
Oxford companion to animal behaviour. Ed. D. McFarland. Oxford, 1987.
Oxford companion to the mind. Ed. R. L. Gregory. Oxford, 1987.

PARKS, T. *Medici money: banking, metaphysics, and art in fifteen-century Florence*. Nova York, 2005.
PARTRIDGE, L. & HALLIDAY, T. "Mating patterns and mate choice". In *Behavioural ecology*. Eds. J. R. Krebs e N. B. Davies. Oxford, 1984.
PAZ, O. *El laberinto de la soledad* [1959]. Ed. Enrico M. Santí. Madri, 1993.
_____. *Versiones y diversiones* [1978]. Barcelona, 2000.
PENMAN, D. "Pretty women scramble men's ability to assess the future". *New Scientist*, 10/12/2003.
PESSOA, F. *Obra poética*. Rio de Janeiro, 1976.
PICHOIS, C. & ZIEGLER, J. *Baudelaire*. Trad. G. Robb. Londres, 1991.
PIGOU, A. C. *The economics of welfare*. Londres, 1920.
PINKER, S. *Como a mente funciona*. Trad. Laura Teixeira Motta. São Paulo, 1998.
PIZZARI, T. & BIRKHEAD, T. R. "Female feral fowl eject sperm of subdominant males". *Nature* 405(2000), 787-9.
PLATÃO [427-348 a. C.]. *Apology*. Trad. R. W. Livingstone. Oxford, 1938.
_____. *Protagoras*. Trad. C. C. W. Taylor. Oxford, 1976.
_____. *Phaedo*. Trad. R. S. Buck. Londres, 1955.
POLO, M. *The travels of Marco Polo* [1295]. Trad. R. Latham. Londres, 1958.
POMPEIA, J. A. & SAPIENZA, B. T. *Na presença do sentido*. São Paulo, 2004.
PRICE, C. *Time, discounting, and value*. Oxford, 1993.

QUINCEY, T. de. *The logic of political economy*. Edimburgo, 1844.
_____. *Confessions of an English opium-eater* [1856]. Londres, 1907.
QUINE, W. V. "Space-time". In *Quidditties*. Cambridge, Mass., 1987.

RACHLIN, H. *Judgment, decision and choice*. Nova York, 1989.
RAE, J. *Statement of some new principles on the subject of political economy* [1834]. In *John Rae, political economist*. Vol. 2. Ed. R. W. James. Toronto, 1965.
RAMSEY, F. "A mathematical theory of saving" [1928]. In *Foundations: essays in philosophy, logic, mathematics and economics*. Ed. D. H. Mellor. Londres, 1978.
RÉE, J. *Philosophical tales*. Londres, 1987.

RILKE, R. M. *The notebooks of Malte Laurids Brigge* [1910]. Trad. S. Mitchell. Nova York, 1985.
_____. *Cartas a um jovem poeta* [1929]. Trad. Paulo Rónai. Porto Alegre, 1978.
ROBBINS, L. *A history of economic thought: the LSE lectures*. Eds. S. G. Medema e W. J. Samuels. Princeton, 1998.
ROEMER, J. *Free to lose: an introduction to Marxist economic philosophy*. Londres, 1988.
ROGERS, A. R. "Evolution of time preference by natural selection". *American Economic Review* 84(1994), 460-81.
ROSA, G. "O espelho" e "Famigerado". In *Primeiras estórias*. São Paulo, 1962.
ROZIN, P. "Preadaptation and the puzzles and properties of pleasure". In *Well-being: the foundations of hedonic psychology*. Eds. D. Kahneman, E. Diener e N. Schwarz. Nova York, 1999.
RUE, L. *By the grace of guile*. Oxford, 1994.
RUSSELL, B. *The analysis of mind*. Londres, 1921.

SAGAN, C. *Bilhões e bilhões*. Trad. Rosaura Eichemberg. São Paulo, 1998.
SAINT-HILAIRE, A. de. *Viagem à província de São Paulo* [1851]. Trad. R. R. Junqueira. Belo Horizonte, 1976.
SCHELLING, T. "The intimate contest for self-command". In *Choice and consequence*. Cambridge, Mass., 1984.
_____. "The mind as a consuming organ". In *The multiple self*. Ed. J. Elster. Cambridge, 1986.
SCHOPENHAUER, A. *Parerga and paralipomena* [1851]. Trad. E. Payne. Oxford, 1974.
_____. *The world as will and representation* [1859]. Trad. E. Payne. Nova York, 1969.
SEN, A. "Money and value: on the ethics and economics of finance". *Economics and Philosophy* 9(1993), 203-27.
SÊNECA [1-65 d. C.]. *Sobre a tranquilidade da alma*. Trad. José R. Seabra Filho. São Paulo, 1994.
SHAKESPEARE. *The merchant of Venice* [1597]. Ed. M. M. Mahood. Cambridge, 1987.
_____. Idem. Ed. J. L. Halio. Oxford, 1993.
_____. *The tempest* [1623]. Ed. F. Kermode. Londres, 1954.
SHETTLEWORTH, S. "Learning and behavioural ecology". In *Behavioural ecology*. Eds. J. R. Krebs e N. B. Davies. Oxford, 1984.
SIDGWICK, H. *Principles of political economy* [1883]. Londres, 1901.
SKIDELSKI, R. *John Maynard Keynes: hopes betrayed 1883-1920*. Londres, 1983.
SMITH, A. *An inquiry into the nature and the causes of the wealth of nations* [1776]. Eds. R. H. Campbell e A. S. Skinner. Oxford, 1976.
_____. *The theory of moral sentiments* [1790]. Eds. D. D. Raphael e A. L. Macfie. Oxford, 1976.
_____. *Essays on philosophical subjects* [1795]. Eds. W. P. D. Wightman, J. C. Bryce e I. S. Ross. Oxford, 1980.
SODDY, F. *Wealth, virtual wealth, and debt*. Londres, 1933.
STARKIE, E. *Baudelaire*. Nova York, 1958.

TURNER, F. *Shakespeare's twenty-first century economics: the morality of love and money*. Oxford, 1999.

VALÉRY, P. "Politics of the mind" [1932] e "The outlook for intelligence" [1935]. In *The outlook for intelligence*. Trad. D. Folliot e J. Mathews. Princeton, 1962.
VIEIRA, A. "Sermão do Espírito Santo" [1657]. In *Sermões*. Vol. 1. Ed. Alcir Pécora. São Paulo, 2001.
VIVEIROS DE CASTRO, E. *A inconstância da alma selvagem*. São Paulo, 2002.

WALLACE, A. R. *Viagens pelos rios Amazonas e Negro* [1853]. Trad. E. Amado. Belo Horizonte, 1979.

WEBER, M. *The protestant ethic and the spirit of capitalism* [1904-05]. Trad. Talcott Parsons. Londres, 1992.
WERTENBROCH, K. "Self-rationing: self-control in consumer choice". In *Time and decision*. Eds. G. Loewenstein, D. Read e R. F. Baumeister. Nova York, 2003.
WHEELWRIGHT, P. *Heraclitus*. Oxford, 1959.
WICKSELL, K. *Value, capital and rent* [1893]. Trad. S. Frowein. Londres, 1954.
_____. *Interest and prices* [1898]. Trad. R. F. Kahn. Londres, 1936.
_____. *Lectures on political economy* [1911]. Vols. 1 e 2. Trad. E. Classen. Londres, 1934.
WINCH, D. *Classical political economy and colonies*. Cambridge, Mass., 1965.
WITTGENSTEIN, L. *Culture and value*. Trad. P. Winch. Oxford, 1980.
WRIGHT, R. *The moral animal*. Nova York, 1994.

YOUNG, J. Z. *Philosophy and the brain*. Oxford, 1986.

ZAJONC, A. *Catching the light*. Oxford, 1993.
ZOJA, L. *Growth and guilt*. Trad. H. Martin. Londres, 1995.

Índice onomástico

Agostinho, santo, 38, 166, 173, 181
Ainslie, G., 166, 172, 181
Alfonso X, rei, 69, 172
Alves, Ataulpho, 167
Alves, Francisco, 168
Andrade, Mário de, 172
Andreas-Salomé, Lou, 182
Angeletos, G. M., 180
Arida, Pérsio, 13, 188
Aristóteles, 59, 64-5, 67-8, 71, 168-72, 185-6
Armstrong, K., 169
Arrow, K., 184
Assis Valente, José de, 178

Bach, Johann Sebastian, 29
Bacha, Edmar, 188
Bacon, Francis, 120, 168, 180, 182, 184
Bandeira, Manuel, 181
Barcelos, Alcebíades, 178, 180
Bastiat, F., 185
Bastos, Nilton, 168
Battin, M. P., 172-3, 175
Baudelaire, Charles, 58, 63-4, 72, 122, 163, 170-2, 182
Baumeister, R., 170
Baxter, Richard, 120, 182
Becker, Gary, 173
Bentham, Jeremy, 187
Bernoulli, Jacob, 164
Blackburn, Simon, 166
Blake, William, 36, 86-7, 113, 166, 175-6, 181

Böhm-Bawerk, Eugen Von, 100, 179, 184
Borges, Jorge Luis, 175, 179-80
Boulding, Kenneth, 177
Brown, N., 163, 178, 185
Buarque de Hollanda, Chico, 171-2, 176

Callois, Roger, 172
Calment, Jeanne, 164
Campos, Álvaro de, 170
Cannan, E., 185
Carlyle, Thomas, 170, 186
Caymmi, Dorival, 176
Charlesworth, B., 164
Charlevoix, Pierre François Xavier de, 184
Cícero, 22, 164, 168-9, 173, 178
Cioran, E. M., 184
Clark, William, 163-5
Cleombrotus de Ambrácia, 173
Colman, J., 169
Confúcio, 174
Conradt, Eduardo, 171
Cranston, M., 169-70
Crítias, 163

Daly, Martin, 176
Damásio, A., 169
Dante, 181
Darwin, Charles, 97, 156, 177, 183
Davenport-Hines, R., 171, 180
Dawkins, Richard, 165
De Gaulle, Charles, 23

Dean, James, 60
Deaton, A., 172
Delbrück, Max, 163
Demócrito, 100
Descartes, René, 96-7, 177
Diderot, Denis, 56, 169-70
Donders, F. C., 175
Dostoiévski, Fiodor, 180
Drummond de Andrade, Carlos, 169, 175-6
Dumoulin, H., 169

Einstein, Albert, 86
Eliot, T. S., 91, 175
Elster, Jon, 166, 169, 172, 179, 181
Emerson, Ralph Waldo, 121, 174, 182-3
Engels, Friedrich, 116, 170, 177, 181
Epicuro, 74, 108, 173, 180
Esopo, 38, 106, 154
Eugênio IV, papa, 178

Farkas, Steve, 180
Fehr, E., 166
Fisher, Irving, 100, 137, 154, 164, 171, 179, 184, 186-7
Fogel, Robert, 174, 181
Franklin, Benjamin, 101, 111, 120, 122, 157-8, 179, 181-2, 187
Freud, Sigmund, 18, 69, 110, 131, 163, 169, 175, 184
Furtado, Celso, 187

197

Galiani, Ferdinando, 168, 187
Galileu Galilei, 113
Garrison, R. W., 185
Georgescu-Roegen, Nicholas, 163
Giannetti da Fonseca, Eduardo, 177, 183-4
Glaeser, Edward L., 187
Goethe, Johann Wolfgang, 32, 81, 117, 166, 171, 175, 182-3
Gonner, E. C. K., 172, 185
Goya, Francisco de, 25
Green, Leonard, 166
Guimarães Rosa, João, 76, 105, 174, 179
Gustavo III, rei, 99, 178

Hamilton, William, 25, 26, 164-5
Harazim, Dorrit, 171
Hayflick, Leonard, 164
Hegel, Georg Wilhelm Friedrich, 134, 163, 183-4
Helmholtz, Hermann, 175
Heráclito, 43-4, 63, 74, 88, 173
Herman, Peter C., 166, 178
Hirshleifer, J., 167
Hobbes, Thomas, 56-7, 76, 169
Hölderlin, Friedrich, 60, 80, 128, 170, 175, 183
Hong, Harrison, 13, 180
Horácio, 67, 171
Horn, H. S., 166
Hrdy, Sarah, 165, 170, 183
Hume, David, 60, 65, 69, 104, 164, 170-3, 175, 178-9, 185, 186
Hurlbert, H. B., 187

Jevons, William Stanley, 100
Johnson, Jean, 180
Johnson, Paul, 177
Johnson, Samuel, 108, 180, 186

Kacelnik, Alex, 165-6
Kermode, Frank, 181
Keynes, J. M., 42, 68, 77, 131, 167, 172, 174, 181, 184-5
Keynes, Richard, 177

Khan, Gêngis, 186
Khan, Kubilai, 186
Kirkwood, Tom, 163-6, 174
Knight, Frank, 186-8
Kodama, Maria, 180
Koyré, Alexandre, 177

La Fontaine, Jean de, 95, 106
La Rochefoucauld, duque de, 59, 79, 87, 170, 175
Lara-Resende, André, 188
Lea, S., 166-7, 169, 172
Leminski, Paulo, 181
Leroy, Jean-Baptiste, 179
Léry, Jean de, 183, 184
Lightman, Alan, 175
Ling, Lieu, 116, 118, 182
Locke, John, 54, 104-5, 168-70, 179
Loewenstein, G., 166, 172, 176
Lovejoy, Arthur, 181
Lucrécio, 132, 184

Macdonell, J., 184
Machado de Assis, J. M., 41, 60, 152, 166, 170, 178, 181, 186, 188
Maddison, A., 174
Malebranche, N., 170, 173, 175
Manuck, S. B., 166, 169, 179
Maquiavel, Nicolau, 178
Marcos, são, 113
Marshall, Alfred, 165, 170, 172, 176, 187-8
Marx, Karl, 97, 103, 111, 128, 143, 147, 168, 170, 177, 179, 181, 183, 185, 187
Mateus, são, 187
McClure, S. M., 176
Medawar, P., 164, 165
Medici, Cosimo de, 99, 178, 181
Mehring, F., 177
Meikle, S., 185
Meireles, Cecília, 120, 182
Mill, John Stuart, 146, 160, 179, 185-6, 188
Mischel, Walter, 169, 176
Modigliani, Franco, 172
Montaigne, Michel de, 75, 94, 95, 173-4, 176-7

Montesquieu, barão de, 180, 187
Moore Jr., Barrington, 180
Moorhead, Philip, 164

Nabuco, Joaquim, 161, 186
Nagel, Thomas, 173
Nassau, Maurício de, 96, 177
Nietzsche, Friedrich, 74, 99, 113, 117, 153, 168, 173-5, 178, 181-3, 186
North, Douglass, 188
Nussbaum, Martha, 173, 176, 180

Parks, Tim, 178, 181
Partridge, L., 165, 167
Pascal, 110, 180
Paz, Octavio, 174, 182, 184
Pereira, Geraldo, 176
Péricles, 178
Pessoa, Fernando, 170, 177, 182
Pichois, C., 171
Pigou, Arthur Cecil, 179
Pinker, S., 165-6, 179
Pizzari, T., 165
Platão, 73, 168-9, 173-4
Polivy, Janet, 166, 178
Polo, Marco, 186
Pompeia, Guto, 169
Price, C., 186
Protágoras, 176

Quesnay, François, 187
Quincey, Thomas de, 66, 172, 187
Quine, W. V., 167

Rae, John, 13, 100, 169, 179, 184-5
Ramsey, F., 179, 184
Rée, J., 177
Rilke, Rainer Maria, 66, 118-20, 172, 182
Robbins, Lionel, 184-5
Rodrigues, Lupicínio, 97, 181
Rodrigues, Nelson, 148
Roemer, John, 185
Rosa, Noel, 178, 180
Rozin, P., 169

Rue, L., 175
Russell, Bertrand, 104-5, 179

Sagan, C., 163
Saint-Hilaire, A. de, 127-8, 183
Samuelson, Paul, 184
Scheinkman, José Alexandre, 187
Schopenhauer, Arthur, 59, 68, 100, 163, 169, 170-3, 178, 181
Schumann, Robert Alexander, 25
Sêneca, 115, 164, 178, 181-2
Shakespeare, William, 47, 129, 159, 164, 167, 174, 180-1
Shettleworth, Sara, 167
Sidgwick, H., 188
Silva, Ismael, 168
Simpson, Tom, 171
Smith, Adam, 60, 146, 150, 160, 169, 170, 172, 174, 176, 185, 187
Smith, John Maynard, 164
Sócrates, 73, 163, 173-6, 180
Soddy, F., 186
Stair, Nadine, 180
Starkie, E., 171

Tchaikóvski, P. I., 39
Tertuliano, 73, 172
Trótski, Leon, 23
Tsurayuki, Ki no, 184
Tucídides, 178
Turner, F., 184
Twain, Mark, 179

Valério, são, 73, 172
Valéry, Paul, 12, 54, 122, 168-9, 183
Veloso, Caetano, 186
Vieira, Antonio, 131, 184
Villegagnon, N. B., 174, 183
Viveiros de Castro, Eduardo, 174, 183-4
von Humboldt, Alexander, 184

Wallace, Alfred, 156, 186
Weber, Max, 182
Wedgwood II, Josiah, 177
Weismann, August, 163
Wheelwright, P., 173
Wicksell, Knut, 149, 184-5
Wilson, Margo, 176
Wittgenstein, Ludwig, 171
Wright, Robert, 177, 179, 183

Xenófanes, 33

Young, J. Z., 179

Zajonc, A., 175
Zoja, Luigi, 174

EDUARDO GIANNETI nasceu em Belo Horizonte, em 1957. É professor do Insper — Instituto de Ensino e Pesquisa e PhD pela Universidade de Cambridge. De sua autoria, a Companhia das Letras já publicou *Vícios privados, benefícios públicos?* (1993), *Auto-engano* (1997), *Felicidade* (2002), *O mercado das crenças* (2003), *O livro das citações* (2008), *A ilusão da alma* (2010) e *Trópicos utópicos* (2016).

1ª edição [2005] 10 reimpressões
2ª edição [2012] 9 reimpressões

tipologia JANSON TEXT
diagramação VERBA EDITORIAL
papel PÓLEN BOLD
impressão BARTIRA

A marca FSC® é a garantia de que a madeira utilizada na fabricação do papel deste livro provém de florestas que foram gerenciadas de maneira ambientalmente correta, socialmente justa e economicamente viável, além de outras fontes de origem controlada.